CODE EINSTEIN

MARK ALPERT

CODE EINSTEIN

Traduit de l'américain
par Jocelyne Warolin

ÉDITIONS GUTENBERG

Pour Lisa, qui a empli mon univers de merveilles

Cet ouvrage a été publié sous le titre original
Final Theory
Par Touchstone. Simon &Schuster New York London Toronto Sydney.

ISBN : 978-2-35236-045-2

Si vous désirez recevoir notre catalogue
et être tenu au courant de nos publications,
envoyez vos nom et adresse aux Éditions Gutenberg,
33, boulevard Voltaire 75011 Paris

Et, pour le Canada, à
Édipresse Inc., 945 avenue Beaumont,
Montréal, Québec, H3N 1W3

www.editionsgutenberg.fr

CHAPITRE PREMIER

Hans Walther Kleinman, l'un des plus grands physiciens théoriques de notre temps, luttait contre la noyade dans sa baignoire. Un étranger aux bras longs et musclés lui avait cloué les épaules sur le fond en émail.

Bien qu'il n'y eût qu'une trentaine de centimètres d'eau, les bras vigoureux de l'homme empêchaient Hans de relever la tête. Il s'agrippait aux mains de l'étranger, essayant de lui faire relâcher sa prise, mais l'homme était un *shtarker*, une jeune brute, et Hans était un homme de soixante-dix-neuf ans souffrant d'arthrite et d'insuffisance cardiaque. En se débattant, il donnait des coups de pied sur les parois de la baignoire, et l'eau tiède clapotait tout autour de lui. Il ne voyait pas bien son agresseur — le visage de l'homme était une forme confuse, mouvante et mouillée. Le *shtarker* devait s'être introduit dans l'appartement par la fenêtre ouverte donnant sur l'escalier de secours, puis s'était précipité dans la salle de bains lorsqu'il avait appris que Hans s'y trouvait.

Au fur et à mesure que Hans se débattait, il sentait la pression augmenter dans sa poitrine. Cela avait commencé au centre, juste au-dessous du sternum, et avait rapidement envahi toute la cage thoracique. Une pression négative poussant vers l'intérieur, comprimant ses poumons. En quelques secondes, elle avait atteint son cou, oppression chaude et étouffante. Hans ouvrit la bouche, pris de haut-le-cœur. L'eau tiède s'écoula dans sa gorge, il devint alors un être de pure panique, un animal primitif qui se tordait et se raidissait avant les convulsions finales. *Non, non, non, non, non !* Puis il cessa de bouger et, comme sa vue se brouillait, il ne vit plus que des vaguelettes à la surface qui ondulaient juste quelques centimètres au-dessus de lui. « Une série de Fourier, pensa-t-il. Et une belle ! »

Mais ce n'était pas la fin, pas encore. Quand Hans reprit conscience, il était étendu à plat ventre sur le sol carrelé et froid, crachant l'eau du bain. Ses yeux lui faisaient mal et son estomac se contractait, chaque respiration était un atroce hoquet. Revenir à la vie était en fait plus douloureux que mourir. Ensuite il ressentit un coup violent dans le dos, exactement entre les omoplates, et il entendit quelqu'un dire d'une voix enjouée : « Il est l'heure de se réveiller ! »

L'étranger l'attrapa par les épaules et le retourna. L'arrière de sa tête cogna contre le carrelage mouillé. Respirant encore avec difficulté, il leva les yeux vers son agresseur qui était à genoux sur le tapis de bain. Un homme énorme, d'au moins cent kilos. Les muscles de ses épaules saillant sous son T-shirt noir, le bas de son pantalon de camouflage resserré dans des bottes en cuir noir. Un crâne chauve, qui paraissait tout petit par rapport à son corps, une barbe noire de quelques jours et une cicatrice grise sur la mâchoire. « Une tête de drogué, pensa Hans. Quand il m'aura tué, il va fouiller à fond l'appartement, à la recherche de mes objets de valeur. Jusqu'à ce que ce crétin s'aperçoive que je n'ai pas le moindre cent. »

Le *shtarker* étira ses lèvres fines en un sourire.

— Maintenant, on va causer un peu, d'accord ? Vous pouvez m'appeler Simon, si vous voulez.

La voix de l'homme avait un accent inhabituel que Hans ne parvenait pas à déterminer. Il avait de petits yeux marron, son nez était crochu et sa peau avait la couleur de la brique. Ses traits étaient laids mais pas typiques — il pouvait être espagnol, russe, turc ou de toute autre nationalité. Hans essaya de dire : « Que voulez-vous ? », mais quand il ouvrit la bouche, il ne put que hoqueter de nouveau.

Simon parut amusé.

— Oui, oui, je suis vraiment désolé. Mais il fallait que je vous montre que je suis sérieux. Et mieux valait le faire tout de suite, pas vrai ?

Curieusement, Hans n'était plus effrayé. Il avait déjà accepté le fait que cet étranger allait le tuer. Ce qui le dérangeait, c'était l'impudence de l'homme, qui continuait à sourire alors que lui-même gisait nu sur le sol. Ce qui allait se passer après paraissait évident : Simon allait l'obliger à lui révéler le numéro de sa carte bancaire. Il était arrivé la même chose à une voisine, une vieille dame de quatre-vingt-deux ans, attaquée dans son appartement et battue jusqu'à ce qu'elle obtempère. Non, Hans n'avait pas peur — il était furieux ! Il toussa et expulsa de sa gorge les dernières gouttes d'eau du bain, puis se redressa sur les coudes.

— Cette fois, vous vous êtes trompé, fripouille. Je n'ai pas d'argent. Je n'ai même pas de carte bancaire.

— Ce n'est pas votre argent que je veux, Dr Kleinman. Ce qui m'intéresse, c'est la physique, pas l'argent. Vous êtes un familier du sujet, je présume ?

D'abord, la colère de Hans augmenta. Est-ce que ce crétin se moquait de lui ? Qui pensait-il qu'il était ? Un moment après, cependant, une question plus préoccupante lui vint à l'esprit : comment cet homme connaît-il mon nom ? Et comment sait-il que je suis physicien ?

Simon sembla deviner ses pensées.

— Ne soyez pas si surpris, professeur. Je ne suis pas aussi ignorant que j'en ai l'air. Je ne suis peut-être pas très diplômé, mais j'apprends vite.

Hans avait compris maintenant que cet homme n'était pas un drogué venu le dévaliser.

— Qui êtes-vous ? Que faites-vous là ?

— Disons que c'est pour un travail de recherche. Sur un sujet passionnant et ésotérique. (Son sourire s'agrandit.) Je l'admets, certaines des équations n'étaient pas faciles à comprendre. Mais j'ai quelques amis, voyez-vous, et ils expliquent très bien.

— Des amis ? Qu'entendez-vous par *amis* ?

— Eh bien, peut-être que ce n'est pas le bon mot. Des *clients* serait probablement plus exact. J'ai quelques clients très informés et bien financés. Et ils m'ont engagé pour obtenir de vous certaines informations.

— Qu'est-ce que vous voulez dire ? Seriez-vous une sorte d'espion ?

Simon ricana.

— Non, non, rien d'aussi honorable. Je suis un travailleur indépendant. Rien de plus.

L'esprit de Hans s'emballait maintenant. Le *shtarker* était un espion, ou peut-être un terroriste. Son affiliation exacte n'était pas claire — Iran ? Corée du Nord ? Al-Qaida ? — mais peu importait. Ils couraient tous après la même chose. Ce que Hans ne comprenait pas c'est pourquoi ces salauds s'en prenaient spécialement à lui. Comme tous les physiciens nucléaires de sa génération, Hans avait réalisé quelques travaux secrets pour le ministère de la Défense dans les années cinquante et soixante, mais sa spécialité avait été les études sur la radioactivité. Il n'avait jamais travaillé sur les plans ou la fabrication de la bombe. La plus grande partie de sa vie professionnelle avait été consacrée à de la recherche théorique qui n'avait rien de militaire.

— J'ai de mauvaises nouvelles pour vos clients, quels qu'ils soient. Ils n'ont pas choisi le bon physicien.

Simon secoua la tête.

— Non, je ne crois pas.

— Quel genre d'informations croyez-vous que je puisse vous donner ? Sur l'enrichissement de l'uranium ? Je n'y connais rien ! Et rien non plus sur le plan des ogives. Mes recherches portent sur la physique des particules, pas sur la technique nucléaire. Toutes mes publications sont accessibles sur Internet, il n'y a rien de secret !

L'étranger, impassible, haussa les épaules.

— J'ai peur que vous soyez arrivé à la mauvaise conclusion. Je n'ai rien à faire ni des ogives ni de vos publications. Je suis intéressé par les travaux de quelqu'un d'autre, pas les vôtres.

— Alors que faites-vous dans mon appartement ? Vous a-t-on donné une mauvaise adresse ?

Le visage de Simon se durcit. Il repoussa Hans sur le dos, posa une main à plat sur sa cage thoracique et se pencha en avant pour faire porter tout son poids dessus.

— Il se trouve que cette personne est quelqu'un que vous connaissez. Votre professeur à Princeton, il y a cinquante-cinq ans ? Le Juif errant de Bavière ? L'homme qui a écrit *Zur Elektrodynamik bewegter Körper* ? Vous ne l'avez certainement pas oublié.

Hans lutta pour respirer. La main du *shtarker* paraissait incroyablement lourde. « *Mein Gott*, pensa-t-il. Ce n'est pas possible ! »

Simon se pencha encore un peu plus sur lui.

— Il vous admirait, Dr Kleinman. Il pensait que vous étiez un de ses assistants les plus prometteurs. Vous avez travaillé ensemble très étroitement durant les dernières années de sa vie, n'est-ce pas ?

Même s'il l'avait voulu, Hans n'aurait pas pu répondre. Simon appuyait si fort sur son thorax qu'il sentait ses vertèbres crisser sur le carrelage froid.

— Oui, il vous admirait. Mais plus que ça, il avait confiance en vous. Durant ces années-là, il a parlé avec vous de tout ce sur quoi il travaillait. Y compris sa *Einheitliche Feldtheorie*.

Juste à ce moment, une côte de Hans se brisa. Sur son flanc gauche, la courbe externe, là où elle est le plus flexible. La douleur transperça sa poitrine et il ouvrit la bouche pour crier, mais il ne put même pas respirer suffisamment pour pousser un cri. *Oh Gott, Gott in Himmel !* Tout d'abord son esprit rationnel se désintégra. Il fut effrayé, terrifié ! Il comprenait ce que cet étranger voulait ; il savait qu'il finirait par être incapable de résister.

Enfin, Simon relâcha la pression et ôta sa main de la poitrine du vieil homme. Hans prit une profonde inspiration, et alors que l'air pénétrait il sentit de nouveau un élancement douloureux dans son côté gauche. Il pleurait de douleur et frissonnait à chaque respiration. Simon se tenait devant lui, les mains sur les hanches, souriant, pleinement satisfait de son travail.

— Alors, est-ce qu'on se comprend tous les deux ? Voyez-vous ce que je recherche ?

Hans hocha la tête, puis ferma les yeux. « Je suis désolé, *Herr Doktor*, pensa-t-il. Je vais vous trahir. » Et dans son esprit il revit le visage du professeur, aussi nettement que si le grand homme était debout devant lui, là, dans la salle de bains. Mais cela n'avait rien à voir avec les images que tout le monde connaissait de lui, ces photographies du génie aux cheveux blancs mal peignés. Hans se rappelait le professeur dans les derniers mois de sa vie. Ses joues pâles, ses yeux creux, son air abattu. L'homme qui avait entrevu la vérité mais qui, pour la sécurité du monde, ne pouvait pas la divulguer.

Un coup de pied dans son côté, juste en dessous de sa côte cassée, le fit se tordre de douleur. Ses yeux s'ouvrirent brutalement. Une des bottes de cuir de Simon était sur sa hanche nue.

— Pas le moment de dormir ! On a du travail à faire. Je vais aller chercher du papier sur votre bureau et vous allez m'écrire quelque chose.

L'homme se retourna et sortit de la salle de bains.

— Si je ne comprends pas quelque chose, vous me l'expliquerez. Comme un séminaire, d'accord ? Qui sait, vous allez peut-être y prendre plaisir.

Simon traversa le hall et se dirigea vers la chambre à coucher. L'étranger étant hors de sa vue, la peur de Hans s'estompa légèrement et il fut de nouveau capable de penser, au moins jusqu'à ce que le salaud revienne. Et ce à quoi il pensa, c'est aux bottes du *shtarker*, à ses bottes noires brillantes de troupes d'assaut. Hans ressentit une vague de dégoût. L'homme essayait de ressembler à un nazi. En fait, c'en était un, un nazi, pas différent des brutes en uniforme kaki que Hans avait vu descendre les rues de Francfort quand il avait sept ans. Et ceux pour qui Simon travaillait, les « clients » anonymes ? Qui étaient-ils, sinon des nazis ?

Simon revint avec un stylo à bille dans une main et un grand bloc de papier dans l'autre.

— Très bien, pour commencer, je veux que vous écriviez l'équation du champ unifié.

Il se pencha, tendant le stylo et le papier, mais Hans ne les prit pas. Son poumon s'affaissait et chaque respiration était une torture, mais il n'aiderait pas ce nazi.

— Allez au diable ! lâcha-t-il d'une voix rauque.

Simon lui jeta un regard de réprimande, comme celui que l'on donne à un gamin de cinq ans qui se conduit mal.

— Vous savez à quoi je pense, Dr Kleinman ? Je pense que vous avez besoin d'un autre bain.

D'un mouvement rapide il souleva Hans et le replongea dans le bain. Une fois de plus Hans se débattit pour sortir la tête de l'eau, se cognant aux parois de la baignoire et s'agrippant aux bras du *shtarker*. La seconde fois lui parut plus terrifiante que la première, parce que maintenant Hans savait exactement ce qui l'attendait — l'oppressante agonie, les affreuses convulsions, la descente incontrôlable vers les ténèbres.

Hans sombra cette fois plus profondément encore dans l'inconscience. Cela lui demanda un terrible effort d'émerger de l'abîme et, même après qu'il eut ouvert les yeux, il se sentit comme s'il n'était pas complètement éveillé. Sa vision était floue et il ne pouvait respirer que superficiellement.

— Êtes-vous là, Dr Kleinman ? M'entendez-vous ?

La voix était maintenant assourdie. Quand Hans leva les yeux, il vit la silhouette du *shtarker*, mais son corps semblait entouré par une pénombre de particules vibratoires.

— J'aurais vraiment préféré que vous soyez plus raisonnable, Dr Kleinman. Si vous envisagiez la situation de façon logique, vous comprendriez que tout ce subterfuge est absurde. Vous ne pouvez pas cacher quelque chose comme ça indéfiniment.

Hans regarda d'un peu plus près cette pénombre qui entourait l'homme et il vit que les particules en fait ne vibraient pas — elles naissaient et mouraient, des paires de particules et d'antiparticules apparaissant comme par magie du vide quantique, puis disparaissant tout aussi rapidement. « C'est étonnant, pensa-t-il. Si seulement j'avais un appareil photo ! »

— Même si vous ne nous aidez pas, mes clients obtiendront ce qu'ils veulent. Peut-être que vous ne le savez pas, mais votre professeur avait d'autres confidents. Il pensait qu'il serait plus facile de répartir l'information entre eux. Nous avons déjà contacté certains de ces vieux messieurs, et ils ont été plus coopératifs. D'une manière ou d'une autre, nous obtiendrons ce dont nous avons besoin. Aussi pourquoi vous faire tant de mal ?

Les particules évanescentes semblaient grossir à vue d'œil. Après une observation plus proche, il devint clair que ce n'était pas du tout des particules, mais des cordes s'étirant d'un voile d'espace à un autre. Les cordes se brisaient entre les voiles ondulants, lesquels s'enroulaient en tubes, cônes et tubulures. Et toute la danse élaborée se poursuivait exactement comme prévu, exactement comme *Herr Doktor* l'avait décrite !

— Je suis désolé, Dr Kleinman, mais ma patience s'amenuise. Je n'aime pas faire ça, mais vous ne me laissez pas le choix.

L'homme lui donna par trois fois des coups de pied dans le côté gauche, mais Hans ne les sentit même pas. Les voiles d'espace diaphanes s'étaient enroulés autour de lui. Il pouvait les voir très nettement, comme des feuilles courbes de verre soufflé, brillantes et impénétrables, cependant doux au toucher. Mais l'autre homme, manifestement, ne pouvait pas les voir. Qui était-il de toute façon ? Il paraissait si ridicule dans ses bottes de cuir noir.

— Vous ne les voyez pas, murmura Hans. Elles sont justes devant vos yeux !

L'homme poussa un soupir.

— Je suppose qu'il va falloir employer un moyen de persuasion plus puissant.

Il recula dans l'entrée et ouvrit la porte du placard à linge.

— Voyons voir ce que nous avons là-dedans.

Au bout d'un moment, il revint dans la salle de bains avec une bouteille d'alcool à 90° et un fer à vapeur.

— Dr Kleinman, pouvez-vous me dire où se trouve la plus proche prise de courant ?

Hans oublia l'homme. Il ne voyait rien d'autre que les replis en dentelle de l'univers, s'enroulant autour de lui comme une couverture infiniment douce.

CHAPITRE DEUX

David Swift était d'excellente humeur. Lui et Jonah, son fils de sept ans, venaient de passer un merveilleux après-midi dans Central Park. Pour couronner la journée, David avait acheté des cornets de glace à un marchand ambulant dans la 72e rue, et maintenant père et fils marchaient tranquillement dans le chaud crépuscule de juin vers l'appartement de l'ex-femme de David. Jonah était de bonne humeur aussi, parce que dans sa main droite — sa main gauche tenait le cornet de glace — il brandissait un Super Soaker à trois coups flambant neuf. Tout en avançant sur le trottoir, il pointait au hasard son pistolet à eau *high tech* vers toutes sortes de cibles — fenêtres, boîtes aux lettres, groupes de pigeons —, mais David ne s'en souciait pas. Son fils aurait vidé le réservoir de son pistolet avant d'avoir quitté le parc.

Jonah, tout en jouant et en léchant sa glace, demanda :

— Comment ça marche ? Pourquoi l'eau sort aussi vite ?

David avait déjà expliqué deux fois le processus, mais il voulait bien recommencer. Il aimait beaucoup avoir ce genre de conversation avec son fils.

— Quand tu bouges ce truc rouge, le bras de la pompe, l'eau est poussée du grand réservoir vers le plus petit.

— Attends, où il est le plus petit ?

David montra l'arrière du pistolet.

— Juste ici. Il y a un peu d'air dans ce petit réservoir et quand tu envoies de l'eau dedans, il y a moins de place pour l'air. Les molécules d'air sont comprimées et se mettent à pousser l'eau.

— Je ne comprends pas. Pourquoi elles poussent l'eau ?

— Parce que les molécules d'air reprennent toujours leur forme. Et quand on les comprime ensemble, elles repoussent l'eau.

— Est-ce que je peux emporter le pistolet à l'école pour le montrer ?

— Euh, je ne sais pas…

— Pourquoi pas ? C'est de la science, non ?

— Je ne pense pas que les pistolets à eau soient autorisés à l'école. Mais tu as raison, cet objet a un rapport avec la science. La personne qui a inventé le Super Soaker était un scientifique. Un ingénieur nucléaire qui travaillait pour la NASA.

Sur la Columbus Avenue passa un bus que Jonah visa avec son pistolet à eau. Il semblait se désintéresser de la relation entre la physique et les Super Soaker.

— Pourquoi tu n'es pas devenu un scientifique, papa ?

David réfléchit une seconde avant de répondre.

— Eh bien, tout le monde ne peut pas être scientifique. Mais j'écris des livres sur l'histoire de la science. C'est amusant aussi. J'étudie la vie de gens célèbres comme Isaac Newton et Albert Einstein, et je donne des conférences sur eux.

— Moi, je ne veux pas faire ça. Je veux devenir un vrai scientifique. J'inventerai des vaisseaux spatiaux qui pourront aller sur Pluton en cinq secondes.

Cela aurait été drôle de parler de vaisseau spatial allant sur Pluton, mais maintenant David était mal à l'aise. Il ressentit le besoin de donner une meilleure image de sa position sociale à son fils.

— Il y a longtemps, quand j'étais à l'université, j'ai fait un peu de recherche scientifique. Et c'était dans le domaine de l'espace.

Jonah tourna son regard vers lui.

— Tu veux dire les vaisseaux spatiaux ? demanda-t-il plein d'espoir. Des vaisseaux spatiaux qui peuvent aller à des milliards de kilomètres à la seconde ?

— Non, c'était sur la forme de l'espace. À quoi ressemblerait l'espace s'il était en deux dimensions au lieu de trois.

— Je ne comprends pas. Qu'est-ce que c'est une dimension ?

— Un univers avec deux dimensions a une longueur et une largeur, mais pas de profondeur. Comme une feuille géante.

David leva les mains, les paumes vers le bas, comme s'il lissait une feuille infinie.

— J'avais pour directeur de recherche le professeur Kleinman. C'est un des scientifiques les plus intelligents du monde. Et nous avons écrit ensemble un article sur les univers à deux dimensions.

— Un article ?

L'enthousiasme disparut du visage de Jonah.

— Oui, c'est ce que font les scientifiques, ils écrivent des articles sur leurs découvertes. Ainsi leurs collègues peuvent être au courant de ce qu'ils ont fait.

Jonah porta de nouveau son regard sur la circulation. Il s'ennuyait tellement qu'il n'avait même pas envie de demander ce que le mot *collègues* signifiait.

— Je vais demander à maman si je peux emporter le Super Soaker à l'école pour le montrer.

Une minute plus tard, ils entraient dans l'immeuble où vivaient Jonah et sa mère Karen. David y avait habité, lui aussi, jusqu'à leur divorce. Maintenant, il vivait dans un petit appartement, dans les quartiers résidentiels, plus près de son travail à l'université Columbia. Chaque jour de la semaine, il récupérait Jonah à l'école à trois heures et le ramenait à sa mère quatre heures plus tard. Cet arrangement leur permettait de ne pas avoir à payer de baby sitter. Mais le cœur de David se serrait toujours lorsqu'il traversait l'entrée de son vieil immeuble et montait dans l'ascenseur. Il se sentait comme un exilé.

Quand enfin ils atteignirent le quatorzième étage, David vit Karen dans l'encadrement de la porte. Elle n'avait pas encore retiré sa tenue de travail : escarpins noirs et tailleur de femme d'affaires gris, l'uniforme standard d'une juriste spécialisée dans le droit des sociétés. Les bras croisés sur la poitrine, elle examinait son ex-mari, jetant un regard désapprobateur sur sa barbe de plusieurs jours, ses jeans maculés de boue et son T-shirt au nom de son équipe de softball, les Hitless Historians. Puis, ses yeux se fixèrent sur le Super Soaker. Sentant les problèmes arriver, Jonah tendit le pistolet à David et se faufila derrière sa mère pour entrer dans l'appartement.

— J'vais faire pipi, s'écria-t-il en courant vers les toilettes.

Karen secoua la tête en regardant le pistolet à eau. Une mèche égarée de cheveux blonds se balançait sur sa joue gauche. Elle était encore belle, pensa David, mais c'était une beauté froide et rigide. Elle leva la main vers son visage et repoussa la mèche sur le côté.

— À quoi diable as-tu pensé ?

David s'était préparé à cela.

— Je viens d'expliquer à Jonah les règles du jeu. Ne jamais arroser des personnes. Nous sommes allés au parc et avons tiré sur les rochers et les arbres. C'était amusant.

— Tu crois qu'une mitrailleuse est un jouet approprié pour un gamin de sept ans ?

— Ce n'est pas une mitrailleuse, d'accord ? Et sur la boîte, il est écrit à partir de sept ans.

Karen plissa les yeux et pinça les lèvres. Cette expression qu'elle avait souvent dans le feu d'une discussion, David l'avait toujours détestée.

— Tu sais ce que les mômes font avec ces Super Soaker ? dit-elle. J'ai entendu une histoire à ce propos aux informations d'hier soir. Un groupe de gamins de Staten Island ont mis de l'essence dans le pistolet à la place de l'eau et l'ont ainsi transformé en lance-flammes. Ils ont failli incendier tout le quartier.

David prit une profonde respiration. Il ne voulait plus se quereller avec Karen. C'est la raison pour laquelle ils s'étaient séparés — ils se disputaient tout le temps devant Jonah. Il était donc inutile de poursuivre cette conversation.

— O.K., O.K., du calme ! Dis-moi simplement ce que tu veux que je fasse.

— Emporte ce pistolet ! Jonah pourra jouer avec quand il sera sous ta surveillance, mais je ne veux pas de ce truc chez moi.

Le téléphone sonna dans l'appartement, Jonah cria « J'y vais ! » Karen tourna la tête. David pensa qu'elle allait se précipiter vers le téléphone, mais en fait elle tendit l'oreille pour écouter. Était-ce son nouveau petit ami ? Elle avait commencé à fréquenter un autre juriste, un homme jovial aux cheveux gris ayant deux ex-femmes et beaucoup d'argent. David n'était pas jaloux au sens propre du terme — il n'était plus amoureux de Karen depuis longtemps. Mais il ne pouvait pas supporter que cet imbécile heureux devienne copain avec son fils.

Jonah arriva à la porte, le téléphone sans fil à la main. Il s'arrêta dans son élan, probablement intrigué par le visage grave de ses parents. Puis il tendit le téléphone à David.

— C'est pour toi, papa.

Karen se figea. Elle avait l'air stupéfait.

— C'est étrange. Pourquoi des gens t'appellent ici ? Ils n'ont pas ton nouveau numéro ?

Jonah haussa les épaules.

— Le monsieur au téléphone a dit qu'il était de la police.

***

David était assis sur la banquette arrière d'un taxi filant vers le nord en direction de l'hôpital St Luke. La nuit tombait maintenant et tous les couples branchés du jeudi soir faisaient la queue devant les restaurants et les bars de Amsterdam Avenue. Tandis que le taxi se frayait un chemin à travers la circulation, dépassant les bus et les camionnettes de livraison qui roulaient lentement, David regardait clignoter les lettres jaune vif des enseignes au néon au-dessus des restaurants.

Attaqué, avait dit l'inspecteur de police. Le professeur Kleinman avait été attaqué dans son appartement de la 127e rue. Il était actuellement dans un état critique, aux urgences de St Luke. Il avait demandé à voir David Swift et murmuré un numéro de téléphone aux auxiliaires médicaux. Le policier avait insisté pour que David se presse.

David éprouvait un sentiment de culpabilité. Il n'avait pas vu le professeur Kleinman depuis plus de trois ans. Le vieil homme vivait reclus depuis qu'il avait quitté le département de physique de l'université Columbia. Il avait donné tout son argent à Israël et habitait un tout petit appartement en bordure de West Harlem. Pas de femme, pas d'enfant. Il avait consacré sa vie à la physique.

Vingt ans plus tôt, Kleinman avait été le directeur de mémoire de David quand il était étudiant en master. Il avait aimé cet homme dès le début. Ni distant ni sévère, il parsemait de yiddish ses conférences sur la physique quantique. Une fois par semaine, David écoutait Kleinman élucider les mystères des fonctions des ondes et des particules virtuelles. Malheureusement, toutes ses patientes explications n'avaient pas suffi ; après deux années de frustration, David dut admettre que cela dépassait son entendement. Il n'était pas assez intelligent pour être physicien. Il abandonna donc les études de physique et se tourna vers ce qui s'en rapprochait le plus : un doctorat en histoire des sciences.

Kleinman s'était attaché à son étudiant. Ils restèrent en relation durant les dix années qui suivirent. Quand David commença ses recherches pour son livre — une étude des collaborations d'Einstein avec ses divers assistants — Kleinman lui confia ses souvenirs sur l'homme qu'il appelait respectueusement *Herr Doktor*. Le livre, *On the Shoulders of Giants*, eut énormément de succès et fit la réputation de David. À présent professeur titulaire dans le programme d'histoire des sciences de Columbia, David savait cependant que cela ne signifiait pas grand-chose. Comparé à un génie comme Kleinman, il n'avait rien fait.

Le taxi s'arrêta dans un crissement de pneus devant les urgences de St Luke. Après avoir réglé le chauffeur, David se précipita vers les portes en verre automatiques et aperçut trois policiers de la ville de New York près du bureau des admissions. Deux d'entre eux étaient en uniforme : un brigadier d'âge moyen avec un ventre proéminent et un jeune policier grand et maigre, qui avait l'air de sortir tout juste du lycée. Le troisième était un inspecteur en civil, un beau latino en costume impeccable. « C'est l'homme qui m'a appelé », pensa David. Il se souvint de son nom : Rodriguez.

Le cœur battant, David s'approcha des policiers.

— Excusez-moi ? Je suis David Swift. Êtes-vous l'inspecteur Rodriguez ?

L'inspecteur hocha la tête d'un air grave. En revanche, les deux agents paraissaient amusés. Le brigadier ventru s'adressa à David en souriant.

— Hé, vous avez un permis pour ce truc ?

Il montra du doigt le Super Soaker. David était si bouleversé qu'il avait oublié qu'il avait encore à la main le pistolet à eau de Jonah.

Rodriguez regarda le brigadier en fronçant les sourcils. Il était concentré sur son affaire.

— Merci d'être venu, M. Swift. Êtes-vous un parent de M. Kleinman ?

— Non, non, je suis simplement un ami. Un ancien étudiant, en fait.

L'inspecteur sembla étonné.

— Il a été votre professeur ?

— Oui, à Columbia. Comment va-t-il ? Est-il grièvement blessé ?

Rodriguez posa la main sur l'épaule de David.

— S'il vous plaît, suivez-nous ! Il est conscient mais ne répond pas à nos questions. Il insiste pour vous parler.

L'inspecteur entraîna David dans un couloir, les deux agents à leur suite. Ils passèrent devant deux infirmières qui les regardèrent, le visage grave. Ce n'était pas bon signe.

— Que s'est-il passé ? demanda David. Vous m'avez dit qu'il a été attaqué ?

— Nous avons un rapport de cambriolage en cours, déclara Rodriguez sans émotion. Quelqu'un de l'autre côté de la rue a vu un homme entrer dans l'appartement par l'escalier de secours. Quand les agents sont arrivés, ils ont trouvé M. Kleinman dans sa salle de bain, grièvement blessé. C'est tout ce que nous savons pour le moment.

— Qu'entendez-vous par grièvement blessé ?

L'inspecteur regarda droit devant lui.

— Quel que soit celui qui l'a attaqué, c'est un détraqué. M. Kleinman a des brûlures au troisième degré sur le visage, la poitrine et les parties génitales. Il souffre aussi d'un collapsus pulmonaire et de dommages à divers organes. Les médecins disent que son cœur est faible . Je suis vraiment désolé, M. Swift.

La gorge de David se serra.

— Ils ne peuvent pas l'opérer ?

Rodriguez secoua la tête.

— Il ne survivrait pas.

— Nom de Dieu, marmonna David. Il ressentait plus de colère que de chagrin. Il serra les poings en pensant au Dr Hans Walther Kleinman, ce vieil homme bienveillant et d'une intelligence exceptionnelle, rossé par une crapule sadique.

Ils arrivèrent devant le SERVICE DE TRAUMATOLOGIE. Par la porte, David aperçut deux autres infirmières en blouses vertes près d'un lit entouré d'équipement médical — un moniteur cardiaque, un chariot d'urgence, un défibrillateur, une perche à perfusions. David ne pouvait pas distinguer qui était sur le lit. Il se préparait à entrer dans la pièce quand l'inspecteur Rodriguez le retint par le bras.

— Je sais que ce sera difficile, M. Swift, mais nous avons besoin de votre aide. Je veux que vous demandiez à M. Kleinman s'il se souvient de quelque chose concernant son agression. Les auxiliaires médicaux nous ont dit que lorsqu'il était dans l'ambulance il n'a cessé de répéter deux noms.

Rodriguez regarda par-dessus son épaule le jeune policier.

— C'était quoi, déjà ?

Le jeune flic tourna les pages de son carnet.

— Euh ! Attendez une seconde ! C'étaient des noms allemands, je me rappelle de ça. O.K., les voilà. Einhard Liggin et Feld Terry.

Rodriguez regarda attentivement David.

— Connaissez-vous ces personnes ? Étaient-ce des associés de M. Kleinman ?

David répéta à voix basse ces noms : Einhard Liggin, Feld Terry. Ils n'étaient pas courants, même pour des noms allemands. Et puis il comprit soudain.

— Ce ne sont pas des noms, dit-il. Ce sont deux mots allemands. *Einheitliche Feldtheorie*.

— Qu'est-ce que ça signifie ?

— Théorie du champ unifié.

Rodriguez le regarda.

— Et que diable cela signifie-t-il ?

David décida de lui expliquer comme il l'aurait fait à Jonah.

— C'est une théorie qui expliquerait toutes les forces de la nature. Tout, de la gravité à l'électricité et aux forces nucléaires. C'est le Saint-Graal de la physique. Des chercheurs travaillent sur cette question depuis des décennies, mais personne n'a encore rien trouvé.

Le brigadier bedonnant étouffa un petit rire.

— Bon, on tient notre coupable : la théorie du champ unifié. Est-ce que je peux envoyer un message à toutes les patrouilles ?

Rodriguez regarda de nouveau le brigadier en fronçant les sourcils, puis se tourna vers David.

— Demandez juste à M. Kleinman ce dont il se souvient. Toute information peut nous être utile.

— D'accord, je vais essayer, répondit David.

Mais il était perplexe maintenant. Pourquoi Kleinman aurait-il répété ces mots étranges ? Théorie du champ unifié était un terme quelque peu démodé. La plupart des physiciens maintenant parlaient désormais de théorie des cordes ou théorie M ou gravité quantique, qui étaient les noms des plus récentes approches du problème. Qui plus est, Kleinman n'avait été enthousiasmé par aucune de ces approches. Ses amis physiciens faisaient complètement fausse route, pensait-il. Au lieu de chercher à comprendre comment fonctionne l'univers, ils élaboraient de colossales formules mathématiques.

Rodriguez lui jeta un regard impatient. Il prit le Super Soaker des mains de David et le poussa du coude vers le service de traumatologie.

— Vous feriez bien d'y aller maintenant ! Il n'en a peut-être plus pour très longtemps.

David acquiesça, puis entra dans la pièce. Quand il s'approcha du lit, les deux infirmières reculèrent avec tact et dirigèrent leurs regards sur le moniteur cardiaque.

Il remarqua d'abord les pansements. L'épais tampon de gaz fixé sur le côté droit du visage de Kleinman. Les bandes imprégnées de sang qui entouraient sa poitrine. Les bandages qui couvraient pratiquement tout le corps ne parvenaient pas cacher l'étendue des blessures. David voyait les plaques de sang séché autour des cheveux blancs du vieil homme et les meurtrissures violettes en forme de mains sur ses épaules. Mais le pire, c'était la teinte violacée de sa peau, le signe que le cœur de Kleinman ne pourrait bientôt plus envoyer l'oxygène de ses poumons aux autres organes. Malgré le masque à oxygène sur son visage et la position assise pour drainer ses poumons, le blessé avait très mauvaise allure. David eut envie de pleurer en regardant le professeur Kleinman qui semblait n'être déjà plus qu'un cadavre.

Quelques secondes plus tard, cependant, ce corps commença à bouger. Kleinman ouvrit les yeux et leva lentement la main gauche vers son visage. De ses doigts recourbés, il tapota le masque en plastique qui recouvrait sa bouche et son nez. David se pencha au-dessus du lit.

— Dr Kleinman ? C'est moi, David. M'entendez-vous ?

Les yeux larmoyants et vitreux du professeur se fixèrent sur lui. Kleinman tapota de nouveau sur son masque à oxygène, puis saisit la poche à air en vinyl qui pendait en dessous, s'emplissant et se vidant comme un troisième poumon. Après avoir tâtonné un moment, il parvint à bien la tenir et commença à tirer dessus.

David s'inquiéta.

— Est-ce que quelque chose ne va pas ? L'air ne passe pas, peut-être ?

Kleinman tira plus fort sur la poche, qui se tordit dans sa main. Ses lèvres bougeaient sous le masque en plastique. David se pencha plus près.

— Que se passe-t-il ? Qu'est-ce qui ne va pas ?

Le vieil homme secoua la tête. Une goutte de sueur coula le long de son front.

— Vous ne l'avez pas vu ? murmura-t-il derrière son masque. Vous n'avez pas vu ?

— Vu quoi ?

Kleinman lâcha le masque et leva la main, la faisant tourner lentement dans l'air comme s'il faisait admirer un trophée.

— Si beau ! murmura-t-il.

David entendit un gargouillis. C'était le fluide refluant dans ses poumons.

— Savez-vous où vous êtes, professeur ? Vous êtes dans un hôpital.

Kleinman continuait à regarder avec émerveillement sa main, ou plus précisément, l'espace vide dans le creux de sa paume.

— Oui, oui, répondit-il d'une voix rauque.

— Un homme vous a attaqué dans votre appartement. La police veut savoir si vous vous souvenez de quelque chose.

Le vieil homme toussa, aspergeant de crachat rose l'intérieur du masque. Mais ses yeux restèrent fixés sur l'invisible trophée qu'il semblait tenir dans sa main.

— Il avait raison. *Mein Gott*, il avait raison.

David se mordit les lèvres. Il savait maintenant avec certitude que Kleinman était en train de mourir. Il avait déjà assisté à une semblable lutte. Dix ans auparavant, il regardait mourir son père d'un cancer du foie sur un lit d'hôpital. Le père de David, John Swift, conducteur de bus et ancien boxeur, avait abandonné sa famille, puis sombré dans l'alcoolisme. À la fin, il ne reconnaissait même plus son fils, se débattait sous les draps et jurait en prononçant les noms des poids semi-moyens jadis célèbres qui l'avaient mis K.-O. trente ans plus tôt.

David prit la main de Kleinman. Elle était douce, molle et très froide.

— Professeur, s'il vous plaît, écoutez-moi ! C'est important.

Les yeux du vieil homme se fixèrent de nouveau sur David. C'était la seule chose qui semblait encore vivante en lui.

— Tout le monde pense… qu'il a échoué. Mais il a réussi. Il a réussi !

Kleinman parlait en courtes rafales, prenant de faibles respirations entre elles.

— Mais il ne pouvait pas… le publier. *Herr Doktor* voyait le danger. Bien pire… qu'une bombe. Destructeur… des mondes.

David regarda le vieil homme. *Herr Doktor ?* Destructeur des mondes ? Il serra un peu plus fort la main de Kleinman.

— Essayez de rester avec moi, je vous en prie ! Il faut que vous me parliez de l'homme qui vous a blessé. Vous souvenez-vous à quoi il ressemblait ?

Le visage du professeur était maintenant luisant de sueur.

— C'est pour ça… que le *shtarker* est venu. C'est pour ça… qu'il m'a torturé.

— Torturé ?

David sursauta de dégoût.

— Oui, oui. Il voulait que… je l'écrive. Mais je ne l'ai pas fait. Non !

— Écrire quoi ? Qu'est-ce qu'il voulait ?

Kleinman sourit derrière le masque.

— *Einheitliche Feldtheorie*, murmura-t-il. Le dernier cadeau de… *Herr Doktor.*

David était perplexe. L'explication la plus simple était que le professeur avait des hallucinations. Le traumatisme de l'attaque avait fait resurgir des souvenirs vieux d'un demi-siècle, quand Hans Kleinman était un jeune physicien de l'Institut d'Études Supérieures de Princeton, chargé d'assister le légendaire mais affaibli Albert Einstein. David avait parlé de cela dans son livre : le flot ininterrompu de calculs sur le tableau dans le bureau d'Einstein, la longue et vaine recherche d'une équation du champ qui engloberait la gravité et l'électromagnétisme. Il n'était pas étonnant que Kleinman, dans son délire ultime, repense à cette période. Et cependant, à ce moment, le vieil homme ne semblait pas délirer. Sa poitrine sifflait et il transpirait abondamment, mais son visage était calme.

— Je suis désolé, David, dit-il d'une voix rauque. Désolé, je ne vous ai… jamais raconté. *Herr Doktor* avait vu… le danger. Mais il ne pouvait pas… il ne pouvait pas. (Kleinman toussa de nouveau, et tout son corps frissonna.) Il ne pouvait pas… brûler ses notes. La théorie était… si belle.

Il eut un autre violent accès de toux, et puis soudain il se plia en deux.

Une des infirmières se précipita de l'autre côté du lit. Attrapant le professeur par ses épaules meurtries, elle le remit en position assise. David, qui tenait toujours la main du professeur Kleinman, vit que son masque à oxygène était empli d'écume rose.

L'infirmière retira rapidement le masque et le nettoya. Mais quand elle essaya de lui remettre, Kleinman secoua la tête. Elle le saisit par l'arrière du cou pour le maintenir immobile, mais il repoussa le masque de sa main libre.

— Non ! dit-il d'une voix enrouée. Arrêtez ! Assez !

L'infirmière lui lança un regard réprobateur, puis se tourna vers sa collègue, qui fixait toujours le moniteur cardiaque.

— Va chercher l'interne ! ordonna-t-elle. Il faut l'intuber.

Kleinman se pencha vers David, qui entoura le vieil homme de son bras pour l'empêcher de tomber. Le gargouillement dans sa poitrine paraissait plus bruyant maintenant et dans ses yeux brillait une lueur de folie.

— Je vais mourir, dit-il de sa voix enrouée. Il ne m'en reste plus... pour longtemps.

David commençait à sentir des picotements dans ses yeux.

— Tout va bien, professeur. Vous allez...

Kleinman leva la main et agrippa le col de la chemise de David.

— Écoutez... David. Soyez... prudent. Votre mémoire... rappelez-vous. Celui sur lequel nous... avons travaillé ensemble ? Rappelez-vous !

Il fallut à David un moment pour comprendre à quoi le professeur faisait référence.

— Vous voulez dire en master ? La relativité générale dans un espace-temps à deux dimensions ? Ce mémoire-là ?

Il acquiesça d'un mouvement de tête.

— Oui, oui... Vous étiez près... tout près... de la vérité. Quand je serai parti... ils pourraient s'en prendre à vous.

David ressentit une douleur dans l'estomac.

— De qui parlez-vous ?

Kleinman s'accrocha plus fort au col de chemise de David.

— J'ai... une clé. *Herr Doktor* m'avait fait... ce cadeau. Et maintenant je... vous la donne. Prenez-en... soin. Ne les laissez pas... vous la prendre. Compris ? Personne !

— Une clé ? Quelle...

— Pas le temps... pas le temps ! Écoutez !

Avec une force surprenante, Kleinman attira David à lui. Ses lèvres humides frôlèrent son oreille.

— Rappelez-vous... les nombres. Quatre, zéro... deux, six... trois, six... sept, neuf... cinq, six... quatre, quatre... sept, huit, zéro, zéro.

Aussitôt qu'il eut prononcé le dernier chiffre, le professeur lâcha le col de David et s'effondra contre sa poitrine.

— Maintenant, répétez… la séquence.

En dépit de son émotion, David fit ce qui lui avait été demandé. Il approcha ses lèvres de l'oreille de Kleinman et répéta la séquence. Bien que David n'eût jamais été capable de maîtriser les équations de physique quantique, il avait l'aptitude de mémoriser de longues séries de nombres. Quand il eut terminé, le vieil homme acquiesça d'un mouvement de tête.

— Bon garçon, murmura-t-il contre la chemise de David. Bon garçon.

L'infirmière se tenait près du chariot d'urgence, préparant le nécessaire pour l'intubation. David la regarda prendre un instrument argenté en forme de faux et un long tube de plastique avec des marques noires sur toute sa longueur. Il baissa les yeux et vit un filet de liquide visqueux et rosâtre sortir de la bouche de Kleinman et s'écouler sur son menton. Les yeux du vieil homme étaient fermés ; sa poitrine avait cessé de gargouiller.

Quand l'interne de la salle des urgences arriva enfin, il fit sortir David et demanda des renforts. Bientôt, une demi-douzaine de médecins et d'infirmières entourèrent le lit de Kleinman, essayant de ressusciter le professeur. Mais David savait que c'était sans espoir.

Rodriguez et les deux policiers le rejoignirent alors qu'il marchait dans le couloir. L'inspecteur, tenant toujours à la main le Super Soaker, le regarda avec sympathie. Il rendit à David le pistolet à eau.

— Comment ça s'est passé, M. Swift ? Vous a-t-il dit quelque chose ?

David secoua la tête.

— Je suis désolé. Il divaguait. Cela n'avait pas vraiment de sens.

— Mais qu'a-t-il dit ? Est-ce que c'était un cambrioleur ?

— Non, il a dit qu'il avait été torturé.

— Torturé ? Pourquoi ?

Avant que David puisse répondre, quelqu'un dans le couloir cria :

— Eh, vous ! Arrêtez ! Attendez-moi là !

C'était un homme grand, au teint coloré, au cou épais, les cheveux coupés en brosse et vêtu d'un costume gris. Il était accompagné de deux ex-*linebackers*[1] qui avaient la même allure. Tous trois avançaient d'un pas rapide dans le couloir. Quand ils eurent rejoint les policiers, le type du milieu sortit de la poche intérieure de sa veste ses papiers d'identité et montra rapidement son badge.

— Agent Hawley, FBI, annonça-t-il. Êtes-vous les policiers chargés de l'affaire Kleinman ?

Le gros brigadier et l'agent débutant firent un pas en avant afin de se placer au même niveau que Rodriguez. Ils sourirent à l'unisson aux agents fédéraux.

— Oui, c'est notre affaire, répliqua Rodriguez.

L'agent Hawley fit un signe de la main à l'un de ses compagnons, qui se dirigea vers le service de traumatologie. Puis Hawley fouilla de nouveau dans la poche de sa veste et en sortit une lettre pliée en quatre.

— Nous prenons l'affaire en main, dit-il en tendant la lettre à Rodriguez. Voici l'autorisation du procureur fédéral.

Rodriguez déplia la lettre. Il fronça les sourcils en la lisant.

— C'est de la foutaise. Vous n'avez pas de juridiction ici.

Le visage de Hawley était dénué d'expression.

— Si vous avez une plainte à formuler, vous pouvez vous adresser au procureur fédéral.

David observait l'agent Hawley, qui tournait son visage impénétrable de gauche à droite, surveillant le couloir. À en juger par son accent, il n'était certainement pas de New York. C'était plus celui d'un garçon de ferme de l'Oklahoma qui a appris l'art de la conversation chez les Marines. David se demanda pourquoi ce membre du FBI était aussi intéressé par le meurtre d'un physicien à la retraite. Il sentit de nouveau un pincement dans l'estomac.

---

1. Poste de défenseur au football américain. *(N.d.T.)*

Comme s'il percevait le malaise de David, l'agent Hawley pointa son doigt vers lui.

— Qui est ce type ? demanda-t-il à Rodriguez. Qu'est-ce qu'il fait là ?

L'inspecteur haussa les épaules.

— Kleinman a demandé après lui. Son nom est David Swift. Ils avaient fini de parler et il…

— Espèce de fils de pute ! Vous avez laissé ce type parler à Kleinman ?

David fronça les sourcils. Cet agent était un vrai connard.

— J'essayai d'aider, dit-il. Si vous vous taisiez une minute, l'inspecteur pourrait vous expliquer.

Hawley se détourna brusquement de Rodriguez. Il plissa les yeux et fit un pas vers David.

— Êtes-vous physicien, M. Swift ?

L'agent avait pris un air menaçant, mais David répondit d'une voix calme.

— Non, je suis historien. Et on m'appelle Dr Swift, si cela ne vous fait rien.

Tandis que Hawley essayait de lui faire baisser les yeux, l'agent qui était entré dans le service de traumatologie revint. Il se glissa près de son supérieur et lui murmura quelque chose à l'oreille. Pendant une fraction de seconde, Hawley pinça les lèvres en une espèce de grimace. Puis son visage redevint inexpressif et dur.

— Kleinman est mort, M. Swift. Cela signifie que vous venez avec nous.

David pouffa à moitié de rire.

— Aller avec vous ? Non, je ne crois pas…

Mais il ne put pas terminer sa phrase : le troisième agent du FBI s'était glissé derrière lui, avait tiré ses bras en arrière et refermé une paire de menottes autour de ses poignets. Le Super Soaker tomba bruyamment sur le sol.

— Qu'est-ce qui vous prend ? s'écria David. Suis-je en état d'arrestation ?

Hawley ne prit même pas la peine de répondre. Il saisit le bras de David juste au-dessus du coude et le retourna. L'agent qui l'avait menotté ramassa le Super Soaker et le tint à bout de bras comme s'il s'agissait d'une vraie arme. Puis les trois hommes du FBI escortèrent David le long du couloir, passant rapidement devant les médecins et infirmières abasourdis. David regarda par-dessus son épaule l'inspecteur Rodriguez et les policiers, mais ils ne bougèrent pas.

— Un des agents ouvrit la porte de la cage d'escalier. David était trop effrayé pour protester. Tandis qu'ils dévalaient les marches vers la sortie de secours, il se rappela ce que le professeur Kleinman lui avait dit quelques minutes avant de mourir. C'était une partie d'une citation célèbre de J. Robert Oppenheimer, un autre grand physicien qui avait travaillé avec Einstein. Les mots étaient venus à l'esprit d'Oppenheimer alors qu'il assistait au premier essai de la bombe atomique.

Maintenant, je suis devenu La Mort, le destructeur des mondes.

CHAPITRE TROIS

Simon jouait à Tetris sur le siège conducteur de sa Mercedes, gardant un œil sur le jeu électronique qui fonctionnait sur son téléphone portable et l'autre sur l'entrée de l'hôpital St Luke. Tetris était un jeu parfait pour une situation comme celle-ci. Il divertissait sans faire oublier le boulot. En appuyant sur les touches du téléphone, Simon pouvait facilement déplacer les blocs Tetris tout en observant les voitures et les taxis qui s'arrêtaient devant le service des urgences. Détendu mais cependant vigilant, il commença à regarder les véhicules qui passaient dans Amsterdam Avenue comme si c'étaient d'énormes blocs — des cubes, des pièces en forme de T, de zigzags et de L — se déplaçant dans la rue où tombait le crépuscule.

« Tout est question de flexibilité, pensa Simon. Quel que soit le jeu auquel on joue, on doit toujours être prêt à ajuster sa stratégie. Il n'y a qu'à observer ce qui s'est passé ce soir avec Hans Kleinman. D'abord le job semblait assez simple, mais l'esprit de Kleinman s'est ramolli avant que j'aie pu obtenir quelque chose d'utile de lui. Ensuite, pour compliquer les choses, deux voitures de police sont arrivées devant l'immeuble du professeur. » Bien que surpris, il n'avait pas paniqué, adaptant simplement sa stratégie. Pour commencer, échapper à la police en grimpant sur le toit par l'escalier de secours et en sautant sur celui du magasin d'à côté. Puis, monter dans sa Mercedes et suivre l'ambulance qui transportait Kleinman à St Luke. Maintenant, il avait un nouveau plan : attendre que les policiers quittent le service des urgences, et puis — si Kleinman était encore vivant — tenter une nouvelle fois de le forcer à révéler la *EinheitlicheFeldtheorie*.

Finalement, Simon admirait le professeur. C'était un petit vieux coriace. Il lui rappelait son ancien commandant dans les Spetsnaz[1], le colonel Alexi Latypov, qui avait été officier dans les

1. Groupes spéciaux d'intervention russes. *(N.d.T.)*

forces spéciales russes pendant presque trente ans. Rapide, intelligent et impitoyable, il avait conduit l'unité de Simon à travers les pires années de la guerre en Tchétchénie, enseignant à ses hommes comment dépister et combattre les insurgés. Et puis, au cours d'un raid sur un des camps tchétchènes, un tireur embusqué explosa la cervelle d'Alexi. Une chose terrible, mais non imprévisible. Simon se rappelait une phrase que son commandant lui avait dite une fois : « La vie n'est rien que de la merde et ce qui vient après est probablement pire. »

Les blocs s'empilaient dans le bas de l'écran du téléphone portable, formant une montagne anguleuse avec un trou profond à l'extrême gauche. Puis une barre droite commença à descendre. Simon la poussa vers la gauche et quatre rangées de blocs disparurent dans un bruit de souffle. Très jouissif. Comme si on enfonçait un couteau.

Un moment plus tard, Simon vit une Chevrolet Suburban noire aux vitres teintées descendre Amsterdam Avenue. La voiture ralentit en approchant de l'hôpital, puis stationna près d'une plateforme de chargement. Trois grands hommes vêtus de costumes gris identiques bondirent du véhicule et marchèrent en formation serrée vers l'entrée de service de l'hôpital, puis ils présentèrent brusquement leurs badges à l'agent de sécurité stupéfait. Bien qu'ils fussent à près de trente mètres, Simon les reconnut à leur démarche : des ex-Marines et ex-Rangers assignés au département de la Justice, très probablement au FBI. Les services de renseignements américains semblaient aussi s'intéresser au professeur Kleinman. Cela expliquait pourquoi la police était arrivée si rapidement à son appartement. Les agents fédéraux avaient dû cacher des micros dans les murs et avaient enregistré sa conversation avec le professeur.

Les agents entrèrent dans l'hôpital, sans doute pour interroger Kleinman avant que le vieil homme expire. Simon n'était pas satisfait de cette nouvelle situation, mais il n'était pas perturbé outre mesure non plus. Bien qu'il eût un grand respect pour les agents américains — ils avaient un bon entraînement et une bonne discipline —, il savait qu'il pouvait les éliminer tous les trois sans trop de problèmes. Simon avait un atout : parce qu'il travaillait en indépendant, ses instincts étaient plus affûtés. C'était l'un des deux avantages d'être à son compte.

L'autre était l'argent. Depuis qu'il avait quitté les Spetsnaz, Simon pouvait gagner plus d'argent en une seule journée qu'un peloton de parachutistes russes en une année. Le truc était de trouver des clients riches et désespérés. Un nombre surprenant de personnes, entreprises et gouvernements, entraient dans cette catégorie. Certains avaient besoin de pouvoir, d'autres de respect. Certains voulaient des missiles, d'autres du plutonium. Quelle que soit la tâche assignée, Simon n'avait pas de scrupules. Pour lui, tout se valait.

Tandis qu'il attendait le retour des agents du FBI, Simon pensa à contacter son client. La mission avait pas mal dévié par rapport au plan initial, et ses clients aimaient en général être informés de ce genre de changements. Finalement, il décida que ce n'était pas nécessaire. Ce client était peut-être le plus déterminé de tous ceux avec qui il avait fait affaire. La première fois que l'homme l'avait appelé, Simon avait cru que c'était une plaisanterie ; cela paraissait ridicule de dépenser beaucoup d'argent pour une théorie scientifique. Mais au fur et à mesure que Simon en apprenait plus sur sa mission, il commençait à esquisser les applications potentielles de cette théorie, militaires et autres. Et il se rendait compte que ce boulot pourrait lui rapporter quelque chose d'infiniment mieux que de l'argent.

Les trois agents quittèrent brusquement l'hôpital par l'une des sorties de secours. Ils avaient avec eux un prisonnier. Il était un peu plus petit que les hommes du FBI, mais svelte et athlétique, habillé en baskets et en jeans avec un de ces T-shirts d'équipe de softball dont les Américains raffolent. Ses mains étaient menottées derrière le dos et il tourna la tête vers Simon avec un air d'oiseau effrayé quand les deux agents le poussèrent vers la Suburban. Le troisième agent avait dans les mains un pistolet à eau de couleur vive. Simon rigola — est-ce que le FBI faisait des essais sur les pistolets à eau maintenant ? La scène était vraiment bizarre et, pendant un moment, Simon se demanda si cette arrestation avait un rapport quelconque avec Kleinman. Peut-être que le prisonnier était simplement un

New-Yorkais excentrique qui menaçait les médecins avec son Super Soaker. Mais juste avant que les agents poussent le prisonnier dans la voiture, ils enfilèrent une capuche noire sur sa tête et la nouèrent sous le menton. O.K., pensa Simon. Le prisonnier n'est pas un simple détraqué. C'est quelqu'un que les agents veulent interroger.

Le conducteur de la Suburban alluma ses phares et quitta la bordure du trottoir. Simon s'enfonça profondément dans son siège quand la voiture passa près de lui. Il allait laisser les hommes du FBI avancer de deux blocs avant de les suivre. Il était inutile de rester plus longtemps à attendre devant l'hôpital — le fait que les agents étaient partis sans Kleinman indiquait que le vieil homme était certainement mort. Par chance, le professeur paraissait cependant avoir partagé certains de ses secrets avec un collègue plus jeune.

Simon appuya sur la touche off de son téléphone, mettant fin à Tetris, mais avant que l'appareil s'éteigne, une photo s'afficha sur l'écran, programmée pour apparaître quand il allumait ou éteignait son portable. C'était stupide de garder une photo personnelle sur un téléphone qu'il utilisait pour son travail ; cependant il l'avait fait. Il ne voulait pas oublier leurs visages. Sergei avec ses cheveux de la couleur du blé et ses yeux bleu vif. Larissa avec ses boucles blondes, quelques semaines avant ses quatre ans.

L'écran devint noir. Simon remit le téléphone dans sa poche et fit démarrer la Mercedes.

C'était une voix de femme, avec un fort accent du Sud.

— D'accord, Hawley, vous pouvez l'enlever maintenant.

David haleta quand on lui retira la cagoule. Il se sentait nauséeux d'avoir respiré si longtemps à travers ce tissu noir humidifié par sa sueur. Il fit d'abord la grimace, ses yeux s'adaptant douloureusement à la lumière fluorescente.

Il était assis devant une table grise dans une pièce nue et sans fenêtre. L'agent Hawley, debout à côté de sa chaise, roula la cagoule et la mit dans sa poche. Ses deux collègues examinaient le Super Soaker, ouvrant méthodiquement les réservoirs du pistolet à eau et observant chaque orifice. Assis sur le rebord de la table, il y avait quelqu'un d'autre, une femme d'une soixantaine d'années aux larges épaules et à la forte poitrine, avec un impressionnant casque de cheveux blond platine.

— Ça va, M. Swift ? demanda-t-elle. Vous semblez un peu fatigué.

David ne se sentait pas bien du tout. Il était effrayé, désorienté et toujours menotté. Pour couronner le tout, il n'avait plus du tout les idées claires. Cette femme ne ressemblait pas à un agent du FBI. Avec sa veste rouge vif et son ample chemisier blanc, elle ressemblait plutôt à une grand-mère habillée pour aller jouer au bingo.

— Qui êtes-vous ?

— Je suis Lucille, chéri, Lucille Parker. Mais vous pouvez m'appeler Lucy. Comme tout le monde.

Sur la table, il y avait un pichet d'eau et deux gobelets en carton.

— Hawley, retirez les menottes de M. Swift.

L'agent Hawley déverrouilla les menottes à contrecœur. David frotta ses poignets douloureux et examina Lucille, qui versait de l'eau dans les gobelets en carton. Son rouge à lèvres était exactement de la même couleur que sa veste. Son visage était agréablement ridé, avec beaucoup de rides malicieuses au coin des yeux, et des lunettes de lecture pendaient à son cou au bout d'une chaîne perlée. Mais elle avait aussi un cordon en spirale derrière l'oreille gauche, la même oreillette que celle que les agents du gouvernement utilisaient.

— Je suis en état d'arrestation ? Parce que si c'est le cas, je veux parler à un avocat.

Lucille sourit.

— Non, vous n'êtes pas en état d'arrestation. Désolée si nous vous avons donné cette impression.

— Impression ? Vos agents m'ont menotté et enfilé un putain de sac sur la tête !

— Laissez-moi vous expliquer, chéri. Nous sommes dans un bâtiment sécurisé. Et nous suivons une procédure standard pour y faire pénétrer les gens. Nous ne pouvons en divulguer l'emplacement exact, aussi nous faut-il utiliser cette cagoule.

David se leva.

— Bien, si je ne suis pas en état d'arrestation, je suis libre de partir, alors ?

L'agent Hawley saisit David par l'épaule. Toujours souriante, Lucille secoua la tête.

— J'ai peur que ce soit un peu plus compliqué que ça.

Elle fit glisser un des gobelets vers lui.

— Asseyez-vous, M. Swift ! Buvez un verre d'eau.

La main sur l'épaule de David se faisant plus pesante, il comprit qu'il devait s'asseoir.

— Je suis le Dr Swift, dit-il. Et je n'ai pas soif.

— Vous voulez quelque chose de plus fort, peut-être ? (Elle lui fit un clin d'œil coquin, puis sortit d'une poche intérieure de sa veste une flasque en argent.) C'est de l'authentique eau de vie du Texas, un alcool à quatre-vingt-dix degrés. Un de mes amis qui habite du côté de Lubbock possède un alambic. Il a obtenu une licence spéciale de l'ATF[1], il peut donc le faire légalement. Ça vous dirait d'en boire un coup ?

— Non, merci.

— C'est vrai, j'oubliais. (Elle remit la flasque dans sa poche.) Vous ne touchez jamais à ce genre de choses, n'est-ce pas ? À cause de votre père, c'est bien ça ?

David se raidit sur sa chaise. Certains de ses amis et collègues savaient qu'il avait juré de renoncer à boire depuis longtemps, mais seuls son ex-femme et quelques-uns de ses plus anciens amis savaient pourquoi. Et maintenant Lucille lui balançait ça à la figure.

— Qu'est-ce qui se passe ? demanda-t-il.

— Calmez-vous, chéri. C'est dans votre dossier.

Elle fouilla dans un grand sac accroché au dos de sa chaise et en sortit deux dossiers, un épais et un fin. Elle chaussa ses lunettes et ouvrit le second.

---

1. Bureau of Alcohol, Tobacco and Firearms. Il s'agit du service fédéral chargé de l'application des lois sur le tabac, l'alcool, les armes et les explosifs. *(N.d.T.)*

— Voyons, l'histoire familiale. Nom du père, John Swift. Boxeur professionnel, de 1968 à 1974. Surnom, la Terreur à deux poings. Hé, c'était un bon.

David ne répondit pas. Son père n'avait jamais mérité ce surnom sur un ring. Les seules personnes qu'il avait réussi à terroriser étaient les membres de sa famille.

Lucille survola la page jusqu'en bas.

— Palmarès complet : quatre victoires, seize échecs. Engagé comme conducteur de bus par la Metropolitan Transit Authority, 1975. Renvoyé suite à une arrestation pour conduite en état d'ivresse, 1979. Condamné à trois ans à Ossining pour agression, 1981.

Elle referma le dossier et regarda David dans les yeux.

— Je suis navrée, cela a dû être pénible.

Habile, pensa-t-il. C'était certainement une technique courante que le FBI enseignait dans son académie. D'abord montrer au sujet que vous connaissez déjà ses secrets. Puis passer au coup de grâce.

— Vous avez un formidable département de recherche ici, dit David. Avez-vous déniché tout ça dans la dernière demi-heure ?

— Non, nous avons commencé à constituer une documentation sur vous il y a quelques jours. Nous avons réuni des informations sur tous ceux qui ont travaillé avec Kleinman, et vous figuriez sur la liste comme le coauteur de l'un de ses articles. Elle prit le dossier le plus épais.

— Voilà celui de feu le professeur.

Elle l'ouvrit et le feuilleta en hochant la tête.

— Je dois vous dire que cette physique me paraît très complexe. Par exemple, que diable est cet effet Kleinman-Gupta ? Il est mentionné une demi-douzaine de fois, mais je n'y comprends rien.

David l'examina attentivement. Il n'aurait pu dire si elle était vraiment ignorante dans ce domaine ou si elle jouait les idiotes pour le faire parler.

— C'est un phénomène qui se produit quand certains atomes instables se désintègrent. Le Dr Kleinman a découvert cela avec son collègue David Gupta en 1965.

— C'est de là que vient la radiation, n'est-ce pas ? Quand les atomes se désintègrent.

Il fronça les sourcils.

— Cela me serait agréable de vous parler de tout cela, mais pas ici. Emmenez-moi dans mon bureau et nous pourrons en discuter.

Lucille retira ses lunettes.

— Je vois que vous vous impatientez, M. Swift, mais vous allez devoir encore me supporter. Voyez-vous, le professeur Kleinman avait accès à des informations classées confidentielles, et nous craignons qu'il y ait eu des fuites.

David la regarda avec méfiance.

— De quoi parlez-vous ? Il a travaillé pour le gouvernement il y a quarante ans. Puis il a abandonné le domaine militaire quand il a achevé ses études sur la radiation.

— Ce n'est pas le genre de choses qu'il aurait crié sur les toits. Mais quand Kleinman a pris sa retraite de Columbia, il a participé à des travaux dans le cadre du ministère de la Défense.

— Et vous pensez que c'est pour cela qu'il a été attaqué ?

— Tout ce que je peux dire, c'est que Kleinman possédait des documents très confidentiels et que maintenant, il nous faut les retrouver. S'il vous a dit quelque chose quand vous étiez dans sa chambre d'hôpital, vous devez nous le faire savoir.

Lucille se pencha vers lui, les coudes sur la table. Elle ne lui souriait plus et ne l'appelait plus chéri, son visage était devenu extrêmement sérieux. David n'avait plus de mal à admettre que c'était un agent du FBI. Simplement, il ne croyait pas à son histoire.

— Je suis désolé, mais ça me paraît impossible. Ça ne ressemble pas au Dr Kleinman. Il regrettait les travaux accomplis pour l'armée. Il disait que c'était immoral.

— Peut-être ne le connaissiez-vous pas aussi bien que vous le pensez.

David secoua la tête.

— Non, c'est insensé. Il a organisé des manifestations à Columbia. Il a persuadé tous les physiciens présents de signer une pétition contre les armes nucléaires.

— Je n'ai jamais dit qu'il travaillait sur des armes. Il a contacté le ministère de la Défense après le 11-Septembre. Il a proposé de participer à la lutte contre le terrorisme.

David réfléchit à cette possibilité. C'était tiré par les cheveux, mais pas inconcevable. Kleinman était un expert en décroissance radioactive, particulièrement l'appauvrissement des atomes d'uranium utilisés dans les ogives nucléaires. Ce genre de connaissances pouvait certainement être appliqué au contre-terrorisme.

— Et alors, sur quoi travaillait-il ? demanda David. Un nouveau type de détecteur de radiations ?

— Je ne suis pas autorisée à vous le dire. Mais je peux vous montrer quelque chose. Elle prit de nouveau le dossier de Kleinman et fouilla dedans. Puis elle sortit la copie d'un vieil article de recherche et le tendit à David. Il faisait environ dix pages et avait légèrement jauni avec le temps.

— Vous pouvez jeter un œil là-dessus. C'est un des documents non classifiés de son dossier.

L'article avait été publié dans *Physical Review* en 1975. Il avait pour titre « Mesures du Flux de Rho Mesons » et l'auteur était H.W. Kleinman. David n'avait jamais vu cet article avant ; le sujet en était assez obscur et il ne l'avait pas étudié à l'université. Pire, l'article était truffé d'équations incroyablement complexes.

— C'est pourquoi nous vous avons amené ici, M. Swift. La priorité, dans une opération de contre-terrorisme, est de s'assurer que les terroristes ne connaissent pas nos défenses. Il nous faut donc découvrir ce que Kleinman a pu leur révéler concernant nos travaux.

David examina l'article, tentant de son mieux de comprendre. Kleinman avait apparemment découvert que concentrer un faisceau de radiations sur des atomes d'uranium pouvait générer d'intenses pluies de particules appelées rho mesons. Bien que l'article ne dît rien sur les utilisations pratiques de la recherche, les applications paraissaient claires : cette technologie pouvait détecter l'uranium enrichi dans une ogive nucléaire, même si la bombe était enfermée dans un bouclier en plomb. David repensa à sa dernière conversation avec Kleinman et commença à se demander s'il n'avait pas mal interprété les derniers mots du professeur. Quand Kleinman lui avait parlé du « destructeur des mondes », pouvait-il penser à l'arme nucléaire introduite illégalement aux États-Unis ?

— Travaillait-il sur un système de détection actif ? demanda David. Quelque chose qui pourrait détecter une ogive cachée dans le container d'un camion ou d'un bateau ?

— Je ne peux ni confirmer ni infirmer, répondit Lucille. Mais je pense que vous voyez maintenant pourquoi nous prenons cela avec autant de sérieux.

David allait lever les yeux du document quand il remarqua quelque chose sur la dernière page. C'était une table comparant les propriétés du rho meson avec celles de ses proches cousins, les omega et phi mesons. L'élément qui avait frappé l'œil de David était la dernière colonne de la table, celle qui donnait la liste des temps de vie des particules. Il examina les chiffres durant quelques secondes.

— Alors, qu'a dit Kleinman, M. Swift ? Qu'est-ce qu'il vous a révélé ?

Lucille le regardait attentivement, agissant de nouveau comme une tendre grand-mère. Mais maintenant, David n'était pas dupe.

— Vous mentez, lança-t-il. Le Dr Kleinman ne travaillait pas sur un détecteur. Il ne travaillait même pas pour le gouvernement.

Lucille ouvrit la bouche, l'air blessé et stupéfait.

— Quoi ? Êtes-vous…

David tapota du doigt la dernière page de l'article de Kleinman.

— La durée de vie d'un rho meson est de moins de 10-23 seconde.

— Et alors, qu'est-ce que ça signifie ?

— Cela signifie que votre département de recherche s'est planté quand ils ont concocté cette histoire pour se couvrir. Même si un rho meson se déplaçait à la vitesse de la lumière, il se désintégrerait quasi immédiatement. Vous ne pourriez pas détecter ces particules provenant d'une ogive, aussi serait-il impossible de construire un système de détection basé sur ce document.

L'air blessé demeura sur le visage de Lucille, et pendant un moment David pensa qu'elle allait jouer l'innocence. Au bout de quelques secondes, elle pinça les lèvres. Les rides autour de sa bouche se creusèrent, mais ce n'étaient plus des rides malicieuses. Lucille était furieuse.

— D'accord, poursuivons, dit David. Pourquoi ne me dites-vous pas pour quelle vraie raison vous vous intéressez tant au professeur Kleinman ? C'est pour un certain type d'arme, n'est-ce pas ? Une arme secrète dont vous ne voulez rien dire, mais pour laquelle cependant vous dépensez des milliards de dollars ?

Elle ne répondit pas. Mais elle ôta sa veste et l'étala sur le dossier de sa chaise. Un holster d'épaule se baladait sur le côté de son chemisier, et dans le holster il y avait un superbe revolver noir.

Tandis que David regardait l'arme, Lucille se tourna vers les deux agents qui étaient toujours en train d'inspecter le Super Soaker.

— Bon, les gars, vous avez fini maintenant avec ce putain d'engin ?

Un des agents avança et déposa sur la table le pistolet à eau.

— Il est inoffensif, madame, déclara-t-il.

— Quel soulagement ! Maintenant, prenez contact avec la logistique et dites-leur que nous partons pour l'aéroport dans dix minutes.

L'agent se retira au fond de la pièce et commença à murmurer dans un micro caché dans sa manche. Pendant ce temps, Lucille se tourna sur sa chaise et fouilla de nouveau dans la poche de sa veste. Cette fois elle en sortit un paquet de cigarettes et un Zippo décoré de l'étoile solitaire du Texas[1]. Elle regarda David en faisant sortir une cigarette du paquet.

— Vous êtes un vrai emmerdeur, savez-vous ?

Elle se tourna ensuite vers Hawley, toujours debout près de la chaise de David.

— Pas vrai que ce type est un emmerdeur, Hawley ?

— De première classe.

Lucille ficha sa cigarette au coin de la bouche.

1. Emblème figurant sur le sceau du Texas. *(N.d.T.)*.

— Regardez-le ! Il n'approuve probablement pas non plus qu'on fume. Il pense sans doute que nous devrions sortir pour en griller une.

D'un rapide mouvement du poignet elle ouvrit le Zippo et alluma sa cigarette, puis elle souffla la première bouffée de fumée dans le visage de David.

— Bon, j'ai quelques informations pour vous, Swift. Nous, on a le droit de faire tout ce qu'on veut. (Elle ferma le Zippo et le remit dans la poche de sa veste.) Vous comprenez ?

Pendant que David se demandait comment répondre, Lucille fit un signe de tête à Hawley. La seconde d'après l'agent frappa David sur le côté de la tête.

— Vous avez un problème d'oreille ? beugla-t-il. L'agent Parker vous a posé une question.

David grinça des dents. C'était un coup violent et qui lui faisait horriblement mal, mais dans ce cas l'insulte était pire que la blessure. Seule la présence des semi-automatiques dans les holsters de l'agent le retinrent sur sa chaise.

Lucille sourit.

— J'ai quelques autres informations pour vous. Vous vous souvenez de l'infirmière qui était dans la chambre de Kleinman. Eh bien, un de nos agents lui a parlé. (Elle tira une bouffée de sa cigarette et souffla de nouveau la fumée.) Elle a dit que le professeur vous avait murmuré quelques nombres à l'oreille.

— Merde, pensa David. L'infirmière.

— Une longue suite de nombres, a-t-elle dit. Elle ne s'en souvient pas, bien sûr. Mais je parie que vous, oui.

En effet, il s'en souvenait. Il voyait la séquence de nombres en imagination, presque comme s'ils flottaient dans l'air devant lui. C'était la manière dont la mémoire de David fonctionnait. Les chiffres traversaient son champ de vision dans le même ordre que celui dans lequel le Dr Kleinman les avait soufflés dans son oreille.

— Vous allez nous donner ces nombres, maintenant, dit Lucille. (Elle releva la manche gauche de son chemisier, faisant apparaître une montre ancienne avec un bracelet en argent.) Je vous donne trente secondes.

Pendant que Lucille se penchait sur le dossier de sa chaise, l'agent Hawley sortit la cagoule de sa poche. La gorge de David se serra en la voyant. Mon Dieu, pensa-t-il, pourquoi une chose pareille m'arrive-t-elle. Ces agents semblaient penser que c'était parfaitement dans leur droit de lui enfiler une cagoule sur la tête et de le tabasser. À présent, le seul choix raisonnable était d'oublier les recommandations du Dr Kleinman et de leur donner les nombres. Si ça se trouve, la séquence était dénuée de sens. Et même si les nombres n'étaient pas donnés au hasard, même s'ils étaient la clé de quelque chose de terrible, pourquoi aurait-il la responsabilité de garder le secret ? Il n'avait rien demandé. Tout ce qu'il avait fait était écrire un article sur la relativité.

Il s'agrippa au rebord de la table pour se redresser. Il avait encore cinq, peut-être dix secondes. Les yeux de Lucille étaient fixés sur sa montre et Hawley déroulait la cagoule noire. En les regardant, David comprit que même s'il révélait les nombres, les agents ne le laisseraient pas partir. Aussi longtemps que les chiffres resteraient dans sa tête, il était un danger pour la sécurité. Son seul espoir était de faire un marché, de préférence avec quelqu'un de plus haut placé dans la chaîne de commandement que l'agent Parker et Hawley.

— Il me faut des assurances avant de vous dire quoi que ce soit. Je veux parler à quelqu'un de plus haut placé.

Lucille fronça les sourcils.

— Où vous croyez-vous, dans un grand magasin ? Vous pensez que vous pouvez appeler le directeur si vous n'êtes pas content du service ?

— J'ai besoin de savoir pourquoi vous voulez ces nombres. Si vous ne pouvez m'en donner la raison, emmenez-moi près de quelqu'un qui le peut !

Lucille laissa échapper un long soupir. Elle ôta la cigarette de sa bouche et l'éteignit dans un des gobelets. Puis elle repoussa ses cheveux en arrière et se leva avec une légère grimace quand elle déplia les genoux.

— D'accord, M. Swift, votre désir sera satisfait. Nous allons vous emmener dans un endroit où il y aura plein de gens avec qui bavarder.

— Où ? À Washington ?

Elle ricana.

— Non, cet endroit est un peu plus au sud. Un gentil petit coin appelé baie de Guantanamo.

Une décharge d'adrénaline traversa le corps de David.

— Attendez une seconde ! Je suis un citoyen américain ! Vous ne pouvez...

— Sous l'autorité du *Patriot Act*, je vous déclare combattant ennemi. (Elle se tourna vers Hawley.) Menottez-lui les mains dans le dos ! Nous lui menotterons les pieds quand nous serons dans la voiture.

Hawley lui attrapa le bras et cria « Debout ! » mais David demeura figé sur sa chaise, son cœur battant à tout rompre et les jambes tremblantes. « J'ai dit debout ! » Hawley se préparait à l'attraper pour le mettre debout quand un des autres agents lui tapa sur l'épaule. C'était le gars qui était censé appeler la logistique par radio. Il était devenu pâle.

— Euh, monsieur ? murmura-t-il. Je crois que nous avons un problème.

Lucille tendit l'oreille. Elle se glissa entre Hawley et son collaborateur.

— Qu'est-ce qui se passe ? Quel est le problème ?

L'agent était si troublé qu'il lui fallut quelques secondes pour retrouver sa voix.

— Je n'arrive pas à joindre la logistique. J'ai essayé toutes les fréquences mais il n'y a pas de réponse. Ça grésille sur tous les canaux.

Lucille lui lança un regard sceptique.

— C'est votre radio qui a un problème. (Elle prit le micro qui était clippé sur le col de son chemisier et appuya sur la touche pour parler.) « Black One à Logistique. Logistique m'entendez-vous ? »

C'est alors qu'un profond grondement ébranla les murs.

En se dirigeant vers le garage où la Suburban noire était garée, Simon se dit que si jamais il voulait changer de métier, il pourrait toujours trouver du travail comme consultant en sécurité. Après tout, qui pouvait donner un meilleur avis sur comment protéger un bâtiment du gouvernement ou d'une société que quelqu'un qui possède une certaine expérience dans l'art d'y pénétrer par effraction ?

Le FBI pourrait en faire bon usage ! Dans le poste de garde à l'entrée du garage il n'y avait qu'un seul agent, un jeune bidasse trapu dans un coupe-vent orange et une casquette des New York Yankees, sans doute pour tenter de ressembler à un gardien de parking ordinaire. Placer un seul agent dans le poste de garde était une faute. On ne devrait jamais faire des économies dans une zone sécurisée, et plus particulièrement avec l'équipe de nuit.

Simon, vêtu d'un élégant costume d'homme d'affaires, portait une mallette en cuir à la main. Quand il frappa à la vitre pare-balles de la cabine, l'agent leva les yeux sur lui, puis entrouvrit la porte.

— C'est pourquoi ?

— Désolé de vous déranger, je voudrais savoir quel est le tarif mensuel pour une place de parking ici.

— Nous ne...

Simon avait ouvert violemment la porte et donné un grand coup d'épaule dans le ventre de l'agent, le renversant sur le dos. Une seule caméra de surveillance se trouvait dans la cabine et elle était dirigée si haut qu'elle ne pouvait pas filmer le sol. Autre erreur ! Étendu sur le corps de l'agent, Simon lui enfonça son couteau de combat dans le cœur. Il n'était pas responsable. C'était dû à une défaillance institutionnelle.

Quand Simon se releva, il portait le coupe-vent et la casquette des Yankees. Il avait aussi sorti de sa mallette le Uzi et ses munitions. La mitraillette cachée sous le coupe-vent, il sortit de la cabine et descendit la longue rampe du garage.

Une quantité de caméras de surveillance étaient désormais pointées sur lui, aussi garda-t-il la tête baissée. Il vit des Suburbans rangées près d'une porte en métal qui s'ouvrit. Un homme agité, en costume gris, apparut et chercha quelqu'un du regard. « Anderson, s'écria-t-il. Où diable êtes-vous... »

Simon releva la tête et fit feu. Par chance l'agent tomba à plat ventre et son corps empêcha la porte de se refermer. Simon se précipita vers l'ouverture et arriva juste à temps pour abattre un autre agent qui s'était précipité au secours de son collègue. C'est terrible ! Trop facile !

Juste après la porte, la salle de contrôle, où les infortunés agents avaient été postés. Simon désactiva d'abord l'émetteur radio, puis jeta un coup d'œil sur la rangée de moniteurs. Il trouva sa cible sur l'écran marqué SUB-3A, qui montrait une des salles d'interrogatoire du sous-sol. Simon était déjà familier avec le plan du bâtiment ; au fil des ans, il s'était infiltré dans les services secrets américains et ses sources lui avaient révélé, en échange d'une petite somme, pas mal de choses sur le fonctionnement de leurs agences.

Il ne restait plus qu'un obstacle, une seconde porte en fer à l'autre bout de la pièce dont la serrure était contrôlée par un clavier alphanumérique. Pendant un moment, Simon regretta d'avoir descendu les agents — il aurait dû au moins en garder un vivant pour livrer le code d'entrée. Par chance, le FBI avait commis encore une autre erreur stupide en installant une simple serrure au lieu d'un mécanisme de fermeture plus costaud.

Simon sortit de son sac à munitions cinq cents grammes de C-4. Cela lui prit quatre-vingt-trois secondes pour modeler l'explosif autour de la serrure, insérer les détonateurs, et faire courir le cordon à travers la salle de contrôle. Tapi derrière un pilier, Simon cria « *Na zdorovya !* » — un toast traditionnel, l'équivalent russe de « À votre santé ! ». Puis il fit exploser la charge.

Dès qu'ils entendirent l'explosion, Lucille, Hawley et les deux autres agents dégainèrent. Bien qu'il n'y ait pas d'ennemi en vue, ils pointèrent leurs semi-automatiques vers la porte fermée de la salle d'interrogatoire. Pour la première fois de sa vie, David aurait lui aussi souhaité avoir un revolver.

— Putain ! s'écria Hawley. C'était quoi ça, bon Dieu ?

Lucille semblait un peu plus calme. Elle fit un signe de la main aux agents en levant son index et son majeur. Les trois hommes s'approchèrent lentement de la porte. Puis Hawley saisit la poignée et ouvrit brutalement ; ses deux collègues se ruèrent dans le corridor. Après une seconde d'angoisse, tous deux crièrent « C'est libre ! »

Lucille poussa un « ouf » de soulagement.

— Bon, écoutez ! Hawley reste ici pour garder notre prisonnie en lieu sûr. Les autres viennent avec moi pour identifier la menace et rétablir les communications. (Elle rassembla les dossiers qui étaient sur la table, les mit sous son bras et se tourna vers David.) Vous allez rester assis sur cette chaise, M. Swift, et vous n'allez pas faire de bruit. L'agent Hawley se tiendra juste derrière cette porte. Si vous émettez le moindre son, il reviendra dans la pièce et tirera dans votre pauvre petit cul. Compris ?

Elle n'attendit pas de réponse, ce qui était aussi bien — David était trop terrifié pour parler. Elle fonça dans le couloir, frôlant Hawley qui avait toujours la main sur la poignée de la porte.

— Euh, madame ? Quelle est la position de repli ? Que faire si je ne peux pas tenir mon poste ?

— Si on en arrive là, vous êtes autorisé à prendre les mesures nécessaires.

Hawley sortit dans le couloir et ferma la porte derrière lui. David entendit la serrure se mettre en place. Puis la pièce devint si calme qu'il pouvait entendre le bourdonnement des néons au-dessus de sa tête.

Les mesures nécessaires. La signification de la phrase apparut soudain à David. Il avait des informations que le FBI, pour quelque raison que ce soit, considérait comme précieuses. Si précieuses, en fait, que le Bureau était prêt à se donner beaucoup de mal pour s'assurer qu'elles ne tombent pas dans de mauvaises mains. Selon toute probabilité, ils détruiraient les informations avant de laisser quelqu'un d'autre s'en emparer. Même si cela impliquait de le détruire lui. Il imaginait très bien l'agent Hawley rentrer dans la pièce et pointer son pistolet sur lui.

David se leva d'un bond. Il ne pouvait pas rester ici, il fallait qu'il sorte. Il regarda autour de lui, cherchant désespérément une issue pour s'échapper, peut-être un panneau au plafond qu'il pourrait soulever, un conduit d'aération dans lequel il pourrait ramper. Mais le plafond et les murs étaient en béton, lisse et blanc. Il n'y avait rien dans la pièce hormis les chaises et la table grise, sur laquelle se trouvait le pichet d'eau, les gobelets et le Super Soaker qui avait été méticuleusement examiné.

C'est alors qu'il remarqua quelque chose d'autre. Dans sa hâte, Lucille avait laissé sa veste rouge vif sur le dossier de sa chaise. Au fond de ses poches, le Zippo et une flasque d'alcool. David se rappela ce que son ex-femme lui avait dit à propos des dangers des Super Soaker.

Simon avait un bon point à décerner concernant la sécurité du bâtiment du FBI : au moins, les coupe-circuits n'étaient pas situés dans un endroit évident comme la salle de contrôle. Il lui fallut donc suivre les tours et détours des câbles visibles avant de trouver le local technique. Mais sa bonne opinion sur l'agence sombra de nouveau quand il vit que le local n'était pas fermé à clé. Il secoua la tête en entrant dans la petite pièce et repéra rapidement le tableau électrique. Incroyable ! Si j'étais un contribuable, je serais scandalisé.

Après une pichenette sur un commutateur, le complexe se retrouva dans le noir. Simon fouilla dans sa poche et en sortit son nouvel outil, une paire de lunettes thermiques infrarouges. Il mit en marche le mécanisme et ajusta la sangle afin que les lunettes binoculaires soient correctement installées devant ses yeux. C'était une bien meilleure technologie que les lunettes de vision nocturne de l'armée américaine, qui fonctionnaient en intensifiant la faible lumière visible ; les lunettes thermiques montraient la chaleur, pas la lumière, aussi pouvaient-elles fonctionner dans le noir total. Sur son écran d'affichage, les ordinateurs et moniteurs encore chauds rayonnaient vivement dans la pièce tandis que la porte en métal froid était d'un noir de jais. Il pourrait facilement trouver son chemin dans l'escalier en suivant les lumières fluorescentes qui refroidissaient puisqu'elles venaient juste d'être éteintes. Simon sourit dans la pénombre — il adorait les nouvelles technologies. Maintenant, il était prêt à traquer sa proie, le jeune et athlétique prisonnier qui lui avait fait penser à un oiseau effrayé. Il descendit deux étages avant d'entendre des bruits de pas. Très calmement, il remonta les marches jusqu'au palier et pointa son Uzi sur l'entrée de l'escalier. Quelques secondes plus tard, il vit trois faisceaux de lumière distincts transpercer le couloir. Ce n'était pas vraiment une faute de la part des agents ; dans ces circonstances, ils n'avaient guère d'autre choix que d'utiliser leurs lampes torches. Cependant, le résultat était le même. Sur l'écran infrarouge, Simon vit une main chaude serrant un cylindre brillant et un visage horrible qui semblait avoir été trempé dans de la peinture rouge. Avant que l'agent ait pu diriger le faisceau de sa lampe sur lui, Simon avait fait deux trous dans sa tête rayonnante.

Une voix bourrue cria « Éteignez les lumières ! » et les deux faisceaux disparurent. Sans bruit, Simon descendit les marches, foula le corps de l'agent mort et risqua un coup d'œil à l'angle. Deux silhouettes tapies dans le couloir, une à environ dix mètres et l'autre un peu plus loin derrière. L'agent le plus proche était en position de tir, il tenait son pistolet à deux mains et balayait rapidement l'espace de gauche à droite, cherchant sa cible dans le noir. L'image infrarouge était si précise que Simon pouvait voir des traînées grises de sueur froide coulant le long de son visage blanc. Simon descendit le pauvre crétin d'une seule balle dans le front, mais avant qu'il puisse éliminer le troisième agent, une balle siffla près de son oreille droite.

Simon s'esquiva derrière l'angle du mur quand une autre balle fila à toute allure. Le troisième agent tirait en aveugle dans sa direction. Pas mal ! Au moins, celui-là avait un peu d'esprit. Il attendit quelques secondes, puis jeta de nouveau un coup d'œil dans le couloir pour déterminer la position de son adversaire. L'agent était tourné sur le côté pour être une cible plus petite, et sur l'écran infrarouge Simon vit une silhouette épaisse et robuste avec des jambes comme des troncs et une imposante paire de seins. Il hésita avant de lever son Uzi — l'agent était une *babushka* ! Elle aurait pu être la grand-mère de Simon ! Durant ce moment d'hésitation, elle tira trois coups dans sa direction.

Il s'aplatit contre le mur. Mon Dieu, ce n'était pas passé loin ! Il leva son arme et se prépara à riposter, mais la *babushka* se retourna et disparut derrière l'angle.

Simon était maintenant en colère. La vieille femme l'avait humilié ! Il commença à la suivre, se déplaçant en silence le long du couloir. Avant d'être allé bien loin, il entendit un cri étouffé derrière lui. Il s'arrêta et fit demi-tour. Il perçut alors un autre cri, une voix d'homme lointaine mais très forte, si forte qu'on pouvait l'entendre à travers les murs et dans tout le bâtiment.

— Vous m'entendez, Hawley ! Ouvrez cette putain de porte !

À grand regret, Simon abandonna sa poursuite de la *babushka*. Il s'occuperait d'elle plus tard. Il avait un boulot à accomplir tout de suite.

La lumière s'éteignit juste au moment où David glissait la main dans la poche de la veste de Lucille. Il se figea comme un pickpocket pris en flagrant délit. L'agent Hawley, qui montait la garde à l'extérieur, fut également surpris par la panne d'électricité ; David l'entendit crier « Fils de… » avant de s'arrêter et de rester silencieux.

Il prit une profonde respiration. « O.K. Cela ne change rien ! Que les lumières soient allumées ou éteintes, il faut toujours que je m'échappe de là. » Il sortit la flasque en argent de la poche intérieure de la veste de Lucille et la posa délicatement sur la table, en veillant à ne pas faire de bruit. Puis il fouilla un peu plus profondément et sortit le Zippo. Pendant un moment, il pensa l'allumer pour y voir clair, mais il savait que Hawley pourrait remarquer la lueur passant sous la porte. Il posa le briquet sur la table en mémorisant soigneusement sa place. Puis il attrapa le Super Soaker.

Par chance, il était devenu expert dans le maniement du pistolet à eau. Il avait rempli et re-rempli le réservoir au moins une douzaine de fois avec Jonah quelques heures auparavant, et maintenant il lui était facile de trouver l'ouverture du réservoir et de retirer le bouchon. Le souvenir de son après-midi avec son fils le retint durant une seconde. Le reverrait-il ? « Non, se dit-il, ne pense pas à ça. Continue ce que tu fais ! »

Il attrapa la flasque en argent et dévissa le bouchon. Elle contenait peut-être 20 à 25 cl d'alcool, et comme Lucille l'avait assuré, c'était de l'alcool presque pur — les vapeurs piquèrent les yeux de David quand il versa le liquide dans le Super Soaker. Serait-ce suffisant ? Il avait besoin d'au moins un demi-litre de liquide pour créer assez de pression dans le second réservoir du pistolet. Merde !

Même si la pièce était totalement dans le noir, il ferma les yeux pour pouvoir réfléchir. Eau. Il y avait deux gobelets d'eau quelque part sur la table. Si on dilue de l'alcool à cinquante pour cent il peut encore brûler. Après quelques tâtonnements prudents, il trouva un des gobelets, repêcha le mégot de cigarette et versa environ 10 cl d'eau dans le réservoir. Puis il trouva l'autre tasse et versa 10 cl de plus. C'était tout ce dont il disposait. Il espérait de toutes ses forces que cela irait.

David referma le réservoir du pistolet et pompa calmement. Dans le noir, il imagina le mélange eau/alcool s'écoulant dans le second réservoir et exerçant une pression sur les molécules d'air à l'intérieur. Quand il eut pompé autant qu'il le pouvait, il tourna la buse du pistolet sur la position jet large. L'alcool brûlerait plus facilement s'il était dispersé en gouttelettes. Puis il prit le Zippo à l'endroit où il se rappelait l'avoir posé. Il allait s'en saisir quand deux détonations perçantes résonnèrent dans le couloir. Des coups de feu. Pris de panique, il fit tomber le briquet qui se fondit dans le noir.

La pièce sembla s'incliner. David eut l'impression de couler au fond d'un océan noir. Il regardait impuissant l'abysse dans lequel le Zippo était tombé, puis il se mit à quatre pattes et commença à le chercher en tâtonnant. Il couvrit méthodiquement tout l'espace allant de la table aux murs, balayant de ses bras le linoléum froid, sans parvenir à trouver le foutu briquet.

D'autres coups de feu résonnèrent, plus près cette fois. David continuait à chercher, fourrant ses doigts dans tous les recoins. Mon Dieu ! Où peut-il bien être ? Puis il se cogna la tête sur l'une des chaises, et alors qu'il arrivait sous la table, il retrouva le Zippo.

Tremblant, il l'ouvrit et tourna la mollette. La flamme s'éleva comme un ange, un petit miracle venu du ciel. David se leva, attrapa le Super Soaker et le pointa vers la porte. Une troisième salve se fit entendre. Il plaça la flamme devant le canon en plastique, mais cette fois il ne fléchit pas.

— Hawley, cria-t-il. Ouvrez la porte ! Laissez-moi sortir !

Une voix basse murmura de l'autre côté de la porte.

— Ta gueule ! Trou du cul !

Hawley à l'évidence ne voulait pas attirer l'attention de ceux qui tiraient près d'ici. Mais David avait l'impression que de toute façon, ils approchaient.

— Vous m'entendez Hawley ! beugla-t-il. Ouvrez cette putain de porte !

Plusieurs secondes passèrent. Il se prépare, pensa David. Sa position étant devenue intenable, il devait désormais prendre les mesures nécessaires. Sa seule option était de le tuer.

Puis la porte s'ouvrit et David appuya sur la gâchette.

Simon arriva à un croisement de couloirs et vit un autre agent fédéral sur son écran infrarouge. Celui-là était devant une porte, une main chaude sur la poignée et tenant un pistolet de l'autre. Curieux, Simon se glissa un peu plus près, gardant son Uzi pointé sur l'homme. L'agent resta là durant plusieurs secondes, tel un soupirant en émoi, marmonnant « Fils de pute, fils de pute » comme pour se calmer. Puis il ouvrit largement la porte et sortit de sa poche une lampe torche. Tout d'abord, un panache blanc intense fit irruption du cadre de porte.

Simon fut aveuglé. Le panache ardent se répandit jusqu'à remplir tout son écran, le transformant en un rectangle d'un blanc intense. Il arracha ses lunettes devenues inutiles et s'accroupit prestement pour se protéger, croisant les bras sur sa tête. C'était une sorte de dispositif incendiaire, mais cela ne sentait pas l'essence ou le phosphore blanc. Bizarrement, cela sentait plutôt comme de la vodka artisanale. La boule de feu se dissipa au bout de deux ou trois secondes, seules quelques flammes bleuâtres continuèrent à s'élever d'une petite flaque sur le sol. L'agent du FBI recula en titubant, puis commença à rouler sur le sol comme une bûche, essayant d'éteindre la frange de feu bleu sur sa veste.

Simon entendit ensuite une rapide série de couinements caoutchouteux. Le bruit était déjà passé derrière lui quand il comprit ce que c'était : les baskets du prisonnier. Simon leva son Uzi d'un geste automatique et le pointa dans la direction des pas rapides, mais il n'osa pas tirer. Il voulait l'homme vivant. Il se releva et commença à le suivre dans le couloir noir comme dans un four. Simon n'était plus qu'à quelques enjambées de l'homme quand il entendit quelque chose résonner sur le sol, quelque chose en plastique et creux. Au même moment il marcha sur cette chose et perdit l'équilibre. C'est ce maudit pistolet à eau, comprit-il en tombant à la renverse. La base de son crâne alla taper contre le cadre d'une porte.

Il resta étendu là dans le noir, assommé, pendant peut-être dix ou quinze secondes. Quand il ouvrit les yeux, il vit juste derrière lui l'agent du FBI qui courait après le prisonnier en fuite tout en continuant à se consumer. Un vrai crétin d'Américain, pensa Simon. Spécialisé mais irréfléchi. Après avoir pris une profonde respiration pour retrouver ses esprits, Simon se redressa et remit ses lunettes thermiques. Le système d'affichage s'était réinitialisé lui-même et l'écran fonctionnait de nouveau normalement. Il saisit son arme et s'élança dans le couloir.

* * *

David plongea dans les ténèbres, ne pensant à rien d'autre qu'à s'échapper. Il entendit un bruit sourd derrière lui quand il laissa tomber le Super Soaker, mais il ne se retourna pas et continua de courir. Sans ralentir, il alluma de nouveau le briquet et la flamme illumina un petit cercle autour de lui. D'abord, il ne vit rien que des murs nus de chaque côté du couloir, ensuite il repéra un petit rectangle lumineux au-dessus d'une porte indiquant la sortie de secours. Il fonça et donna un coup d'épaule dans la porte. À sa grande stupéfaction, elle resta immobile. Il essaya la poignée, mais elle ne tourna pas. Incroyable ! Comment pouvaient-ils fermer à clé une porte de secours ? Alors qu'il restait là, secouant en vain la poignée, il entendit un lointain hurlement — « Fils de pute ! » — puis les pas de l'agent Hawley qui résonnaient.

David recommença à courir. Il tourna à gauche et se précipita dans un autre couloir, cherchant désespérément un escalier pour s'échapper. Il examinait les deux côtés du couloir tout en courant aussi vite qu'il le pouvait quand il trébucha sur quelque chose qui était tombé sur le sol comme un sac de linge sale. David ralluma son Zippo et vit qu'il s'était étalé sur un cadavre, un des collègues en costume gris de Hawley, avec deux trous sanguinolents dans le front. Horrifié, David se releva d'un bond. Puis il remarqua que le corps gisait au pied d'un escalier.

Un moment plus tard, Hawley apparut au bout du couloir et se mit en position de tir dès qu'il vit la flamme du briquet. David l'éteignit aussitôt et se précipita dans l'escalier. Il grimpa dans le noir, s'accrochant à la rampe et s'éraflant les tibias sur les marches, Hawley à quelques pas derrière lui. Après avoir gravi trois étages, il aperçut une faible lueur jaune passant par l'encadrement d'une porte. Il traversa en courant une salle pleine d'écrans explosés, puis passa par-dessus deux autres cadavres sans une seconde de réflexion. Il était maintenant dans le parking et pouvait sentir le délicieux air pollué de New York. Il s'élança sur la rampe d'accès vers la merveilleuse lumière de la rue.

Mais il se trouvait à au moins trente mètres du haut de la rampe et il n'y avait nulle part où se mettre à couvert ; il comprit qu'il était condamné quand il regarda par-dessus son épaule et vit Hawley au bas de la rampe. L'agent arborait un grand sourire sur son visage brûlé et noirci. Il ralentit, leva son Glock, visant soigneusement sa cible. Puis un coup de feu retentit et Hawley s'écroula sur le sol.

David regarda fixement le corps de l'agent, qui s'était replié en position fœtale. Durant un moment, il pensa que quelqu'un lui jouait un tour. Il était trop troublé pour éprouver du soulagement et trop effrayé pour s'arrêter de courir. Ses jambes le transportèrent jusqu'en haut de la rampe et, en quelques secondes, il se retrouva dans une rue déserte bordée d'immeubles de bureaux. Il lut les plaques à l'angle : Liberty and Nassau Streets. Il était dans Lower Manhattan, à trois blocs au nord de la Bourse. Il entendait maintenant les sirènes de police, aussi continua-t-il à courir en direction de l'ouest, vers Broadway et l'Hudson.

Quand Simon eut achevé l'agent du FBI et atteint le sommet de la rampe, une demi-douzaine de voitures de police descendaient Liberty Street. La *babushka*, pensa-t-il. Elle a dû appeler par radio le NYPD[1] en renfort. Il s'était glissé derrière un kiosque à journaux aux volets clos quand les voitures s'arrêtèrent avec des crissements de pneus et que les flics se ruèrent dans le parking. Le prisonnier était juste à un bloc plus loin, au coin de Broadway et Liberty, mais Simon ne pouvait prendre le risque de passer près de tous ces policiers, avec un Uzi caché sous son coupe-vent. À la place, il descendit Nassau Street et continua un bloc vers le nord en direction de Maiden Lane, espérant intercepter sa proie. Lorsqu'il atteignit Broadway, il ne vit aucune trace du prisonnier. Simon courut le long de l'avenue, regardant dans chaque rue transversale, mais il ne vit l'homme nulle part. « *Yobany v'rot !* », jura-t-il en se tapant sur les cuisses dans un geste de frustration.

Sa colère ne dura qu'un moment. « Tout est une question de flexibilité, se rappela-t-il. Tu dois simplement réajuster ta stratégie. »

Debout au coin de la rue, haletant comme un chien, Simon pensa au prisonnier. Il n'y avait pas beaucoup d'endroits où il pouvait aller, et ils étaient tous bien prévisibles. La première chose à faire était d'identifier l'homme et de déterminer sa relation avec le professeur Kleinman. Ensuite, il suffisait de suivre ses proches. Tôt ou tard, Simon le savait, ce type en baskets le conduirait à la *Einheitliche Feldtheorie.*

Simon reprit sa respiration en marchant vers l'endroit où il avait garé sa Mercedes. Il éprouva une macabre satisfaction quand il leva les yeux vers les sombres gratte-ciel de Broadway. « Très bientôt, pensa-t-il, tout ça aura disparu. »

1. New York Police District. *(N.d.T.).*

CHAPITRE QUATRE

— Bon sang, Lucy ! Mais qu'est-ce qui s'est passé ?

Installée dans la salle de conférence du Q.G. du FBI à Federal Plaza, Lucille parlait sur une ligne téléphonique sécurisée avec le directeur du Bureau. Le bâtiment de Liberty Street avait été évacué et un poste de commandement temporaire avait été installé au siège new-yorkais. Tous les agents du secteur qui n'étaient pas de service avaient été tirés de leur lit et avaient reçu de nouveaux ordres. Et maintenant, à minuit un quart, Lucille affrontait la difficile tâche de communiquer les mauvaises nouvelles à son patron.

— Ils nous ont pris par surprise, admit-elle. Ils ont d'abord mis hors d'usage nos communications. Puis ils ont coupé le courant et sont partis à la recherche du détenu. Nous avons perdu six agents. (Lucille était étonnée de pouvoir rapporter cela aussi calmement. Six agents. Quel putain de cauchemar !) J'en assume toute la responsabilité, monsieur.

— Et merde, qui a bien pu faire ça ? Vous avez une vidéo ?

— Non, monsieur, malheureusement les systèmes de surveillance ont été détruits. Mais nous pensons savoir de qui il peut s'agir. Ils avaient des Uzi et ont utilisé du C-4. Ils étaient probablement équipés de lunettes à infrarouge.

— Vous pensez à Al-Qaida ?

— Non, c'est trop élaboré pour eux. Peut-être les Russes. Peut-être les Chinois ou les Nord-Coréens. Cela pourrait même être les Israéliens. C'est une opération parfaitement organisée.

— Et le détenu ? Vous pensez qu'il est dans le coup ?

Lucille hésita avant de répondre. Pour être honnête, elle ne savait que penser de David Swift.

— D'abord, j'aurais dit non. Parce que le type est professeur d'histoire. Pas de casier judiciaire, pas de service militaire, pas de voyage suspect ou d'appel à l'étranger. Mais il a admis que Kleinman lui avait donné une clé numérique, probablement un code crypté pour un fichier informatique. Peut-être essayaient-ils de vendre l'information, mais l'affaire a mal tourné.

— Quelles sont les chances de remettre la main dessus ? Le secrétaire à la Défense voit rouge. Il m'appelle toutes les demi-heures pour faire le point.

Elle éprouva un sentiment d'écœurement. Ce foutu SecDef. ! Il avait forcé le Bureau à faire le sale boulot, et maintenant il ne voulait pas partager ses informations.

— Dites-lui que nous maîtrisons la situation, répliqua-t-elle. La police de New York organise des contrôles aux ponts et aux tunnels, avec des chiens renifleurs d'explosif pour détecter le C-4. Nous avons aussi posté des agents dans toutes les gares.

— Avez-vous une photo du détenu ? Pour l'identification.

— Nous avons obtenu la photo de son permis de conduire auprès du New York DMV[1] et une autre qui figure sur la jaquette de son livre : *On the Shoulders of Giants*. Nous imprimons des fiches signalétiques que nous distribuerons à nos agents dans une heure. Ne vous inquiétez pas, il ne pourra aller nulle part.

David courait le long de l'Hudson. Après avoir échappé aux agents du FBI, il n'avait qu'une idée en tête : s'éloigner le plus possible du bâtiment de Liberty Street. Trop inquiet pour héler un taxi ou sauter dans un métro, il fonçait sur la piste cyclable qui longeait le fleuve, se mêlant aux sportifs nocturnes — joggeurs, cyclistes et amateurs de roller.

Il longea le fleuve jusqu'à la 34e rue, sur plus de cinq kilomètres, avant de faire une pause. Essoufflé, adossé à un réverbère, il ferma les yeux un moment. C'était invraisemblable ! Cinq minutes passées à recueillir les dernières paroles d'un professeur de physique et il courait comme un fou pour sauver sa peau ! Qu'est-ce que Kleinman avait pu lui dire de si important ? *Einheitliche Feldtheorie*. Destructeur des mondes. Que se passait-il donc ?

---

1. Department of Motor Vehicles, qui recense les permis de conduire. *(N.d.T.)*

Une chose était sûre : les agents du FBI n'étaient pas les seuls à vouloir s'emparer du secret de Kleinman. Quelqu'un d'autre avait torturé le professeur, quelqu'un d'autre avait attaqué le bâtiment de Liberty Street. Et David ne savait absolument pas de qui il pouvait s'agir.

Impossible de rester là ! Il lui fallait un plan. Vite ! Aller dans son appartement ou dans celui de Karen serait insensé. Le FBI les surveillait sans doute déjà. Pas question non plus de se risquer à frapper chez un ami ou un collègue. Quitter New York était la seule solution. Tirer un peu d'argent. Prendre la route. Tenter de franchir la frontière canadienne. Pas de location de voiture — les agents fédéraux repéreraient rapidement la transaction sur sa carte de crédit ; le numéro de la plaque d'immatriculation serait diffusé illico à tous les flics de la région. Restaient le train ou le bus.

David trouva un distributeur de billets et retira le plus d'argent possible. Le FBI détecterait cette transaction, mais il n'avait pas le choix. Il se rendit ensuite directement à Penn Station.

À peine arrivé dans la gare par l'entrée de la 8e avenue, il comprit qu'il était trop tard. La zone des guichets grouillait de policiers et de gardes nationaux. Devant chaque voie, les flics demandaient leurs papiers à tous les voyageurs. Des équipes cynophiles inspectaient sacs, valises et jambes de pantalons. David se dirigea vers l'autre côté de la gare. Quel idiot ! Il aurait dû prendre le PATH une heure plus tôt, dans le sud.

Alors que David approchait de la sortie donnant sur la 7e avenue, une nouvelle vague de policiers déferla soudain dans le hall et forma un solide cordon obstruant escaliers et escalators. « Et merde ! » murmura David. Un des flics brandit un mégaphone.

— O.K., mesdames et messieurs. Alignez-vous devant l'escalier et sortez vos permis de conduire ! Nous devons vérifier vos papiers avant que vous ne quittiez la gare.

Essayant de son mieux de paraître décontracté, David retourna sur ses pas, mais maintenant des flics bloquaient les sorties de la 8e avenue. À découvert et paniqué, il chercha un endroit où s'abriter quelques minutes pour réfléchir, derrière le volet d'un kiosque à journaux ou un fast-food, mais la plupart des boutiques étaient fermées pour la nuit. Seuls étaient ouverts un *Dunkin'Donuts* fourmillant de policiers et un petit bar lugubre appelé le *Station Break*. David n'avait pas pénétré dans un bar depuis des années, et la simple pensée d'entrer dans le *Station Break* lui souleva le cœur. Mais ce n'était pas le moment de faire le délicat.

À l'intérieur du bar, une douzaine de types baraqués et barbus, âgés d'une vingtaine d'années, gesticulaient autour d'une table chargée de canettes de Budweiser. Tous les hommes portaient des T-shirts identiques sur lesquels l'inscription PETE'S BACHELOR PARTY[1] figurait au-dessus d'une nana aux gros seins. Ils faisaient un boucan d'enfer et avaient apparemment viré tout le monde sauf le barman, qui se tenait derrière sa caisse l'air renfrogné. David s'installa au comptoir, souriant, comme si de rien n'était.

— Un Coca s'il vous plaît !

Sans un mot, le barman prit un verre embué et le remplit de glace. David aperçut deux portes de toilettes, mais pas de sortie de secours. Une télévision était fixée sur le mur, allumée mais le son était baissé ; une jeune présentatrice blonde regardait gravement la caméra à côté de ces mots : ALERTE TERRORISTE.

— Hé, elle est canon ! s'écria un des fêtards. Il se leva en chancelant pour mieux voir la présentatrice. « Oh oui ! Dis-moi les news, baby ! Vas-y, raconte à Larry ! Larry veut tout savoir, baby ! »

Pendant que ses amis riaient aux éclats, Larry s'approcha du bar. Son bide de la taille d'un ballon de plage débordait de sa ceinture. Ses yeux injectés de sang lui donnaient un air halluciné, sa barbe était parsemée de débris de pop-corn. Il puait tant la bière que David dut retenir sa respiration.

— Hé, barman, beugla Larry. Combien coûte un coup de Jägermeister ?

Le barman fronça encore plus les sourcils.

— Dix dollars.

1. Enterrement de la vie de garçon de Pete. *(N.d.T.)*

— Nom de Dieu ! (Larry tapa de son gros poing sur le bar.) C'est pour ça que je ne viens plus dans cette maudite ville !

Le barman donna son Coca à David sans prêter attention à lui.

— Ça fait six dollars.

Larry se tourna vers David.

— Tu vois ce que je veux dire ? C'est une sacrée arnaque ! Trois fois plus cher que dans le New Jersey.

David ne dit rien. Il ne voulait pas engager la conversation. Il avait déjà assez de problèmes comme ça. Il tendit au barman un billet de vingt.

— C'est la même chose avec les bars à putes, continua Larry. On revient juste d'un truc qui s'appelle le *Cat Club*. Dans la 21e rue. Les filles, elles voulaient cinquante dollars pour une *lap dance*. Tu peux croire ça ? Cinquante foutus dollars ! Alors j'ai dit « Allez vous faire foutre, on retourne à Metuchen ». Il y a un club sur la route 9, le *Lucky Lounge*. Les filles y sont pas si mal et la *lap dance* est à dix dollars.

David l'aurait bien étranglé. Les policiers et les soldats de la Garde Nationale étaient partout, patrouillant juste devant le *Station Break* avec leurs bergers allemands et leurs M16 ; mais au lieu de trouver comment sortir de ce pétrin, il devait écouter ce minable du New Jersey. Il secoua la tête avec frustration.

— Excusez-moi, mais tout de suite je suis…

— Hé, c'est quoi ton nom, mec ? demanda Larry en le pointant du doigt.

David grinça des dents.

— C'est Phil. Écoute, je suis un peu…

— Content de te rencontrer, Phil ! Moi, c'est Larry Nelson.

Il prit la main de David et la secoua vigoureusement. Puis il désigna ses amis. Voilà mes copains de Metuchen. Tu vois Pete là-bas ? Il se marie dimanche.

Le futur marié était effondré sur une table, la tête à moitié cachée par les canettes de bière. David fut pris de dégoût. « Dire que j'étais pareil il y a vingt ans ! Un gamin stupide prenant des cuites avec ses amis. La seule différence était que je n'avais même pas besoin d'une fête pour être bourré. Durant les derniers mois à la fac, c'était biture tous les soirs. »

— On voulait prendre le train de minuit et demi pour rentrer à Jersey, ajouta Larry, mais les flics ont commencé à faire des contrôles d'identité et à dérouler ces foutus rubans jaunes dans toute la gare. Du coup, on a raté le train. Faut attendre une heure pour le prochain.

— Et si on n'a pas ses papiers ? demanda David. Ils ne vous laissent pas prendre le train ?

— Non, pas ce soir. Nous avons vu un type, il disait qu'il avait laissé son portefeuille chez lui. Les flics l'ont fait sortir de la file et l'ont embarqué. C'est une de ces putains d'alertes terroristes. Alerte jaune, alerte orange, j'me souviens pas laquelle.

L'estomac de David se noua. « Mon Dieu, je ne m'en sortirai jamais ! Tout ce foutu pays me recherche. »

— Enfin, j'ai du pot, ajouta Larry, j'ai pas à travailler demain matin. J'suis d'équipe du soir cette semaine, j'ai donc pas à me pointer au poste avant quatre heures de l'après-midi.

David observa un moment sa barbe en broussaille et son bide à bière.

— T'es flic ?

Il hocha la tête avec fierté.

— Agent de sécurité au poste de Metuchen. Ça fait à peine deux semaines que j'ai commencé.

Incroyable, tomber sur le seul flic de la région qui ne le recherchait pas ! C'était cocasse mais David décela rapidement une opportunité dans cette rencontre fortuite. Il essaya de se rappeler le peu de connaissances qu'il avait sur la géographie du New Jersey.

— J'habite tout près de Metuchen. À New Brunswick.

— Pas vrai ! (Larry se tourna vers ses amis.) Hé, les gars, écoutez ça ! Ce type, il est de New Brunswick !

Plusieurs d'entre eux levèrent nonchalamment leurs canettes de bière pour le saluer. « Leurs esprits ne sont plus très clairs, pensa David. Ils ont besoin d'un remontant. »

— Tu sais, Larry, j'aimerais faire quelque chose pour ton ami Pete. En l'honneur de son mariage et tout. Qu'est-ce que t'en dis si j'offre une tournée générale de Jägermeister ?

Les yeux de Larry s'agrandirent.

— Hé, c'est super mec !

David descendit de son tabouret et tendit les bras devant lui comme un arbitre de football américain signalant un *touchdown*.

— Un coup de Jäger pour tout le monde !

Les fêtards, réveillés, poussèrent des cris. Seul le barman paraissait contrarié.

— Montrez-moi d'abord l'argent ! Ça fera cent trente dollars.

David sortit un épais rouleau de billets de vingt de sa poche et les étala sur le bar.

— Dites à vos copains de s'approcher !

Karen était dans son lit à côté d'Amory Van Cleve, le directeur associé de Morton McIntyre & Van Cleve. Elle écoutait attentivement l'étrange sifflement qui sortait des narines du juriste endormi, qu'elle remarquait pour la première fois, bien qu'elle fréquentât Amory depuis plusieurs semaines. C'était un sifflement sur trois notes séparées — un do quand il inspirait, qui passait au ré, puis au si quand il expirait — ponctué d'un fa entre deux ronflements. (Karen avait étudié la musique avant ses études de droit.) Au bout d'un moment, elle comprit pourquoi cet air paraissait familier : c'étaient les trois premières notes de « La Bannière étoilée »[1]. Karen réprima un fou rire.

Amory était couché sur le dos, ses mains manucurées jointes sur la poitrine. Elle se glissa plus près de lui, observant sa tête ronde auréolée de cheveux blancs, son nez et son menton de patricien. Encore pas mal pour ses soixante ans ! Bon, d'accord, il avait quelques défauts comme ces ronflements nocturnes, l'ouïe un peu faible et il n'était pas l'amant le plus vigoureux du monde ! Mais ses bons côtés les faisaient paraître insignifiants. Amory avait beaucoup de dignité, il était courtois et toujours de bonne humeur. Et surtout, il savait ce que Karen voulait. Il comprenait ce qui avait de l'importance pour elle. Cela n'avait jamais été le cas de David, en dépit des trois années où il lui avait fait la cour et de leur neuf années de mariage.

---

1. L'hymne national américain. *(N.d.T.)*

Une sirène hurla en descendant Columbus Avenue. Cela n'arrêtait pas cette nuit. Encore un feu ou une rupture de canalisation. Elle verrait dans le journal tout à l'heure.

Bien sûr, elle ne pouvait pas tout reprocher à David. Pendant longtemps, elle-même n'avait pas su ce qu'elle voulait. Quand ils s'étaient rencontrés, elle était une naïve jeune fille de vingt-trois ans qui étudiait le piano à la Juilliard School, menant un vain combat contre des concurrents plus talentueux. David avait cinq ans de plus et était déjà un professeur d'histoire des sciences à Columbia auréolé de succès. Elle était tombée amoureuse de lui parce qu'il était drôle, beau et intelligent et elle avait commencé à imaginer le futur qu'ils pourraient construire ensemble. Après leur mariage, elle avait abandonné la Juilliard School et commencé des études de droit. La naissance de Jonah avait interrompu ses études pendant un an, mais elle était rapidement devenue associée principale chez Morton McIntyre & Van Cleve, gagnant au moins deux fois plus que son mari. Dorénavant, elle savait exactement ce qu'elle voulait : une maison confortable pour sa famille, une école privée pour son fils et une place plus éminente dans la haute société new-yorkaise.

Karen pouvait pardonner à David de ne pas partager ses ambitions — au fond c'était un scientifique, il ne se souciait pas des apparences. Cependant, elle n'admettait pas qu'il soit complètement indifférent à ses désirs. Il semblait prendre un malin plaisir à avoir toujours les cheveux en bataille, à porter des jeans et des baskets pour donner ses cours et à rester plusieurs jours sans se raser. C'était sans doute dû en partie à son éducation chaotique. Il avait été élevé par un père violent et une mère battue et terrorisée et, bien qu'il ait lutté de toutes ses forces pour surmonter ce traumatisme, sa victoire n'était que partielle. David devint un merveilleux père, mais un piètre mari. Chaque fois qu'elle émettait une idée, il s'y opposait. Il ne voulait pas déménager pour un appartement plus grand, ni mettre Jonah dans une école privée. Le point de rupture arriva quand il refusa le poste de président du département d'histoire. Cette fonction leur aurait rapporté un supplément de 30 000 dollars par an — assez pour rénover leur cuisine ou acheter une maison de campagne — mais il avait refusé, prétextant que cela aurait « gêné ses recherches ». Elle perdit alors toutes ses illusions et décida de le quitter. Elle ne pouvait pas vivre avec un homme qui ne voulait pas faire d'efforts pour elle.

« Oh ! Arrête de penser à David ! À quoi bon ? » Maintenant il y avait Amory. Elle lui avait déjà parlé d'acheter un appartement. Un endroit dans le East Side, cela changerait. Peut-être un quatre pièces dans un de ces beaux immeubles de Park Avenue. Ou une maison avec un jardin sur le toit. Cela coûtait très cher, mais Amory en avait les moyens.

Karen était si occupée à imaginer l'appartement parfait qu'elle n'entendit pas le premier coup de sonnette. Elle perçut néanmoins le second, parce qu'il était accompagné de vigoureux coups frappés à la porte.

— Mme Swift ? appela une voix grave insistante. Êtes-vous là, Mme Swift ?

Elle s'assit dans le lit, le cœur battant. Qui pouvait bien cogner à sa porte à cette heure ? Et pourquoi l'appelaient-ils par le nom de son ex-mari alors qu'elle ne l'utilisait plus depuis deux ans ? Paniquée, elle saisit l'épaule d'Amory et le secoua.

— Amory, réveille-toi ! Il y a quelqu'un à la porte.

Amory tourna la tête et marmonna quelque chose. Il avait le sommeil profond.

— Ouvrez, Mme Swift ! dit une autre voix grave. C'est le FBI. Nous avons à vous parler.

Le FBI ? Était-ce un canular ? C'est alors elle se souvint de l'appel téléphonique reçu quelques heures plus tôt, celui d'un inspecteur de police demandant après David. Y avait-il un lien ? David s'était-il attiré des ennuis ?

Elle secoua de nouveau Amory, plus fortement cette fois, et il ouvrit les yeux.

— Quoi ? ronchonna-t-il. Qu'est-ce qu'il y a ? Qu'est-ce qui se passe ?

— Lève-toi ! Il y a des hommes à la porte ! Ils disent qu'ils sont du FBI !

— Quelle heure est-il ?

— Lève-toi et va voir qui c'est !

Amory soupira, puis attrapa ses lunettes et sortit du lit. Il enfila une robe de chambre bordeaux sur son pyjama jaune et noua la ceinture. Karen passa à la hâte un vieux T-shirt et un pantalon de jogging.

— C'est votre dernière chance ! beugla une troisième voix. Si vous n'ouvrez pas la porte, nous la défonçons ! Vous entendez, madame ?

— Voilà, voilà, attendez ! répondit Amory. J'arrive !

Karen sortit de la chambre et le suivit en restant un peu en retrait. Pendant qu'Amory se rendait dans l'entrée, elle se posta instinctivement devant la porte de la chambre de Jonah. Son fils, Dieu merci, avait aussi le sommeil profond.

Amory se pencha un peu pour regarder par le judas.

— Qui êtes-vous, messieurs ? demanda-t-il à travers la porte d'entrée. Et que faites-vous là si tard ?

— Nous vous l'avons dit, c'est le FBI. Ouvrez !

— Je suis désolé, mais je veux d'abord voir vos badges.

Karen fixa l'arrière de la tête d'Amory tandis qu'il regardait par le judas. Quelques secondes après, il jeta un coup d'œil à Karen par-dessus son épaule. Oui, ce sont bien des agents du FBI. Je vais voir ce qu'ils veulent.

Karen commença à crier :

— Attends, ne...

Mais il était trop tard. Amory déverrouilla la porte et tourna la poignée. L'instant d'après, deux colosses en costume gris se précipitaient sur Amory, le renversant sur le dos et le clouant au sol. Deux autres agents se ruaient dans l'appartement, un grand blond, large d'épaules et un Noir au cou de taureau. Il fallut une seconde à Karen pour voir qu'ils pointaient tous deux un revolver sur elle.

— Pas un geste ! beugla le blond. (Son visage était tendu, pâle, terrifiant. Sans la quitter du regard, il fit un signe de la main à son collègue.) Va fouiller les chambres !

Karen recula d'un pas. Elle sentit la porte de la chambre de Jonah contre sa colonne vertébrale.

— S'il vous plaît, non ! J'ai un enfant ! Il est...

— J'ai dit PAS UN GESTE !

Le blond se dirigea vers elle. Son revolver s'agitait dans sa main comme s'il était doté d'une vie propre.

Par la porte de la chambre, elle entendit des bruits de pas, puis un faible et terrifié « Maman » que les agents ne semblèrent pas l'entendre. Les deux hommes s'approchaient d'elle, leurs armes levées et les yeux fixés sur la porte comme s'ils essayaient de voir à travers.

— Écartez-vous ! ordonna le blond.

Karen restait là, paralysée, sans même respirer. Oh mon Dieu ! Mon Dieu ! Ils vont lui tirer dessus ! Puis elle entendit les pas de Jonah juste derrière elle et le bruit métallique de la poignée. Se retournant alors brusquement, elle ouvrit d'un coup la porte et se jeta sur son fils.

— NON, NON ! hurla-t-elle. NE LUI FAITES PAS DE MAL !

Les agents se penchèrent sur elle, leurs larges silhouettes emplissant l'encadrement de la porte, leurs revolvers tournés vers le bas, mais elle avait pris les choses en main. Elle recouvrait chaque centimètre du corps de son fils. Le haut de sa tête était niché sous son menton et ses épaules étaient calées sous ses seins. Elle le sentait trembler de peur, criant « Maman, Maman ! » contre le sol en bois. Mais il était en sécurité.

Pendant que l'agent blond montait la garde au-dessus d'elle, le Noir entra dans la chambre et ouvrit la porte du placard.

— Rien ! cria-t-il.

Puis il se mit à inspecter les autres pièces. Bien que masquée par les pleurs de Jonah et les cris des agents, Karen pouvait entendre la voix indignée d'Amory.

— Pour qui vous prenez-vous ? Vous ne pouvez pas fouiller les lieux sans un mandat ! C'est une violation de domicile !

Au bout de quelques secondes, l'agent noir revint pour faire son rapport au blond, qui semblait être le chef.

— Il n'y a personne d'autre ici. Et le vieux ne correspond pas à la description.

L'agent blond se rendit dans l'entrée pour s'entretenir avec ses collègues. Il rangea son revolver dans le holster. Karen s'assit, soulagée, et serra Jonah dans ses bras. Amory était étendu sur le ventre à quelques pas, les mains attachées derrière le dos avec une sorte de corde en plastique.

— Vous allez le regretter, messieurs. Je suis en relations étroites avec le procureur !

Le blond le regarda d'un air menaçant.

— La ferme, grand-père !

Puis il se tourna vers Karen.

— Où est votre ex-mari, Mme Swift ?

Étonnamment, Karen n'avait plus peur. Depuis que l'agent avait rangé son arme, elle ne ressentait plus que du mépris pour lui.

— C'est pour cela que vous avez fait irruption ici ? Pour chercher David ?

— Répondez juste à...

— Vous n'êtes qu'un sale connard ! Vous avez brandi un pistolet devant un petit garçon de sept ans !

Pendant que Karen regardait fixement l'homme du FBI, Jonah était accrochée au T-shirt de sa mère, son visage mouillé de larmes.

— Où est papa ? Je veux mon papa !

Pendant un moment, l'agent sembla hésiter. Sa pomme d'Adam s'agita en regardant Karen et Jonah blottis l'un contre l'autre dans l'encadrement de la porte. Mais bientôt ses traits se durcirent de nouveau.

— David Swift est recherché pour meurtre. Nous devions prendre les précautions nécessaires.

Karen porta une main à sa bouche. C'était impossible. David avait beaucoup de défauts, mais ce n'était pas un meurtrier. La chose la plus violente qu'elle l'avait jamais vu faire était d'avoir donné un coup de poing dans son gant de softball lors d'une défaite de son équipe. Il restait toujours maître de ses émotions. Il avait appris de son père ce qui pouvait arriver quand on ne les contrôlait pas.

— C'est faux. Qui vous a dit ça ?

L'agent fronça les sourcils.

— Je connaissais plusieurs des hommes qu'il a tués, madame. Deux d'entre eux étaient mes amis.

Il la regarda durant une seconde, froid et impassible. Puis il parla dans le microphone caché à l'intérieur de sa manche.

— Ici l'agent Brock. Nous vous en amenons trois. Contactez le quartier général et dites-leur que nous avons une femme et un enfant.

Karen serra plus fort Jonah contre elle.

— Non, vous ne pouvez pas faire ça !

L'agent secoua la tête.

— C'est pour votre propre sécurité. Jusqu'à ce que nous retrouvions votre ex-mari.

Il fouilla dans la poche de sa veste et en sortit deux bracelets en plastique.

— À la santé de Phil ! T'es un pote, Phil ! Un sacré pote !

Autour de la table, au Station Break, Pete et ses copains trinquèrent à la santé de l'alter ego de David, le généreux Phil de New Brunswick. C'était la troisième tournée offerte par David et ils étaient maintenant complètement déchaînés. Larry, un verre dans chaque main, chantait « Phil ! Phil ! Phil ! » avant d'avaler deux verres à la suite. Même Pete, le futur marié ivre, leva brièvement la tête de la table pour marmonner « T'es un pote ! » David lui répondit en passant un bras autour de ses épaules : « Non, c'est Toi le pote ! » Le super Pote ! Mais bien que braillant et rigolant avec les autres, il ne laissa jamais une goutte d'alcool toucher ses lèvres. Il glissait discrètement ses verres à Larry, trop heureux de les vider.

Quand le chœur de « Toi, mon pote » eut cessé, Larry se leva en titubant.

— Et n'oublions pas Vinnie ! cria-t-il à tue-tête. À la santé de Vinnie, cette petite allumeuse qui ne pouvait pas être avec nous ce soir parce que sa copine pense qu'on est pas des mecs bien !

Tout le monde chanta le refrain de « Fuck that bitch » ! Pendant ce temps, Larry sortit d'un sac en plastique un T-shirt bleu bien plié, avec l'inscription Pete's Bachelor Party. Le même que ceux que toute la bande portait.

— Regardez ça ! clama Larry. Comme Vinnie n'est pas venue, je me retrouve avec ce putain de T-shirt sur les bras. (Il secoua la tête d'un air dégoûté.) Vous savez ce que je vais faire ? Je vais lui faire payer à sa foutue copine.

Les fêtards beuglèrent « Ouais, fais-lui payer à cette salope ! » et des conseils du même genre. David, lui, regardait le T-shirt. Après un instant de réflexion, il tapa du poing sur la table pour capter l'attention de tous.

— Je vais te l'acheter le T-shirt, Larry. Combien il coûte ?

Larry sembla un peu gêné.

— Oh, Phil, faut pas ! T'as déjà payé tous ces coups à boire et...

— Non, non, j'insiste ! Je veux l'acheter ! Je veux être un membre officiel de l'enterrement de vie de garçon de Pete !

David se leva et déposa un billet de vingt dollars dans la paume de Larry. Il enfila le T-shirt par-dessus le sien.

Tous poussèrent aussitôt des acclamations de joie. « Phil ! Phil ! Phil ! Phil ! » Puis quelqu'un cria : « Hé, les gars, il est presque une heure et demie, on va encore rater ce foutu train ! » Les fêtards se levèrent en titubant.

— En route ! ordonna Larry. On va passer au *Lucky Lounge* avant que ça ferme ! Je crois qu'il va falloir que quelqu'un aide Pete !

Tandis que deux types attrapaient le futur marié par les épaules, David eut soudain une idée. Il cria « Attendez-moi ! » d'une voix bredouillante, puis dégringola sur le sol, en prenant soin d'amortir sa chute avec la paume bien ouverte de sa main.

Larry se pencha sur lui, il puait la Jägermeister.

— Hé, Phil, ça va ?

— J'suis un peu... bourré, répondit David, en faisant de son mieux pour paraître soûl. Tu peux m'donner... un coup de main ?

— Pas de problème mon gars !

Larry empoigna le bras de David, le releva et le conduisit vers la porte du Station Break. David se laissa aller contre l'épaule du grand type tandis qu'ils sortaient en titubant du bar. Bien que David n'eût pas été ivre depuis près de vingt ans, il pouvait aisément imiter la démarche d'un pochard. Le souvenir était ancré en lui.

Le hall de la gare était désormais presque vide de voyageurs, mais grouillait encore de policiers. Une demi-douzaine de flics se tenaient devant l'entrée de la voie 10, celle vers laquelle la bande de fêtards se dirigeait. Larry leva le poing en l'air en approchant des policiers.

— Allez les gars, on est derrière vous ! Arrêtez ces salauds de terroristes !

— Ouais, chopez ces enfoirés, cria un autre. Tuez-les tous !

Un frêle brigadier de police leur fit signe.

— O.K. les gars, on se calme. Montrez-moi vos permis de conduire !

L'estomac de David se noua tandis que les autres sortaient leurs portefeuilles. O.K., pensa-t-il. Allons-y ! Avec de grands gestes, il tâta ses poches avant et arrière. « Merde ! » cria-t-il. « Oh, merde ! » Il s'agenouilla et commença à chercher par terre comme un poivrot.

Larry se pencha de nouveau vers lui.

— Qu'est-ce qui va pas, Phil ?

— Mon portefeuille, hoqueta David en s'accrochant à l'épaule de Larry. Je retrouve pas... mon foutu portefeuille.

— Tu l'as p'têt laissé au bar ?

David secoua la tête.

— Merde... j'sais pas... où... y pourrait être.

Le brigadier remarqua l'agitation et s'approcha.

— Qu'est-ce qui se passe ici ?

— Phil a perdu son portefeuille, lui expliqua Larry.

La bouche béante et la tête tombant sur le côté, David leva les yeux vers le brigadier.

— J'comprends pas... il était... là y a... une seconde.

Le flic fronça les sourcils. Sa bouche formait une ligne mince et sévère. « Oh, oh, pensa David, celui-là, c'est un dur à cuire ! »

— Vous n'avez pas de papiers d'identité sur vous ?

— C'est Phil de New Brunswick, expliqua Larry. Il montra du doigt le T-shirt « Pete's Bachelor Party ». Il est avec nous.

Le brigadier prit un air menaçant.

— Il vous faut des papiers d'identité pour monter dans le train.

Juste à ce moment-là un carillon strident retentit. Puis une annonce : « Attention ! Dernier appel ! Le train Northeast Corridor Line partira voie 10 et desservira les gares de Newark, Elizabeth, Rahway, Metuchen, New Brunswick et Princeton Junction. »

— On doit absolument prendre ce train ! s'écria Larry. (Il plongea la main dans sa poche et en sortit son portefeuille.) Regardez ! Je suis de la police de Metuchen. Mon badge est là. Je vous l'ai dit, Phil est avec nous. C'est un copain.

Le brigadier examina le badge, les sourcils toujours froncés, hésitant encore à les laisser passer. À ce moment-là David entendit un chien aboyer. Il tourna la tête et vit un Garde National et son berger allemand passant sous le panneau d'affichage des départs. Le chien se dirigeait droit vers eux, tirant tellement fort sur sa laisse que le garde devait se pencher en arrière pour garder l'équilibre. « Oh mon Dieu ! pensa David. Ce putain de clébard pourrait sentir quelque chose sur moi. »

Il ferma les yeux et fut soudain pris de nausée. « C'est sans espoir. Ils vont m'arrêter et m'emmener au FBI ! » Il repensa à la pièce blanche sans fenêtre, avec ses néons au plafond et les agents en costume gris autour de la table en métal. Une nouvelle vague de nausée le submergea, et celle-ci fut si forte qu'il se plia soudain en deux et eut un haut-le-cœur. Un filet de salive tomba de sa bouche sur le sol.

— Attention ! prévint Larry. Phil va gerber !

Le brigadier de police recula vivement.

— Bon sang ! Dégagez-moi ce type !

David leva la tête et le regarda. L'homme grimaça, visiblement dégoûté. Soudain, David s'approcha de lui en titubant et émit des bruits d'éructation suivis d'un guttural « eurque ».

Le brigadier le repoussa, l'envoyant vers Larry.

— Putain, débarrassez-moi de ce type ! Allez, emmenez-le dans le train !

— Oui, répondit Larry, en prenant David sous les bras. Aussitôt, ils dévalèrent ensemble l'escalier menant à la voie 10 et se ruèrent dans le train de 01 h 30 pour Metuchen.

Simon était assis devant un magnifique bureau dans une des suites les plus chères du Waldorf-Astoria. L'hôtel facturait 2 000 $ la nuit pour un salon ringard donnant sur Park Avenue et une chambre décorée comme un bordel tsariste. Bien que Simon fût assez riche pour se l'offrir, il refusait par principe de payer. Il avait donc piraté un numéro de carte de crédit sur Internet. Un honnête homme de l'Oregon nommé Neil Davidson paierait le séjour de Simon au Waldorf, de même que le carré d'agneau et le demi-litre de Stolichnaya qu'il s'était fait servir dans sa chambre.

Alors qu'il s'enfilait un autre verre de vodka, Simon regarda l'écran de son ordinateur portable qui affichait la page Web du département de physique de l'Université Columbia. Par chance, la liste des membres du corps enseignant s'accompagnait d'une photo couleur de chaque professeur, assistant et chercheur. Il fit défiler lentement la page, étudiant chaque visage. Le complice de Kleinman devait être professeur de physique. La *Einheitliche Feldtheorie* était bien trop complexe pour un profane ; il fallait quelqu'un qui avait de solides bases en théorie de la relativité et en mécanique quantique, ne serait-ce que pour reconnaître les termes mathématiques des équations du champ. Et pourtant, Simon ne voyait pas l'homme en baskets dans les pages Web du département de physique. Il continua à examiner les listings d'une vingtaine d'autres universités pourvues d'importants départements de physique — Harvard, Princeton, le MIT, Stanford, etc. —, mais il ne trouvait toujours pas trace de sa proie parmi la galerie de portraits de scientifiques souriants. Au bout d'une heure, il éteignit son portable et jeta la bouteille vide dans la poubelle. C'était exaspérant. Tout ce qu'il lui fallait, c'était le nom de cet homme.

Pour se calmer, il alla à la fenêtre et regarda les lumières de Park Avenue. Même à deux heures du matin, les taxis circulaient toujours dans la rue. Tandis qu'il les observait manœuvrer pour se garer, Simon se demanda s'il n'avait pas oublié quelque chose, un détail biographique crucial de la vie du professeur Kleinman qui révélerait l'identité de son associé. Peut-être était-ce son neveu ou son filleul, ou encore le rejeton d'une lointaine liaison. Simon se dirigea vers le placard, ouvrit son sac de marin et sortit le livre qu'il avait utilisé pour retrouver Kleinman. *On the Shoulders of Giants.* C'était un gros bouquin, de plus de cinq cents pages, rempli d'informations utiles sur tous les physiciens qui avaient assisté Albert Einstein dans les dernières années de sa vie. Quand Simon ouvrit le livre, il entrevit quelque chose de familier. Il alla jusqu'au rabat du dos de la jaquette. Là, juste au-dessous d'un baratin élogieux du *Library Journal*, il y avait une photo de l'auteur.

Simon sourit.

— Hello, David Swift, dit-il à haute voix. Quel plaisir de vous rencontrer !

CHAPITRE CINQ

Malgré les demandes pressantes de Larry, Pete et les autres, David refusa de descendre du train à Metuchen. Il leur dit que sa femme le tuerait s'il ne rentrait pas directement chez lui à New Brunswick, mais il promit de rejoindre ses nouveaux potes au *Lucky Lounge* un autre soir. Toute l'équipe de copains éméchés lui tapèrent dans la main quand ils descendirent du train et chantèrent « Phil ! Phil ! Phil ! Phil ! » sur le quai. David les remercia en levant le pouce, puis se laissa retomber sur son siège, épuisé.

Lorsque le train quitta la gare, David se mit à trembler. L'air conditionné lui sembla terriblement froid. Il replia les bras sur sa poitrine et se frotta les épaules pour se réchauffer, mais il ne pouvait s'arrêter de frissonner. Il savait que c'était une réaction de stress post-traumatique, la réponse à retardement de son corps aux événements terrifiants vécus durant les quatre heures précédentes. Il ferma les yeux et respira profondément. « C'est bon. Tu t'éloignes à bonne vitesse de New York. Tu les laisses tous derrière toi. »

Il ouvrit les yeux quand le train entra en gare de New Brunswick. Il avait alors cessé de trembler et ses pensées étaient un peu plus claires. Il décida de rester dans le train jusqu'à Trenton. Ensuite, il prendrait un bus Greyhound pour Toronto. Mais quand les portes se refermèrent et que le train poursuivit sa route vers l'ouest, David commença à voir les failles de son plan. Et s'ils contrôlaient les identités aux gares routières ? Il avait peu de chance de tomber sur une autre fête d'enterrement de vie de garçon. Et le temps que le bus atteigne la frontière canadienne, la police l'y rechercherait probablement aussi. Non, prendre un bus était trop risqué, sauf s'il pouvait se procurer un faux permis de conduire. Comment allait-il bien pouvoir s'y prendre ?

Trop agité pour rester assis, David se mit à faire les cent pas dans le wagon presque vide. Il n'y avait que trois autres passagers : deux adolescentes en mini jupes et un monsieur d'un certain âge en pull écossais, parlant tranquillement dans son téléphone portable. David eut alors envie d'appeler Karen et Jonah avec son propre téléphone, mais il savait que dès qu'il l'allumerait, cela enverrait un signal à l'antenne relais la plus proche et que le FBI le localiserait tout de suite. David s'inquiétait pour son ex-femme. Il avait peur que les hommes en costume gris veuillent la questionner.

Bientôt le conducteur annonça : « Nous arrivons à Princeton Junction. Correspondance pour Princeton via Princeton Branch Line. » La répétition des trois *Princeton* d'affilée le titilla. David pensa aussitôt à quelqu'un qui pourrait l'aider. Il ne l'avait pas vue depuis plus de vingt ans, mais il savait que cette femme habitait toujours à Princeton. Il y avait peu de chances pour que le FBI l'attende devant chez elle, bien qu'à l'évidence le Bureau ait mené une enquête approfondie sur son passé. Elle était physicienne, une des pionnières de la théorie des cordes. Et seul un physicien ou une physicienne pourrait trouver du sens à l'histoire qu'il avait à raconter.

Le train s'arrêta et les portes s'ouvrirent. Il descendit sur le quai et se dirigea vers la voie qui conduisait à l'université de Princeton.

Retour en arrière, en 1989, quand David, encore étudiant en physique, assistait à une conférence sur la théorie des cordes. À cette époque, la communauté scientifique se passionnait pour cette nouvelle hypothèse qui promettait de résoudre un problème ancien. Bien que la théorie de la relativité d'Einstein expliquât à la perfection la gravité et que la mécanique quantique dévoilât toutes les nuances du monde subatomique, les deux théories étaient mathématiquement incompatibles. Pendant trente ans, Einstein avait essayé d'unifier les deux séries de lois physiques, dans le but de créer une théorie unique qui pourrait expliquer l'ensemble des forces de la nature. Mais toutes les solutions proposées par Einstein s'avérèrent défaillantes, et après sa mort de nombreux physiciens en conclurent que le problème avait été mal posé. L'univers, disaient-ils, était trop complexe pour être décrit par un simple jeu d'équations.

Au début des années 1970, cependant, quelques physiciens reprirent l'idée d'une théorie unifiée en émettant l'hypothèse que toutes les particules fondamentales étaient en fait de minuscules cordes d'énergie, chacune ne faisant qu'un billionième de billionième de millimètre de long. Dans les années 1980, les théoriciens des cordes avaient affiné leur modèle en déclarant que les cordes vibraient dans dix dimensions, six d'entre elles étant enroulées en espaces trop petits pour être observables. La théorie était imprécise, incomplète et très difficile à manier, et cependant elle enflamma l'imagination des chercheurs du monde entier. L'un d'entre eux, Monique Reynolds, était une étudiante en master du département de physique de Princeton ; elle avait vingt-quatre ans.

David la vit pour la première fois à la séance de clôture de la conférence, dans le grand auditorium à Jadwin Hall. Monique se tenait sur l'estrade, prête à faire un exposé sur les espaces multidimensionnels. Il avait d'abord été frappé par sa grande taille, une bonne tête de plus que le président un peu ratatiné du département de physique, qui présenta Monique comme « la jeune étudiante la plus brillante avec qui il avait jamais eu le plaisir de travailler ». David s'était demandé si le vieil homme ne s'était pas un peu trop pris d'affection pour elle, parce qu'en plus d'être grande, elle était belle. Son visage ressemblait aux antiques portraits d'Athéna, la déesse grecque de la sagesse, mais à la place du casque elle avait une couronne de tresses enchevêtrées, et sa peau avait la couleur d'un café-kahlua. Une longue robe faite de tissu Kente jaune et rouge recouvrait ses épaules et plusieurs bracelets en or ornaient ses bras dorés. Dans la grisaille de Jadwin Hall, elle flamboyait comme une pluie de particules.

Dans les années 1980, il y avait encore peu de physiciennes, mais une femme noire spécialisée dans la théorie des cordes était vraiment un cas exceptionnel. Les scientifiques présents dans l'auditorium la regardaient comme tous les phénomènes rares, avec un mélange de crainte et de scepticisme. Cependant, aussitôt qu'elle commença son exposé, ils l'acceptèrent comme l'une des leurs : elle parlait leur langage, la langue absconse des mathématiques. Elle écrivit au tableau une longue série d'équations, truffées de symboles représentant les paramètres fondamentaux de l'univers : la vitesse de la lumière, la constante gravitationnelle, la masse de l'électron, la force nucléaire. Ensuite, avec une aisance que David ne pouvait qu'envier, elle manipula et transforma les denses forêts de symboles jusqu'à les condenser en une équation unique et élégante qui décrivait la forme de l'espace autour d'une corde vibrante.

David ne pouvait suivre toutes les étapes de son raisonnement ; à ce moment-là de ses études, il avait compris les limites de ses capacités mathématiques et, d'habitude, il ressentait une écrasante frustration et de la jalousie quand il se trouvait confronté à un génie comme Monique. Mais tandis qu'elle faisait fonctionner sa magie sur le tableau et répondait calmement aux questions de ses collègues, David ne ressentit pas d'amertume. N'opposant aucune résistance, il se soumit à ses pouvoirs. Quand elle eut fini son exposé, il bondit de son siège et se fraya un chemin jusqu'à l'estrade afin de se présenter.

Monique leva les sourcils quand il prononça son nom. Une expression de surprise et de plaisir passa sur son visage.

— Mais je vous connais ! s'exclama-t-elle. Je viens de lire l'article que vous avez publié avec Hans Kleinman. La relativité dans un espace-temps à deux dimensions, n'est-ce pas ? C'était un travail intéressant.

Elle lui prit la main et la serra. David n'en revenait pas — il ne pouvait croire qu'elle avait réellement lu son article.

— Oh ! Ce n'est rien, vraiment. Rien comparé à votre travail, je veux dire. Votre exposé était absolument prodigieux. (Il essaya de trouver un commentaire plus intelligent, mais il ne trouva rien d'autre.) J'ai été subjugué. Vraiment.

— Oh, mon Dieu, arrêtez ! (Elle éclata de rire, une merveilleuse cascade de sons cristallins.) J'ai l'impression d'être une star de cinéma ! (Puis elle fit un pas vers lui et posa délicatement la main sur son avant-bras, comme s'ils étaient de vieux amis.) Alors, vous êtes à Columbia, c'est ça ? Comment est le département, là-bas ?

Leur conversation s'était poursuivie durant plusieurs heures, d'abord dans la salle des professeurs, où David rencontra d'autres étudiants du département de Princeton, puis dans un restaurant local, le *Rusty Scupper*, où le petit groupe de physiciens en herbe commanda des margaritas et discuta des mérites relatifs des théories des cordes chirales et non-chirales. Après quelques verres, David confia à Monique qu'il y avait certains points de son exposé qu'il n'avait pas compris, et elle fut ravie de combler ses lacunes, expliquant patiemment chaque procédure mathématique. Quelques verres plus tard, il lui demanda pourquoi elle s'était intéressée à la physique, et elle lui expliqua que c'était à cause de son père, un homme qui n'avait jamais dépassé le collège mais inventait toujours des théories intéressantes sur le monde. À minuit, David et Monique étaient les derniers clients du restaurant, et vers une heure, ils se pelotaient sur le divan du petit appartement de la jeune femme.

Pour David, ce genre de scénario était assez classique. Il était au milieu de ses six mois de beuverie ininterrompue et avait foutu en l'air sa seconde année de master. Quand il était saoul avec une femme, il essayait habituellement de coucher avec elle. Et bien que Monique fût plus intelligente et jolie que la plupart des filles avec lesquelles il avait couché, pour le reste elle était comme les autres — spontanée, solitaire et semblant cacher une certaine tristesse. Aussi tout se déroulait selon le plan habituel, mais quand Monique se leva du divan, baissa la fermeture éclair de sa robe Kente et la laissa tomber sur ses chevilles en un petit tas coloré, quelque chose de bizarre se passa. Aussitôt que David vit son corps nu, il se mit à pleurer. Ce fut si soudain et inexplicable qu'il crut d'abord que cela arrivait à Monique, pas à lui. Pourquoi pleure-t-elle ? pensa-t-il. Est-ce que j'ai fait quelque chose de mal ? Mais non, elle ne pleurait pas. Les sanglots sortaient de sa propre gorge, et les larmes coulaient sur ses propres joues. Il se leva d'un bond et se détourna d'elle, humilié. Mon Dieu, pensa-t-il, qu'est-ce qui m'arrive ?

Quelques secondes après, il sentit la main de Monique sur son épaule.

— David, murmura-t-elle. Est-ce que ça va ?

Il secoua la tête, cherchant désespérément à cacher son visage.

— Je suis désolé, dit-t-il en s'éloignant de quelques pas. Il vaut mieux que je m'en aille.

Mais Monique se cramponnait à lui. Elle entoura sa taille de ses bras et l'attira contre elle.

— Qu'est-ce qui ne va pas ? Tu peux me le dire.

Sa peau était douce et fraîche. Il sentit quelque chose céder en lui, et tout à coup il sut pourquoi il pleurait. Comparé à Monique Reynolds, il n'était rien. La semaine précédente, il avait raté ses examens, ce qui signifiait qu'il devrait bientôt quitter le département de physique de Columbia. L'alcool avait certainement contribué à son échec — il était impossible de comprendre quelque chose à la théorie quantique des champs en ayant constamment la gueule de bois — mais il se demandait si le résultat aurait été différent s'il était resté sobre pendant tout le semestre. Le pire, c'est que son père avait prédit que cela arriverait. Quand il avait rendu visite au vieil homme deux ans auparavant dans la chambre de l'hôtel miteux que John Swift occupait depuis sa sortie de prison, celui-ci avait ri quand il lui avait parlé de ses projets de devenir physicien. « Tu ne seras jamais un scientifique, l'avait prévenu son père. Tu vas tout foirer. »

Mais David ne pouvait pas confier tout cela à Monique. À la place, il dénoua ses bras.

— Je suis désolé, dit-il à nouveau. Mais il faut que je parte.

Il continua à pleurer en s'éloignant de l'appartement et en traversant dans le noir le campus de Princeton. « Tu es un idiot, marmonna-t-il. Un sacré idiot. C'est l'alcool, tout ce putain d'alcool. Tu ne peux plus penser correctement. » Il s'arrêta près d'un des dortoirs de l'université et s'adossa au bâtiment en pierre de style gothique pour s'éclaircir l'esprit. « Fini l'alcool ! Tu as bu ton dernier verre. »

Mais quand il retourna à New York le lendemain, il alla directement à la *West End Tavern* de Broadway commander un verre de Jack Daniel's. Il n'était pas encore tombé assez bas. Ce ne fut que deux mois plus tard, après avoir été officiellement renvoyé du département de physique de Columbia, qu'il descendit à un niveau de dégradation suffisamment terrifiant pour cesser de boire définitivement.

Dans les années qui suivirent, alors que David remettait de l'ordre dans sa vie et préparait son doctorat d'histoire, il lui arriva de songer à reprendre contact avec Monique pour lui expliquer ce qui s'était passé. Mais il ne le fit jamais. En 2001, il tomba sur un article qui lui était consacré dans *Scientific American.* Elle était toujours à Princeton et poursuivait l'étude de la théorie des cordes, qui avait considérablement évolué depuis les années 1980, mais restait encore imprécise, incomplète et plus complexe que jamais. Monique étudiait maintenant la possibilité que les dimensions supplémentaires prédites par la théorie des cordes ne soient pas enroulées en espaces infinitésimaux mais s'étendent derrière une barrière cosmique qui nous empêcherait de les voir. David fut à vrai dire moins intéressé par la physique que par les détails biographiques révélés dans les derniers paragraphes de l'article. Monique, à ce qu'il en ressortait, avait grandi à Anacostia, la banlieue la plus pauvre de Washington, D.C. Sa mère avait été héroïnomane et son père avait été tué par balle lors d'un cambriolage quand elle n'avait que deux mois. David ressentit une douleur dans la poitrine en lisant cela. Elle lui avait dit que son père l'avait inspirée pour devenir physicienne, alors qu'elle ne l'avait même pas connu.

Il avait de nouveau pensé à Monique au moment de son divorce, et à plusieurs reprises avait failli l'appeler. Mais à chaque fois, il avait reposé le téléphone et à la place entamé une recherche sur Google, tapant son nom dans le moteur de recherche et examinant les pages Web qui s'affichaient. Il avait ainsi appris qu'elle était professeur titulaire de physique, qu'elle avait participé à un tchat sur l'histoire de l'Afrique et qu'elle avait couru le marathon de New York en trois heures et cinquante-deux minutes, un temps tout à fait respectable pour une femme d'une quarantaine d'années. Sa plus belle découverte, cependant, fut une photo de Monique sur le site du *Princeton Packet*, qui la montrait debout devant une modeste maison à deux niveaux avec un grand porche d'entrée. David reconnut l'endroit immédiatement : c'était 112 Mercer Street, la maison où Albert Einstein avait vécu les vingt dernières années de sa vie. Dans son testament, Einstein avait insisté pour que la maison ne soit pas transformée en musée, aussi demeurait-elle une résidence privée pour les professeurs du Princeton's Institute for Advanced Study. La légende de la photo disait que le professeur Reynolds avait récemment emménagé dans cette maison, remplaçant un membre de l'université qui venait de prendre sa retraite.

C'est vers cette maison que David se dirigea quand il descendit du train à la gare de Princeton. Il traversa de nouveau le campus dans le noir, sobre cette fois, mais toujours désespéré, et il doutait que Monique fût heureuse de le revoir.

Lucille était au téléphone avec ses agents de Trenton quand le secrétaire à la Défense fit irruption dans la salle de conférence. Elle fut si surprise qu'elle faillit laisser tomber le combiné. Elle n'avait rencontré le SecDef qu'une fois auparavant, à la Maison Blanche, lors d'une cérémonie de présentation d'une nouvelle initiative antiterroriste, et ils avaient échangé une poignée de mains et quelques plaisanteries. Mais maintenant l'homme surgissait juste devant elle, sa tête carrée penchée selon un angle d'attaque, ses petits yeux regardant de côté avec désapprobation derrière ses lunettes sans monture. Bien qu'il fût trois heures du matin, ses fins cheveux gris étaient soigneusement coiffés et sa cravate pendait droite sous un impeccable nœud Windsor. Un général deux étoiles de l'armée de l'air le suivait, portant la mallette du secrétaire.

— Euh, je vous rappellerai, dit Lucille au téléphone. (Elle raccrocha et se leva respectueusement.) Monsieur le Secrétaire, je…

— Asseyez-vous, Lucy, asseyez-vous ! (Il lui montra sa chaise du doigt.) Pas besoin de formalités. Je voulais juste voir par moi-même comment se déroule l'opération. L'armée de l'air a été assez aimable pour m'emmener à New York.

« Super, pensa Lucille. J'aurais bien aimé qu'on me prévienne avant. »

— Eh bien, monsieur, nous pensons que nous avons un problème avec le détenu. On nous a informés qu'il avait réussi à passer dans le New Jersey et nous sommes...

— Comment ? (Le secrétaire se pencha en avant et tourna la tête sur le côté, comme s'il était en train de compenser un peu de surdité d'une oreille.) Je pensais que vous aviez fait en sorte que le type ne puisse pas quitter Manhattan. À quoi ont servi les contrôles aux ponts et aux tunnels ?

Lucille, mal à l'aise, remua sur sa chaise.

— Par malheur, il a fallu un certain temps avant de pouvoir transmettre la photo de David Swift à la police. Une fois que les fiches signalétiques ont été distribuées, un policier assigné à Penn Station a reconnu le suspect. Il a dit que Swift était monté à bord d'un train pour le New Jersey aux environs d'une heure et demie.

— Comment a-t-il pu prendre le train ? Avait-il de faux papiers ?

— Non, apparemment, le suspect s'est joint à un groupe d'hommes qui montaient dans le train en courant. Une espèce de bande de brutes éméchées. Dans la confusion, le policier n'a pas réussi à contrôler les papiers d'identité.

Le secrétaire fronça les sourcils. Le coin gauche de sa bouche s'étira en forme de hameçon.

— C'est inexcusable. S'il était dans l'armée, cet officier devrait être exécuté, à l'aube, par les membres de son unité.

Lucille ne savait que répondre. Elle décida d'ignorer cet étrange commentaire.

— Je viens de parler avec nos agents du New Jersey. Ils sont montés dans le train à la gare de Trenton mais n'ont pas trouvé le suspect. Actuellement, nous étudions la possibilité que Swift soit descendu du train avec les types éméchés. Le policier de Penn Station dit qu'ils étaient de Metuchen.

— Cela ne semble pas très prometteur. Quelles autres pistes avez-vous ?

— Nous avons posté des équipes de surveillance devant les habitations des collègues de Swift au département d'histoire de Columbia. Certains d'entre eux vivent dans le New Jersey, il y a donc des chances pour qu'il aille demander de l'aide à l'un d'eux. Nous avons aussi embarqué l'ex-femme de Swift pour l'interroger. Elle est en bas avec son fils et son ami, un vieil homme nommé Amory Van Cleve. Nous allons...

— Attendez, quel nom avez-vous dit ?

— Amory Van Cleve. Il est juriste, directeur associé de Morton McIntyre et...

— Mon Dieu ! (Le secrétaire porta la main à son front.) Vous ne savez pas qui c'est ? Van Cleve a été un des plus gros leveurs de fonds aux dernières élections, pour l'amour du Ciel ! Il a réuni vingt millions de dollars pour la campagne du Président !

Lucy se raidit. Elle n'aimait pas cela.

— Je n'ai fait que suivre les ordres du directeur du Bureau. Il m'a demandé de poursuivre cette affaire avec toute la fermeté nécessaire, et c'est ce que j'ai fait.

Le secrétaire grimaça, puis ôta ses lunettes et se pinça l'arête du nez.

— Croyez-moi, Lucy, je veux que vous soyez déterminée. Je veux que vous mettiez tout en œuvre pour régler cette affaire. Ce projet est une des priorités du Pentagone. Si l'information devait tomber entre les mains des Iraniens ou des Nord-Coréens, les conséquences seraient catastrophiques. (Il remit ses lunettes et lui jeta un coup d'œil, avec un regard de tireur embusqué.) Mais vous ne pouvez pas utiliser les techniques d'interrogatoire classiques avec quelqu'un comme Amory Van Cleve. C'est l'un des meilleurs leveurs de fonds républicains du pays. Quand le Président est venu au printemps dernier, ils ont joué au golf ensemble.

— Bien, alors que suggérez-vous, monsieur ?

Il regarda par-dessus son épaule le général de l'armée de l'air. Sans un mot, l'homme ouvrit la mallette, sortit un dossier et le tendit au secrétaire, qui commença à le feuilleter.

— O.K., il est notifié ici que ce type, Swift, a une histoire d'abus de substance.

— Il a eu un problème d'alcoolisme quand il avait une vingtaine d'années, précisa Lucie.

Le SecDef haussa les épaules.

— Quand on boit une fois, on boit toute sa vie. On peut dire que ce type est passé à la cocaïne et qu'il vendait de la poudre aux gosses de riches de Columbia. Le Bureau s'apprêtait à l'arrêter pour trafic de drogue à Harlem, mais lui et ses amis se sont débrouillés pour prendre par surprise et tuer une demi-douzaine d'agents. Est-ce que ça marche pour une couverture ?

Lucille essaya de trouver une réponse diplomatique.

— Cela comporte quelques problèmes. Tout d'abord, ce n'est pas dans les habitudes du Bureau...

— Je n'ai pas besoin de connaître les détails. Arrangez-vous pour raconter cette histoire à Van Cleve et à l'ex-femme. Peut-être qu'ainsi leur sympathie pour Swift en prendra un coup et qu'ils nous diront où il peut se cacher. Et communiquez la même histoire à la presse. De cette façon, nous pourrons mettre en place une chasse à l'homme dans tout le pays.

Lucille secoua la tête. Seigneur ! Tenir le SecDef informé était une chose, mais recevoir des ordres de sa part en était une autre. Qu'est-ce qui faisait croire à cet idiot qu'il pouvait diriger une opération civile ?

— Je ne sais pas si c'est la bonne façon de traiter le problème, dit-elle. Peut-être pouvons-nous contacter le directeur du Bureau et...

— Ne vous inquiétez pas, le directeur donnera son accord. Je lui parlerai dès que je serai de retour à Washington.

Il referma le dossier et le tendit au général. Puis il tourna les talons et sortit de la salle de conférence, suivi de près par le général.

Lucille se leva, indignée.

— Attendez une minute, monsieur le secrétaire ! Je pense que vous devriez reconsidérer les choses !

Il ne se retourna même pas. Il leva simplement le bras pour lui dire au revoir en franchissant la porte.

— Pas le temps de chercher autre chose, Lucy. On va à la guerre avec l'armée que l'on a.

David avait visité une fois la maison d'Einstein à Mercer Street, quand il écrivait *On the Shoulders of Giant*. Comme c'était une résidence de professeur, la maison n'était pas ouverte au public ; néanmoins, après avoir fait une demande spéciale en expliquant son projet, l'Institute of Advanced Study lui avait accordé la permission d'une visite d'une demi-heure. Cela se révéla être très précieux pour sa recherche. Il passa la majeure partie du temps dans le bureau du premier étage, là où Einstein avait pratiquement fait toutes ses recherches les dernières années de sa vie. Trois des murs de la pièce étaient recouverts du sol au plafond de bibliothèques et, sur le quatrième, s'ouvrait une baie vitrée donnant sur le jardin à l'arrière de la maison. Assis au bureau, David avait été pris d'un étrange vertige en regardant par la fenêtre. Son esprit avait voyagé un demi-siècle en arrière et il avait pratiquement pu voir Einstein penché sur son bureau, noicissant des heures des pages et des pages sur la métrique de l'espace-temps et le tenseur de Ricci.

Arrivé près de la maison, David vit que le jardin avait été embelli depuis sa visite dix ans auparavant. Quelqu'un avait disposé des pots de fleurs devant l'entrée et taillé les plantes grimpantes qui s'étaient jadis enroulées autour de la gouttière. Très calmement, David monta les marches du porche. Il appuya sur la sonnette, qui était particulièrement forte, et attendit. À sa grande déception, aucune lumière ne s'alluma. Au bout d'une demi-minute, il sonna de nouveau, à l'affût de signes de vie à l'intérieur de la maison. « Merde, pensa-t-il, il n'y a peut-être personne. Monique est peut-être partie pour le week-end. »

Au bord du désespoir, il allait appuyer une troisième fois sur la sonnette quand il remarqua quelque chose d'étrange : le cadre de la porte avait été récemment refait. Les nouveaux montants n'avaient pas encore été peints et une toute nouvelle serrure au cuivre brillant avait été posée. Le travail semblait avoir été bâclé, ce qui contrastait avec l'aspect soigné du reste de la maison. Mais avant qu'il puisse y réfléchir davantage, il entendit quelqu'un crier « Hé, trou du cul ! » juste quelques pas derrière lui.

David se retourna et vit un jeune homme monter les marches du porche. Il portait un jean, avait les cheveux blonds et des muscles pectoraux impressionnants ; mais ce qui attira avant tout l'attention de David c'est la batte de baseball qu'il tenait dans ses mains.

— Hé, je te parle, dit l'homme inutilement. Qu'est-ce que tu fous là ? Tu viens voir si la maison est vide ?

David s'écarta de la porte en levant ses mains pour montrer qu'elles étaient vides.

— Désolé de vous ennuyer si tard. Je suis David...

— Désolé ? Tu dis que t'es désolé ? Tu seras vraiment désolé dans une minute, pauvre connard !

Aussitôt que l'homme eut atteint la marche du haut, il tenta de frapper David avec sa batte. Elle trancha l'air à quelques centimètres de sa tête, si près qu'il entendit le sifflement.

— Mon Dieu, cria-t-il en reculant. Arrêtez ! Je suis un ami !

L'homme continua à avancer.

— T'es pas mon ami. T'es un putain de nazi.

Il se prépara de nouveau à frapper.

N'ayant pas le temps de réfléchir, David s'en remit à son instinct. Il savait se battre. Son père lui avait appris la règle fondamentale : tous les coups sont permis. Il recula pour se mettre hors de portée et attendit que le blond essaye de frapper avec la batte, il se rua alors en avant et lui donna un grand coup de pied dans les testicules. Le type se plia en deux, David lui flanqua alors un direct dans la poitrine, qui le mit K.-O. Son dos nu heurta le porche avec un bruit retentissant et tandis qu'il tentait de reprendre sa respiration, David lui arracha la batte des mains. En trois secondes, c'était terminé.

David se pencha sur l'homme encore étendu à terre.

— O.K., essaye encore, dit-il. Je suis désolé de vous ennuyer si tard. Mon nom est...

— Bouge pas, enculé !

David leva les yeux et vit Monique dans l'embrasure de la porte pointant sur lui un revolver. Ses yeux magnifiques brillaient tandis qu'elle brandissait l'arme à deux mains. Une chemise de nuit jaune vif collait à ses cuisses et se balançait doucement dans la brise nocturne.

— Lâche la batte et éloigne-toi de lui !

David s'exécuta. Il laissa la batte tomber bruyamment sur le sol et recula de trois pas.

— Monique, dit-il. C'est moi, David. Je suis…

— Ta gueule (Elle garda le revolver pointé sur sa tête, à l'évidence elle ne le reconnaissait pas.) Ça va Keith ?

L'homme se redressa sur les coudes.

— Oui, ça va, dit-il l'air un peu groggy.

— Monique, c'est moi, répéta David. David Swift. Nous nous sommes rencontrés au printemps 89, quand tu as exposé ton article sur les espaces de Calabi-Yau.

— Je t'ai dit de la boucler ! cria-t-elle.

Mais David sentit qu'il avait retenu son attention, car le front de Monique s'était plissé.

— David Swift, dit-il à nouveau. J'étais étudiant à Columbia. Relativité dans un espace-temps à deux dimensions. Rappelle-toi !

Sa bouche s'ouvrit en le reconnaissant, mais comme David l'avait prévu, elle n'avait pas l'air contente de le revoir. Elle semblait même plutôt en colère. Les sourcils toujours froncés, elle baissa néanmoins le revolver et remit le cran de sûreté.

— Qu'est-ce qui te prend ? Pourquoi tu débarques comme ça en plein milieu de la nuit ? J'ai failli t'exploser la tête.

— Tu connais ce type, Mo ? demanda Keith.

Il se remit sur ses pieds avec difficulté.

Elle hocha la tête.

— On s'est rencontrés à la fac. Enfin si on peut dire…

D'un mouvement du poignet, elle ouvrit le barillet du revolver et fit tomber les balles dans la paume de sa main.

Une lumière s'alluma dans la maison d'à côté. « Merde, pensa David. Si on n'arrête pas de faire du bruit, quelqu'un va finir par appeler les flics. »

Il regarda Monique d'un air suppliant.

— Écoute, j'ai besoin de ton aide. Je ne t'aurais pas ennuyée si ce n'était pas important. Pouvons-nous aller à l'intérieur pour parler ?

Monique gardait les sourcils froncés. Au bout de quelques secondes, elle poussa finalement un soupir.

— Et puis merde ! Entre ! Je ne pourrai pas me rendormir de toute façon.

Elle lui fit alors signe d'entrer. Keith ramassa la batte et pendant une fraction de secondes David pensa qu'il allait lui en donner un coup. Contre toute attente, il lui serra la main.

— Hé, mec, je suis désolé, dit-il. Je pensais que t'étais un de ces enculés de nazis. Ils ont donné quelques soucis à Mo.

— Nazis ? De quoi tu parles ?

— Tu verras quand on sera à l'intérieur.

David traversa l'entrée et pénétra dans une petite salle de séjour avec une cheminée en briques sur un côté et une fenêtre en saillie sur un autre. Il remarqua qu'on avait donné des coups de hache dans le manteau en bois de la cheminée. La tablette vernie avait été entaillée sur toute sa longueur. La cheminée elle-même avait été vandalisée ; au moins une douzaine de briques avaient été retirées ou cassées. Des trous béants, sans doute faits à la masse, ponctuaient les murs de la pièce, et des lames du plancher avaient été arrachées par endroits, créant des cratères noirs. Le pire, c'était ces croix gammées partout : gravées sur le manteau de la cheminée, ciselées dans les lames de parquet restantes, peintes à la bombe sur les murs. Deux grandes croix gammées rouges avaient été peintes sur le plafond et, entre les deux, il était écrit NIGGA GO HOME[1].

— Oh non ! murmura David.

Il se tourna vers Monique, qui avait posé le revolver et les balles sur la tablette de la cheminée et regardait le plafond.

— Des skinheads, probablement des gamins du lycée, dit-elle. J'en ai vu traîner à l'arrêt de bus, dans leurs blousons de cuir et leurs Doc Martens. Ils ont certainement vu une photo de moi dans les journaux et pensé : « Oh ! les gars, voilà une bonne occase pour nous. Une putain de négresse qui vit dans la maison du Juif le plus connu au monde. Quoi de mieux ? »

David fit une grimace de douleur.

— C'est arrivé quand ?

---

1. Retourne chez toi, négresse ! *(N.d.T.)*.

— Le week-end dernier, pendant que j'étais chez des amis à Boston. Les enfoirés ont été malins. Ils ont attendu qu'il n'y ait personne, puis ils ont forcé la porte d'entrée. Ils n'ont pas tagué les murs extérieurs parce qu'ils savaient que quelqu'un aurait pu les voir de la rue.

David pensa au bureau à l'étage.

— Ont-ils vandalisé aussi les pièces du haut ?

— Ouais, ils se sont attaqués à toutes les pièces. Ils ont même retourné par endroits la pelouse dans le jardin de derrière. Heureusement, ils ont épargné la cuisine et pas trop endommagé le mobilier.

Elle désigna du doigt un canapé en cuir noir, une table basse chromée et une chaise Barcelone rouge vif… des objets qui n'avaient à l'évidence jamais appartenu à Einstein.

Keith passa par-dessus un des trous du plancher, les pouces glissés dans les poches de son jean. David remarqua alors qu'il avait un serpent à sonnettes tatoué sur l'épaule gauche et le visage frais et grave d'un gamin de vingt ans.

— Quand on a entendu sonner, on a cru que c'était encore un de ces skinheads qui cherchait à savoir si la maison était vide. Comme on pensait que les gamins s'enfuiraient si on allumait la lumière, je suis passé par l'arrière pour les surprendre.

Monique glissa son bras autour de la taille de Keith et posa sa tête contre son épaule tatouée.

— Keith est un amour, dit-elle. Il est resté avec moi toutes les nuits cette semaine.

Keith répondit en saisissant la hanche de Monique et en déposant un baiser sur le haut de son front.

— Je ne pouvais pas faire autrement ? Tu es ma meilleure cliente. (Il se tourna vers David, un grand sourire éclairant son visage juvénile.) En fait, je m'occupe de la voiture de Mo. Au Princeton Auto Shop. Elle a acheté une jolie petite saloperie de Corvette, mais elle est capricieuse.

David les regarda pendant un moment, un peu embarrassé. Monique, une brillante physicienne de la théorie des cordes, sortait avec un garagiste ? Cela semblait si invraisemblable.

Mais il chassa rapidement cette pensée. Il avait à se soucier de choses plus importantes.

— Monique, est-ce qu'on pourrait s'asseoir quelque part ? Je sais que ce n'est pas le bon moment pour toi, mais j'ai de très gros ennuis et il faut absolument que je comprenne ce qui se passe.

Elle leva un sourcil et le regarda attentivement, comme si elle mesurait pour la première fois à quel point il était désespéré.

— Allons dans la cuisine. C'est le bazar mais au moins il n'y a pas de croix gammées.

La cuisine, grande et moderne, avait été ajoutée à la maison quelques années auparavant pour remplacer la petite pièce étriquée où la seconde femme d'Einstein, Elsa, avait autrefois cuisiné. Un grand comptoir en marbre courait sous une rangée de placards, et une table ronde était installée dans un coin. Mais bien que la cuisine soit grande, y compris pour une maison de banlieue, chaque espace libre était rempli à ras bords de boîtes, de livres, de lampes et de bibelots. Monique se dirigea vers la table et dégagea une chaise.

— Excuse le désordre. J'ai dû descendre pas mal de trucs ici, tant le bureau est dévasté.

David l'aida à débarrasser la table et les chaises. Alors qu'il déplaçait une pile de livres, il reconnut un des volumes. C'était *On the Shoulders of Giants.*

Monique laissa échapper un soupir de fatigue quand ils s'assirent. Puis elle se tourna vers Keith et posa délicatement la main sur l'un de ses genoux.

— Tu peux faire un peu de café ? Je meurs d'envie d'en boire une tasse.

Il lui tapota la main.

— Pas de problème. Un Suprême de Colombie, ça t'ira ?

Elle hocha la tête, puis le regarda se diriger vers la machine à café de l'autre côté de la pièce. Lorsqu'il fut assez éloigné pour ne pas les entendre, elle se pencha vers David.

— Bon. Quel est le problème ?

Quand Simon était dans les Spetsnaz, combattant les insurgés tchétchènes, il avait appris une technique utile pour localiser l'ennemi. Elle pouvait être résumée en dix mots : pour trouver quelqu'un, il vous faut savoir ce qu'il veut. Un rebelle tchétchène, par exemple, il veut tuer des soldats russes, vous devez donc le chercher dans les montagnes, près des bases militaires. Très simple. Mais avec David Swift, il y avait un paramètre qui compliquait les choses : les Américains le recherchaient aussi. En supposant que ce professeur d'histoire ait un peu de bon sens, il allait éviter son appartement et son bureau à Columbia ainsi que tout autre lieu où le FBI était susceptible de l'attendre. Il fallait donc que Simon improvise de nouveau. Avec l'aide d'Internet, il entreprit une enquête sur les désirs secrets de David Swift.

À trois heures du matin, il était toujours devant l'écran de son ordinateur portable, dans sa luxueuse suite du Waldorf-Astoria. Il avait réussi à s'introduire dans le réseau local de Columbia et fit bientôt une heureuse découverte : l'administrateur réseau contrôlait l'activité Internet des membres du corps enseignant, probablement pour s'assurer qu'ils ne regardaient pas des trucs porno pendant leurs heures de travail. Simon ricana — les Soviets auraient adoré ça. Et mieux encore, le journal d'enregistrement d'activité n'était même pas crypté. En tapant sur quelques touches, il fut à même de télécharger l'URL[1] de tous les sites Internet que David Swift avait consultés durant les neuf derniers mois.

Une longue liste d'adresses Web défila sur l'écran du portable, 4 755 en tout. Trop pour les examiner individuellement. Mais il y avait un moyen de raccourcir la liste : ne sélectionner que les recherches Google. Ce que vous recherchez révèle ce que vous désirez, pensa Simon. Google est la nouvelle fenêtre sur l'âme humaine.

Simon trouva 1 126 recherches. C'était encore trop, mais il pouvait désormais se concentrer sur les termes de la recherche. Il avait un programme sur son ordinateur portable qui permettait de repérer les prénoms dans n'importe quelle sélection de texte. Une analyse des URL qui restaient montra que David Swift avait

1. Uniform Resource Locator : adresse Web. *(N.d.T.)*.

tapé un même nom dans 147 de ses recherches. La liste des adresses Web était maintenant suffisamment courte pour que Simon examine chacune d'elles. Mais Swift lui avait bien facilité la tâche ; il n'y avait qu'un nom qui apparaissait plusieurs fois. À trois dates différentes depuis septembre, David Swift avait fait une recherche sur une dénommée Monique Reynolds. Et quand Simon fit lui-même la recherche, il comprit rapidement pourquoi.

Il appela la réception de l'hôtel et demanda que sa Mercedes soit prête dans cinq minutes. Il allait se rendre dans le New Jersey visiter la dernière maison où vécut le Juif errant de Bavière.

David respira profondément.

— Hans Kleinman est mort, commença-t-il. Il a été assassiné cette nuit.

Monique fit un bond sur sa chaise et ouvrit la bouche.

— Assassiné ? Comment ? Par qui ?

— Je ne sais pas. La police a dit que c'était un cambriolage qui avait mal tourné, mais je n'y crois pas. (Il s'arrêta. Sa théorie sur le meurtre était on ne peut plus sommaire, et il était encore moins sûr de savoir comment l'expliquer à Monique.) J'ai parlé à Kleinman à l'hôpital juste avant qu'il meure. C'est ainsi que le cauchemar a commencé.

Il était sur le point de lui raconter ce qui s'était passé dans les bâtiments du FBI de Liberty Street, mais il s'arrêta. Il valait mieux y aller doucement. Inutile de l'effrayer tout de suite.

Elle secoua la tête et regarda d'un air absent le plateau lisse de la table.

— Seigneur ! murmura-t-elle. C'est horrible. D'abord Bouchet et maintenant Kleinman.

Le premier nom provoqua un choc chez David.

— Bouchet ?

— Ouais, Jacques Bouchet, le célèbre universitaire parisien. Je suppose que tu le connais ?

En effet, David le connaissait bien. Bouchet était une des grandes figures de la physique française, un brillant scientifique qui avait participé à la conception d'un des plus puissants accélérateurs de particules d'Europe. Il avait été aussi l'un des assistants d'Einstein au début des années cinquante.

— Que lui est-il arrivé ?

— Sa femme a appelé le directeur de l'Institut aujourd'hui. Elle a dit que Bouchet était mort la semaine dernière et qu'elle voulait créer une fondation en son honneur. Le directeur lui a fait part de sa surprise, car il n'avait vu aucun avis de décès. Sa femme lui répondit que la famille avait tenu la chose secrète parce qu'il s'agissait d'un suicide. Apparemment, il se serait tranché les veines dans sa baignoire.

David avait interviewé Bouchet dans le cadre de ses recherches pour son livre. Ils avaient partagé un succulent dîner dans la maison de campagne du physicien en Provence et joué aux cartes jusqu'à trois heures du matin. C'était un homme sage, amusant et décontracté.

— Était-il malade ? Se serait-il suicidé pour cette raison ?

— Le directeur n'en a pas parlé. Mais il a dit que la femme de Bouchet semblait traumatisée. Comme si elle ne pouvait toujours pas y croire.

L'esprit de David commença à s'emballer. D'abord Bouchet, et maintenant Kleinman. Deux des assistants d'Einstein étaient morts à une semaine d'intervalle. Bien sûr, ils étaient tous les deux très âgés, dans les quatre-vingts ans. On pouvait s'attendre à les voir mourir. Mais pas de cette façon.

— As-tu un ordinateur à me prêter ? demanda-t-il. J'ai besoin de vérifier quelque chose sur Internet.

L'air très troublée, Monique montra du doigt un portable noir posé à côté d'une boîte sur le comptoir de la cuisine.

— Tu peux utiliser mon MacBook, il est équipé d'une connexion sans fil. Qu'est-ce que tu cherches ?

David posa le portable sur la table, l'alluma et ouvrit la page d'accueil de Google.

— Amil Gupta, dit-il en tapant le nom sur le moteur de recherche. Il a aussi travaillé avec Einstein dans les années cinquante.

En moins d'une seconde les résultats de la recherche s'affichèrent sur l'écran. David fit défiler la liste. La plupart des entrées concernaient le travail de Gupta au Robotics Institute de l'université Carnegie Mellon. Dans les années 1980, après avoir consacré trente ans à la recherche scientifique, Gupta avait brusquement quitté le monde de la physique pour monter une société d'édition de logiciels. En une dizaine d'années, elle lui avait rapporté plusieurs centaines de millions de dollars. Il devint alors philanthrope, donnant son argent pour des projets de recherche originaux, mais il s'intéressait surtout à l'intelligence artificielle. Il fit une donation de 50 millions de dollars au Robotics Institute et, quelques années plus tard, en devint le directeur. Quand David avait interviewé Gupta, il avait eu des difficultés à le garder concentré sur Einstein. La seule chose qui semblait l'intéresser, c'était les robots.

David examina au moins une centaine de résultats de la recherche et fut soulagé de ne pas trouver de nouvelles dramatiques concernant Gupta. Mais ce n'était pas d'un très grand réconfort. Il pouvait très bien être déjà mort sans que personne ne soit au courant.

Alors qu'il regardait l'écran du portable, Keith s'approcha de la table, une grande tasse de café dans chaque main. Il en tendit une à David.

— Tiens. Lait, sucre ?

David prit la tasse avec reconnaissance. Son esprit réclamait de la caféine.

— Non, non, noir, c'est parfait. Merci.

Keith tendit l'autre tasse à Monique.

— Écoute, Mo, je vais monter. Je dois être au garage à huit heures demain matin. (Il posa la main sur son épaule et se pencha un peu, approchant son visage du sien.) Ça va aller ?

Elle serra sa main et sourit.

— Oui, c'est bon. Tu peux y aller.

Elle l'embrassa sur la joue et lui tapota les fesses quand il s'en alla.

David observa le visage de Monique tout en essayant d'avaler son café. Il était facile de voir ce qu'elle éprouvait. Elle était à l'évidence folle de ce beau mec. Et même si Monique avait vingt ans de plus que Keith, elle paraissait aussi jeune que lui. Son visage avait à peine changé depuis la dernière fois que David l'avait vue, sur son divan, dans sa chambre d'étudiante.

Au bout de quelques secondes, Monique remarqua qu'il l'observait. Embarrassé, David porta la tasse à ses lèvres et but la moitié de son café à grandes gorgées brûlantes. Puis il la posa sur la table et se remit à l'ordinateur. Il avait un autre nom à chercher. Il tapa Alastair MacDonald dans le moteur de recherche.

MacDonald fut l'assistant le plus malchanceux d'Einstein. En 1958, il souffrit d'une dépression nerveuse et dut quitter l'Institute for Advanced Study. De retour dans sa famille en Écosse, il ne guérit jamais et commença à se comporter de façon incohérente, criant après les passants dans les rues de Glasgow. Quelques années plus tard, il s'attaqua à un policier, et sa famille dut le mettre dans un asile. David était allé le voir en 1995, et bien que MacDonald lui eût serré la main et se fût assis pour un entretien, il n'avait répondu à aucune des questions concernant son travail avec Einstein. Il était resté assis, regardant fixement droit devant lui.

Une longue liste de résultats s'afficha sur l'écran, mais en y regardant de plus près ils s'avérèrent concerner des personnes différentes — Alastair MacDonald le chanteur folk écossais, Alastair MacDonald le politicien australien, etc. Mais rien sur Alastair MacDonald le physicien.

Monique se leva et regarda par-dessus son épaule.

— Alastair MacDonald ? Qui est-ce ?

— Un autre assistant d'Einstein. Ce type a comme disparu de la surface du globe, il est donc difficile de trouver des informations sur lui.

Elle hocha la tête.

— Ah oui ! Tu en as parlé dans ton livre. Celui qui est devenu fou, c'est ça ?

David éprouva un accès de plaisir. Elle avait lu son livre attentivement. Il alla près du rebord de la fenêtre, prit l'exemplaire de Monique et l'ouvrit au chapitre consacré à MacDonald. Il trouva le nom de l'asile, Holyrood Mental Institution, puis se pencha sur le portable et tapa les mots dans le moteur de recherche, juste à côté de Alastair MacDonald.

Un seul résultat s'afficha, mais il était récent. David cliqua sur l'adresse Web et un instant plus tard une page du site du *Glasgow Herald* apparut sur l'écran. C'était une dépêche datée du 3 juin, seulement neuf jours auparavant.

> ENQUÊTE À HOLYROOD
>
> Le Ministère de la Santé écossais annonce aujourd'hui qu'il va mener une enquête sur un accident mortel au Holyrood Mental Institution. Un des résidents, âgé de 81 ans, Alastair MacDonald, a été trouvé mort dans la salle d'hydrothérapie lundi matin. Les autorités locales ont dit que MacDonald s'était noyé dans une des piscines du service d'hydrothérapie après avoir quitté sa chambre durant la nuit. Le département cherche à déterminer si des fautes commises par l'équipe de surveillance de nuit auraient contribué à l'accident.

David trembla en regardant l'écran. MacDonald noyé dans la piscine du service d'hydrothérapie, Bouchet se sectionnant les veines dans sa baignoire. Et il se rappelait maintenant que l'inspecteur Rodriguez lui avait dit à l'hôpital St Luke que la police avait trouvé Kleinman dans sa salle de bains. Les trois vieux physiciens étaient liés non seulement par leur passé auprès d'Einstein, mais aussi par un horrible *modus operandi*. Les mêmes salauds qui avaient torturé à mort Kleinman avaient sans doute tué MacDonald et Bouchet, en faisant passer leurs meurtres pour un accident et un suicide. Mais le mobile, quel était le mobile ? Les seuls indices étaient les derniers mots de Kleinman : « *Einheitliche Feldtheorie* » et « destructeur des mondes ».

Monique, penchée au-dessus de l'épaule de David, avait pu lire la dépêche. Sa respiration s'accéléra quand elle eut fini.

— Merde, murmura-t-elle. C'est très étrange.

David se retourna et la regarda dans les yeux. Prêt ou pas, c'était le moment de proposer son hypothèse.

— Que sais-tu sur les articles d'Einstein concernant la théorie du champ unifié ?

— Comment ? (Elle fit un pas en arrière.) Les articles d'Einstein ? Qu'est-ce que ça…

— Écoute-moi une seconde. Je parle de ses tentatives pour trouver une équation du champ qui incorporerait la gravité et l'électromagnétisme. Tu sais, son travail sur les espaces à cinq dimensions, la géométrie post-riemannienne. Qu'est-ce que tu peux me dire sur ces articles ?

Elle haussa les épaules.

— Pas grand-chose. Ce truc n'a qu'un intérêt historique. Cela n'a aucun rapport avec la théorie des cordes.

David fronça les sourcils. Il avait espéré, peut-être de façon irréaliste, que Monique maîtriserait le sujet sur le bout des doigts, et pourrait ainsi l'aider.

— Comment peux-tu dire ça ? Il y a précisément une relation avec la théorie des cordes. Et le travail d'Einstein avec Kaluza ? Ils ont été les premiers à postuler l'existence d'une cinquième dimension. Or tu as passé toute ta carrière à étudier les dimensions supplémentaires.

Elle secoua la tête. L'expression sur son visage était celle d'un professeur patient expliquant les bases à un jeune étudiant ignorant.

— Einstein essayait de trouver une théorie classique. Une théorie avec une stricte relation de cause à effet et pas d'étranges incertitudes quantiques. Mais la théorie des cordes dérive de la mécanique quantique. C'est une théorie quantique qui inclut la gravité, et ça n'a rien à voir avec le travail d'Einstein.

— Mais dans ses derniers articles, il avait changé d'approche, répliqua David. Il essayait d'intégrer la mécanique quantique dans une théorie plus générale. La théorie quantique aurait été un cas particulier au sein d'un cadre plus classique.

Monique fit un signe de la main, comme pour chasser ces propos.

— Je sais. Je sais. Mais à la fin, à quoi tout cela a-t-il abouti ? Aucun de ses résultats n'a tenu le coup. Ses derniers articles étaient totalement absurdes.

Le visage de David s'empourpra. Il détestait son ton. Sans doute n'était-il pas un génie des mathématiques comme Monique, mais cette fois, il savait qu'il avait raison.

— Einstein a découvert une solution qui fonctionne. Simplement, il ne l'a pas publiée.

Elle pencha sa tête sur le côté et lui jeta un regard moqueur. Les coins de ses lèvres remontèrent légèrement.

— Ah, vraiment ? Et quelqu'un t'a envoyé un manuscrit par la poste ?

— Non, c'est ce que Kleinman m'a confié avant de mourir. Il a dit : « *Herr Doktor* a réussi » ce sont ses mots exacts. Et c'est pourquoi il a été tué cette nuit, c'est pourquoi tous ont été tués.

Monique perçut l'urgence dans sa voix et son visage redevint sérieux.

— Écoute David, je comprends que tu sois bouleversé, mais ce que tu suggères est impossible. Il est absolument inconcevable qu'Einstein ait pu formuler une théorie unifiée. Il ne connaissait que la gravité et l'électromagnétisme. Les physiciens ne comprenaient pas l'interaction faible jusqu'aux années soixante, et ils n'ont calculé l'interaction forte que dix ans plus tard. Aussi, comment Einstein aurait-il pu trouver une Théorie du Tout en ignorant deux des quatre forces fondamentales ? Ce serait comme faire un puzzle sans la moitié des pièces.

David réfléchit à cela pendant un moment.

— Mais il ne lui était pas nécessaire de connaître tous les détails pour élaborer une théorie générale. Ce serait plus comme une grille de mots croisés que comme un puzzle. Pour autant qu'on ait suffisamment d'indices, on peut réussir à trouver le mot, puis remplir les cases blanches après.

Monique n'était pas convaincue. David pouvait lire sur son visage qu'elle trouvait l'idée absurde.

— Bon, s'il a trouvé une théorie valide, pourquoi ne l'a-t-il pas publiée ? C'était pas le rêve de sa vie ?

Il hocha la tête.

— Si. Mais tout cela s'est passé quelques années après Hiroshima. Et bien qu'Einstein n'eût en réalité rien à voir avec la construction de la bombe atomique, il savait que ses équations avaient montré la voie. $E = mc^2$, de grosses quantités d'énergie pour un tout petit peu d'uranium. Ce fut atroce pour lui. Il a dit une fois : « Si j'avais su qu'ils allaient faire ça, je me serais fait cordonnier. »

— Oui, oui, j'ai déjà entendu ça.

— Alors, réfléchis une seconde. Si Einstein avait trouvé une théorie unifiée, ne se serait-il pas inquiété que la même chose puisse se produire de nouveau ? Il savait qu'il lui fallait envisager les implications de sa découverte, toutes les conséquences possibles. Et je pense qu'il a entrevu que la théorie pourrait être utilisée à des fins militaires. Peut-être pour créer quelque chose d'encore pire que la bombe nucléaire.

— Que veux-tu dire ? Qu'est-ce qui peut être pire ?

David secoua la tête. C'était le maillon le plus faible de son raisonnement. Il n'avait aucune idée de ce qu'était la *Einheitliche Feldtheorie*, et encore moins de ce qu'elle pourrait entraîner.

— Je ne sais pas, mais Einstein a dû penser à quelque chose de terrible. Suffisamment grave pour qu'il décide de ne pas publier la théorie. Mais il ne pouvait pas l'abandonner non plus. Il croyait que la physique était une révélation de l'œuvre de Dieu. Il n'était donc pas question pour lui d'oublier la théorie et prétendre qu'elle n'avait jamais existé. Aussi l'a-t-il confiée à ses assistants. Il a probablement donné à chacun une petite partie de la théorie et leur a demandé de la garder secrète.

— À quoi bon ? Si la théorie était aussi terrible, ses assistants ne pouvaient pas la publier non plus.

— Il pensait au futur. Einstein était un indéfectible optimiste. Il pensait vraiment que les Américains et les Russes finiraient par déposer les armes et formeraient un gouvernement mondial. La guerre serait alors proscrite et tout le monde vivrait en paix. Et ses assistants n'avaient qu'à attendre ce jour pour révéler la théorie. (À sa grande surprise, David ressentit des picotements dans les yeux.) Ils ont attendu toute leur vie.

Monique le regarda d'un air compatissant, mais elle n'en croyait visiblement pas un mot.

— C'est une hypothèse audacieuse, David. À affirmation extraordinaire, preuve extraordinaire.

David s'arma de courage.

— Kleinman m'a confié une série de nombres quand je l'ai vu à l'hôpital cette nuit. Il m'a dit que c'était une clé qu'Einstein lui avait donnée et qu'il me transmettait à son tour.

— Bon, c'est difficilement…

— Non, ce n'est pas la preuve. La preuve c'est ce qui s'est passé ensuite.

Il lui raconta alors son interrogatoire dans les bâtiments du FBI et le massacre qui avait suivi. Elle le regarda d'abord avec de grands yeux, incrédule, mais quand il décrivit comment la lumière s'était éteinte et que les coups de feu avaient claqué dans les couloirs, elle serra dans ses doigts l'ourlet de sa chemise de nuit et en fit une boule dans son poing. Quand il eut fini, Monique avait l'air aussi abasourdie qu'il l'avait été quand il était sorti du parking dans Liberty Street. Elle saisit son épaule.

— Mon Dieu, murmura-t-elle. Qui a attaqué le bâtiment ? Des terroristes ?

— Je ne sais pas, je ne les ai jamais vus. Je n'ai vu que les corps des agents du FBI. Mais je parie que ce sont les mêmes personnes que celles qui ont tué Kleinman, Bouchet et MacDonald.

— Tu crois ? Peut-être que c'est le FBI qui les a tués. On dirait que le gouvernement et les terroristes courent après la même chose.

Il secoua la tête.

— Non, le FBI les aurait emmenés pour les questionner. Je pense que les terroristes ont eu vent de l'existence d'une théorie unifiée. Peut-être que Kleinman, Bouchet ou Mac Donald a laissé échapper quelque chose. C'est pourquoi les terroristes s'en sont pris à eux, les torturant pour obtenir des informations. Mais quand les services de renseignement ont découvert la mort de ces deux hommes, ils ont dû comprendre que quelque chose se passait. C'est pourquoi les agents du FBI ont débarqué si rapidement à l'hôpital. Ils avaient probablement mis Kleinman sous surveillance.

La voix de David s'était élevée tandis qu'il ébauchait le scénario, et ses derniers mots résonnèrent contre les murs de la cuisine. Surpris lui-même, il regarda Monique pour voir sa réaction. Son visage n'était plus du tout aussi sceptique, mais elle n'était pas encore convaincue. Elle s'appuya sur l'épaule de David pour voir l'écran de son ordinateur, qui était passé en veille — une animation d'un espace de Calabi-Yau en rotation.

— C'est insensé. Peut-être que tu as raison en ce qui concerne les meurtres, peut-être que les terroristes s'en sont pris à Kleinman et aux autres à cause d'un projet secret sur lequel ils travaillaient tous. Mais je ne peux croire que le projet en question était une théorie du champ unifié que les assistants d'Einstein cachaient depuis cinquante ans. C'est trop invraisemblable.

Il hocha de nouveau la tête. Son incrédulité était compréhensible. Ce n'était pas simplement parce qu'elle préférait les théories quantiques aux théories classiques. Le travail de toute sa vie se trouvait remis en jeu. David lui suggérait que tous les résultats qu'elle et ses amis de la théorie des cordes avaient obtenus durant les vingt dernières années, toutes les laborieuses avancées si durement gagnées ainsi que les brillantes reformulations, n'étaient plus pertinentes. Un scientifique mort avant la naissance de la plupart d'entre eux avait déjà remporté l'enjeu ultime, la Théorie du Tout. Cette hypothèse était pour le moins difficile à accepter.

Il se détourna de Monique, se demandant comment la convaincre. Il avait une affirmation extraordinaire, mais pas de preuve extraordinaire. Il n'avait même pas l'ombre d'une preuve ordinaire. En regardant les murs blancs de la cuisine, cependant, une nouvelle idée lui vint. Ce n'était pas une pensée agréable ; en fait, c'était si révoltant que son cœur commença à battre violemment dans sa poitrine. Mais c'était une évidence.

— Regarde, dit-il, se tournant vers Monique et montrant les murs et les placards. Regarde cette cuisine. Il n'y a aucun dommage ici, pas de graffiti. Pas une seule croix gammée.

Elle le regarda sans comprendre.

— Oui ? Et alors ?

— Pourquoi une bande de skinheads du New Jersey aurait détérioré toutes les pièces de la maison sauf la cuisine ? Est-ce que cela ne te paraît pas un peu bizarre ?

— Quel est le rapport avec…

— Ce n'étaient pas des skinheads, Monique. Quelqu'un a ravagé cet endroit pour chercher les carnets d'Einstein. Ils ont regardé sous les lames de parquet, creusé des trous dans le jardin et sondé les murs en plâtre à la recherche d'une cache. Et ils ont tracé des croix gammées pour faire croire à un acte de vandalisme. Ils n'ont pas touché à la cuisine, parce qu'elle a été ajoutée à la maison après la mort d'Einstein et qu'il n'avait donc rien pu y cacher. Ils ont épargné tes meubles pour la même raison.

Monique porta la main à sa bouche. Ses longs doigts fins touchèrent ses lèvres.

— À mon avis, poursuivit David, c'est le FBI qui a procédé à cette fouille. Des terroristes n'auraient pas attendu que tu aies quitté la maison pour le week-end. Ils t'auraient simplement tuée pendant ton sommeil. Et je suppose que les agents n'ont pas trouvé de carnets. Einstein était trop intelligent pour ça. Il n'aurait pas laissé de trace écrite.

Bien que la main de Monique masquât le bas de son visage, David put observer son changement d'expression. D'abord ses yeux s'étaient écarquillés de crainte et de surprise, puis, en quelques secondes, ils s'étaient plissés et un profond pli vertical était apparu entre ses sourcils. Elle était livide et semblait terriblement furieuse. Des skinheads néonazis, c'était déjà intolérable, mais des agents fédéraux qui auraient peint à la bombe des croix gammées sur le mur pour couvrir une opération clandestine ? C'était un tout autre genre de malveillance.

Elle finit par baisser sa main et saisit de nouveau l'épaule de David.

— Quels sont les nombres que Kleinman t'a donnés ?

Simon n'eut aucun problème pour traverser l'Hudson. Il y avait un contrôle à l'entrée du Lincoln Tunnel. Deux policiers lui ordonnèrent de baisser sa vitre et un chien renifleur de bombes passa son museau dans la voiture. Mais il avait changé ses vêtements au Waldorf et avait ôté toute trace de C-4 de sa peau en prenant une douche, aussi le berger allemand regarda sans broncher le volant. Simon montra aux policiers ses papiers — un excellent faux permis de conduire de l'État de New York — et ils lui firent signe de passer.

Cinq minutes plus tard, il était sur l'autoroute du New Jersey, filant le long de la levée qui traversait les sombres et humides Meadowlands. Il pouvait conduire aussi vite qu'il le voulait parce que, d'une part, il était quatre heures du matin et qu'il n'y avait quasiment personne sur la route et que, d'autre part, tous les policiers de l'État prêtaient main-forte à la police de New York aux ponts et aux tunnels. Il passa donc devant l'aéroport de Newark à cent quarante à l'heure, puis vira à l'ouest vers la tentaculaire raffinerie d'Exxon.

C'était le cœur de la nuit. Haut dans le ciel, les tours de distillation de la raffinerie perçaient les ténèbres. Du gaz en feu s'échappait d'une des cheminées, mais les flammes étaient minces et vacillantes, aussi faibles qu'une lampe témoin. La route sembla s'assombrir quand Simon passa à toute vitesse près des dédales de tuyaux et de réservoirs à pétrole, et pendant quelques secondes il eut l'impression de se déplacer sous l'eau. Sur l'écran vide de son esprit, il voyait deux visages, ceux de ses enfants, mais ce n'était pas la réconfortante image qu'il avait sauvegardée sur son téléphone portable. Sur celle-là, Sergei et Larissa ne souriaient pas. Les yeux de Sergei étaient fermés et il était étendu dans un fossé boueux, les bras striés de longues brûlures noires et les cheveux collés par le sang. Mais les yeux de Larissa étaient grands ouverts comme si elle était encore vivante, comme si elle regardait encore avec horreur la boule de feu qui l'avait embrasée.

Simon appuya sur l'accélérateur et la Mercedes fit un bond en avant. Il atteignit bientôt la sortie 9 et fonça vers le sud sur la route 1. Il serait à Princeton dans quinze minutes.

40 26 36 79 56 44 7800

David avait écrit les nombres sur une feuille de carnet. Il la passa à Monique et ressentit aussitôt l'impérieux besoin de reprendre le papier et de le déchiqueter en tout petits morceaux. Il était effrayé par ces seize chiffres. Il voulait les détruire, les enterrer, les éliminer pour toujours. Mais il savait qu'il ne le pouvait pas. Il n'avait rien d'autre.

Monique tenait le papier à deux mains et examinait les nombres. Ses yeux allaient de gauche à droite, cherchant des structures, des progressions, des séquences géométriques. Sur son visage, David voyait le même regard concentré que lors de son exposé sur les espaces de Calabi-Yau à la conférence sur la théorie des cordes. Un visage semblable à celui de la déesse Athéna se préparant au combat.

— La distribution ne me paraît pas aléatoire, remarqua-t-elle. Il y a trois zéros, trois quatre et trois six, mais une seule paire, la paire de sept. Dans une séquence numérique de cette taille, il y a peu de chances d'avoir plus de triplés que de paires.

— Penses-tu que cela puisse être une clé pour décrypter un fichier informatique ? Kleinman a employé le mot *clé*, ce serait donc logique.

Elle garda les yeux fixés sur les nombres.

— La taille est à peu près bonne. Seize chiffres, et chacun peut être transformé en code numérique de quatre bits. Cela ferait soixante-quatre bits en tout, ce qui est la longueur standard d'un code crypté. Mais la séquence doit être aléatoire pour que la technique marche. (Elle secoua la tête.) Avec une séquence non aléatoire, on pourrait pirater le code trop facilement. Pourquoi Kleinman aurait-il choisi une clé aussi imparfaite ?

— Eh bien, c'est peut-être un type de clé différent. Ou bien plutôt un indice. Quelque chose pour nous aider à trouver le fichier plutôt qu'à le décrypter.

Monique ne répondit pas. Elle approcha le papier un peu plus près de son visage, comme si elle éprouvait des difficultés à lire les nombres.

— Tu as écrit cette séquence d'une manière bizarre.

— Que veux-tu dire ?

Elle retourna la feuille pour qu'il la voie.

— Les chiffres sont groupés. Les espaces sont légèrement plus grands après chaque deuxième chiffre. Sauf à la fin, où l'espacement est le même.

Il lui prit le papier des mains. Elle avait raison, les douze premiers chiffres étaient rangés par blocs de deux. Il ne l'avait pas écrit ainsi consciemment, mais le fait était là.

— Hum, grogna-t-il. C'est bizarre.

— Est-ce que Kleinman a précisé ce groupement quand il t'a dicté la séquence.

— Non, pas exactement.

Il ferma les yeux un moment et vit de nouveau le professeur Kleinman, assis dans son lit, lui délivrant en suffoquant ses dernières paroles.

— Ses poumons fonctionnaient de moins en moins bien et les nombres sont sortis de sa bouche comme des hoquets, par deux. Et c'est la façon dont je vois la séquence dans ma mémoire à présent. Une demi-douzaine de nombres à deux chiffres et un nombre à quatre chiffres à la fin.

— Mais est-il possible que le groupement soit intentionnel ? Que Kleinman ait voulu que tu organises les nombres de cette façon ?

— Oui, je suppose. Mais qu'est-ce que cela change ?

Monique lui reprit le papier et le posa sur la table. Puis elle s'empara d'un crayon et traça des lignes entre les blocs de deux chiffres.

40/26/36/79/56/44/7800

— Si on ordonne la séquence de cette façon, elle paraît encore moins aléatoire, dit-elle. Oublions pour l'instant le nombre de quatre chiffres et examinons uniquement les autres. Cinq d'entre eux se situent entre vingt-cinq et soixante. Seul le soixante-dix-neuf n'appartient pas à cette fourchette. C'est un groupement assez serré.

David regarda les nombres. Ils lui paraissaient encore très aléatoires.

— Je ne sais pas. On dirait que tu fais un tri et un choix pour faire apparaître une structure.

Elle fronça les sourcils.

— Je sais ce que je fais, David. J'ai passé beaucoup de temps à étudier en détail des données d'expériences de physique des particules, et je reconnais une structure quand j'en vois une. Pour une raison ou une autre, les nombres sont regroupés en bandes étroites.

Il regarda de nouveau la séquence et essaya de la voir avec le point de vue de Monique. O.K., pensa-t-il, les nombres semblent être groupés en dessous de soixante. Cela ne peut-il pas être simplement le fruit du hasard ? Aux yeux de David, la séquence paraissait aussi aléatoire que les nombres gagnants du Loto de New York, auquel il jouait de temps en temps en dépit des infimes possibilités de gagner. Les chiffres du loto tendaient aussi à se grouper en dessous de soixante, mais c'était simplement parce que le plus grand nombre qu'on pouvait choisir était cinquante-neuf.

Et soudain une explication se présenta à lui, claire comme le jour.

— Minutes et secondes, dit-il.

Monique ne sembla pas entendre. Elle était toujours penchée sur la table, étudiant la séquence.

— Tu regardes des minutes et des secondes, dit-il un peu plus fort cette fois. C'est pourquoi les nombres sont inférieurs à soixante.

Elle leva les yeux vers lui.

— Comment ? Tu penses que c'est une sorte de mesure du temps ?

— Non, pas de temps. Ce sont des dimensions spatiales. (David regarda fixement la séquence une fois de plus et sa signification s'ouvrait maintenant comme une fleur, avec ses six pétales parfaitement disposés.) Ils sont coordonnés géométriquement, latitude et longitude. Le premier nombre à deux chiffres correspond à des degrés angulaires, le second aux minutes d'un arc et le troisième aux secondes d'un arc.

Monique le regarda fixement pendant un moment, puis se tourna de nouveau vers la feuille. Un sourire éclaira son visage, un des plus délicieux sourires que David ait jamais vu.

— Bravo, Dr Swift. Toutes mes félicitations !

Elle alla vers son ordinateur portable et commença à taper sur le clavier.

— Je vais aller taper les coordonnées dans Google Earth. Nous pourrons alors avoir une vue de l'endroit. (Elle trouva le programme et entra les nombres.) Je présume que la latitude est quarante degrés nord, pas sud. Sinon, on serait quelque part dans l'océan Pacifique. Et pour la longitude, je suppose que c'est soixante dix-neuf degrés ouest, pas est.

Debout à côté d'elle, David voyait bien l'écran de l'ordinateur. La première image qui apparut était une photo satellite granuleuse. En haut, un grand building en forme de H. En bas, une rangée d'immeubles plus petits en forme de L, et de signes plus. Les structures étaient trop grosses pour être des maisons, mais pas assez hautes pour être des tours de bureaux. Et elles n'étaient pas disposées selon une grille de rues ou alignées le long d'une grande route ; la plupart des immeubles étaient disposés autour d'une longue cour rectangulaire traversée par des allées. Un campus, pensa David. C'était un campus universitaire.

— Où est-ce ?

— Attends, je vais demander la carte des rues. (Monique cliqua sur une icône et des étiquettes apparurent sur chaque immeuble et chaque rue.) Pittsburgh. Les coordonnées sont centrées sur cet immeuble, exactement ici. (Elle tapota un point sur l'écran et plissa les yeux pour lire l'étiquette.) L'adresse est 5000 Forbes Avenue. Newell-Simon Hall.

David reconnut le nom. Il avait déjà visité cet immeuble.

— C'est à Carneggie Melon. Le Robotics Institute. Là où travaille Amil Gupta.

Monique tapa sur quelques touches et trouva le site Internet de l'institut. Elle cliqua sur la page où figurait la liste des membres du corps enseignant.

— Cherche les numéros de téléphone. Ils ont tous une terminaison à quatre chiffres commençant par soixante-dix-huit.

— Quelle est le numéro de Gupta ?

— Sa ligne personnelle est 7832. C'est le directeur de l'institut, n'est-ce pas ?

— Oui, depuis dix ans.

— Regarde ça ! Le numéro du bureau du directeur est 7800. (Elle se tourna vers lui avec un air de triomphe.) Ce sont les quatre derniers chiffres de la séquence de Kleinman.

Elle était si réjouie de leur succès qu'elle lança son poing en l'air. Mais David gardait les yeux fixés sur la liste affichée sur l'écran de l'ordinateur.

— Quelque chose ne va pas. Cela ne peut pas être le bon message.

— De quoi tu parles ? C'est parfaitement cohérent. Si Einstein a vraiment trouvé une théorie unifiée, il en a sûrement parlé aussi à Gupta. Kleinman t'a dit d'aller trouver Gupta pour sauvegarder la théorie. C'est évident !

— C'est justement le problème. Le message est trop évident. Tout le monde sait que Gupta travaillait avec Einstein. Le FBI le sait, les terroristes le savent, il y a tout un putain de chapitre sur lui dans mon livre. Alors pourquoi Kleinman aurait-il inventé ce code compliqué si c'était la seule chose qu'il voulait dire ?

Elle haussa les épaules.

— Merde, qu'est-ce que j'en sais ? Je n'ai aucune idée de ce qui est passé par la tête de Kleinman. Peut-être que c'est le meilleur plan auquel il ait pensé.

— Non, je ne crois pas. Kleinman n'était pas stupide. (Il attrapa la feuille de papier avec les seize chiffres.) Il doit y avoir quelque chose d'autre caché dans la séquence. Quelque chose que nous n'avons pas vu.

— Bon, il n'y a qu'un moyen de trouver. Il faut en parler à Gupta.

— On ne peut pas l'appeler. Je suis sûre que les fédéraux l'ont déjà mis sur écoute.

Monique retourna à son ordinateur et ferma l'écran.

— Alors il faut qu'on aille à Pittsburgh.

Elle mit l'ordinateur portable sur le comptoir de la cuisine et le rangea dans une sacoche en cuir. Puis elle trouva un petit sac de voyage et commença à le remplir avec des objets divers trouvés dans les placards et les tiroirs de la cuisine : un chargeur de batterie, un parapluie de voyage, un iPod et une boîte de gâteaux. David la regarda d'un air inquiet.

— Tu es folle ? Tu ne peux pas te présenter comme ça chez Gupta ! Le FBI a probablement placé l'endroit sous surveillance. À moins qu'ils l'aient déjà embarqué pour Guantanamo.

(À moins que les terroristes l'aient déjà torturé à mort, pensa-t-il.) De toute façon, nous ne pourrions pas l'approcher.

Monique ferma le sac de voyage.

— Nous sommes tous les deux des êtres intelligents, David. On va bien trouver une solution.

Prenant son sac d'une main et le portable de l'autre, elle sortit de la cuisine. David la suivit dans la salle de séjour.

— Attends une seconde ! On ne peut pas faire ça ! La police est déjà à mes trousses ! C'est même un miracle si j'ai pu quitter New York !

Elle s'arrêta devant la cheminée vandalisée et posa ses sacs sur le sol. Puis elle prit le revolver posé sur le rebord et ouvrit le barillet. Le pli vertical avait réapparu entre ses sourcils et elle pinçait la bouche.

— Regarde là-haut, dit-elle en pointant son arme vers les deux croix gammées rouges et les mots « NIGGA GO HOME ». Ces trous du cul se sont introduits dans ma maison — *ma maison* — et ont écrit cette saloperie sur mes murs. Tu crois que je vais les laisser s'en tirer comme ça ? (Elle ramassa les balles sur le rebord de la cheminée et commença à les remettre, une par une, dans les chambres du barillet.) Non, je vais aller jusqu'au bout. Je vais découvrir ce qui se passe et ensuite je vais leur faire payer, à ces enculés.

David concentra son regard sur le revolver dans la main de Monique. Il n'aimait pas voir ça.

— Ce revolver ne te servira à rien. Il y a des centaines d'agents et des milliers de flics. Tu ne pourras passer au travers.

— Ne t'inquiète pas, je n'envisage pas un combat avec des armes à feu. Nous allons être habiles, pas stupides. Personne ne sait que tu es avec moi, le FBI ne va donc pas rechercher ma voiture. Tu vas juste cacher ton visage et tout ira bien. (Elle inséra la dernière balle dans sa chambre et ferma le barillet.) Maintenant, je monte chercher quelques vêtements. Tu veux que je prenne un rasoir dans les affaires de toilette de Keith ?

Il acquiesça. Il était inutile de discuter. Elle était devenue une espèce de force de la nature, inébranlable et que l'on ne pouvait arrêter, recourbant tout le continuum espace-temps autour d'elle.

— Qu'est-ce que tu vas dire à Keith ?

Monique prit les deux sacs dans une main et le revolver dans l'autre.

— Je vais juste lui laisser un mot. Je vais lui dire que nous sommes à une conférence ou quelque chose comme ça. (Elle se rendit dans le hall d'entrée et commença à monter l'escalier.) Cela ne le dérangera pas trop. Keith a trois autres copines avec qui il peut aller. Ce garçon a une étonnante vigueur.

Il hocha de nouveau la tête. Sa relation avec Keith n'était donc pas sérieuse. David fut surpris de constater que cela lui faisait plaisir.

Simon filait le long d'Alexander Road, à un petit kilomètre de la maison d'Einstein, quand il vit des lumières clignotantes dans son rétroviseur. C'était une voiture bleu et blanc de la police de Princeton. « *Yob tovyu mat*[1] *!* », jura-t-il en frappant du poing le volant. Si c'était arrivé une minute plus tôt, quand il était sur la Route 1, il aurait simplement appuyé sur l'accélérateur — sa Mercedes était une SLK 32 AMG, qui était beaucoup plus rapide que n'importe quelle voiture américaine — mais maintenant, il était dans les rues de la ville et il y avait trop de risques de se faire piéger. Il n'avait pas d'autre choix que de se ranger sur le côté.

Il s'arrêta donc sur le bas-côté d'une portion de route déserte, à environ cinquante mètres de l'entrée d'un parc. Pas de maisons ou de boutiques dans le coin et pas de circulation dans la rue. La voiture de police s'arrêta environ dix mètres derrière lui, laissant ses phares allumés, et resta là durant plusieurs exaspérantes secondes. Le policier à l'intérieur était probablement en train d'envoyer par message radio la description du véhicule de Simon à son supérieur. Enfin, au bout d'une demi-minute, un homme bien bâti en uniforme bleu descendit de la voiture de police. Simon inclina son rétroviseur latéral afin d'examiner

1. Juron russe équivalent français de « nique ta mère ». *(N.d.T.)*

le policier. Un jeune type, vingt ans au plus. Des bras et des épaules musclés, mais un peu empâté au niveau de la taille. Probablement passait-il la plupart de son temps de travail assis dans sa voiture, guettant les étudiants ivres en excès de vitesse.

Simon baissa sa vitre quand le policier s'approcha de la Mercedes. Le jeune homme posa ses mains sur la portière côté conducteur et se pencha à l'intérieur de la voiture.

— Monsieur, avez-vous une idée de la vitesse à laquelle vous rouliez ?

— Cent quarante-trois kilomètres heure, répliqua Simon. Plus ou moins.

Le policier fronça les sourcils.

— Ce n'est pas une plaisanterie. Vous auriez pu tuer quelqu'un. Donnez-moi votre permis et votre carte grise.

— Mais certainement.

Simon glissa la main à l'intérieur de sa veste. Il avait un faux permis de conduire, mais pas de carte grise pour la Mercedes, qu'il avait volée dans une concession du Connecticut deux jours auparavant. Aussi au lieu de prendre son portefeuille, il sortit son Uzi et tira dans le front du policier.

L'homme tomba à la renverse. Simon démarra et fila. Dans quelques minutes, des passants remarqueraient le corps, et dans une demi-heure la police de Princeton rechercherait son véhicule. Mais de toute façon, il n'avait pas l'intention de rester dans la ville très longtemps.

Keith rêvait de la corvette de Monique. Elle avait apporté la voiture au garage et lui avait dit qu'elle chauffait, mais quand il souleva le capot, il vit qu'il n'y avait plus de moteur. Le type, David Swift, était pelotonné à la place du moteur. Keith se tourna vers Monique pour lui demander ce qui se passait, mais elle riait derrière son dos.

Il sentit une main sur son épaule. C'était réel, pas un rêve. Une main agrippait son épaule et le roulait délicatement sur le dos. Cela devait être Monique qui revenait se coucher, pensa-t-il. Peut-être voulait-elle un petit câlin. C'était un bon coup mais elle avait de gros besoins.

— Eh, Monique, grogna-t-il en gardant les yeux fermés. Je t'ai dit que je devais me lever tôt.

— Vous n'êtes pas David Swift ?

La voix étrangère le réveilla brusquement. Il ouvrit les yeux et vit une silhouette avec un crâne chauve et un cou épais. La main de l'homme s'était déplacée sur la gorge de Keith et appuyait dessus très fort, le clouant au lit.

— Où sont-ils, demanda-t-il. Où sont-ils partis ?

Les doigts s'enroulèrent autour de la trachée de Keith. Il était étendu là, immobile, trop terrifié pour résister.

— En bas, répondit-il d'une voix rauque. Ils sont en bas !

— Non, ils n'y sont pas.

Keith entendit un bruissement dans le noir et vit un rapide éclair. C'était une longue lame droite réfléchissant la lumière bleuâtre de l'aube qui pénétrait par la fenêtre de la chambre.

— Très bien, mon ami, dit l'homme. Nous allons avoir une petite conversation.

CHAPITRE SIX

Karen faisait les cent pas dans une salle d'interrogatoire des bureaux du FBI de Federal Plaza. D'abord, elle passa devant la porte en métal fermée de l'extérieur, puis devant le miroir qui recouvrait presque toute la longueur d'un des murs. C'était certainement une glace sans tain permettant aux agents qui se trouvaient de l'autre côté d'assister aux interrogatoires. Enfin, elle passa devant un panneau bleu et or où figuraient un aigle et les mots FEDERAL BUREAU OF INVESTIGATION — PROTECTING AMERICA[1]. Dans le centre de la pièce, plusieurs chaises entouraient une table en métal, mais Karen était trop agitée pour rester assise. Elle tourna donc en rond au moins cinquante fois, éperdue de peur, d'indignation et de fatigue. Les agents l'avaient séparée de Jonah.

À cinq heures du matin, elle entendit des bruits de pas dans le corridor derrière la porte fermée. Une clé tourna dans la serrure, puis l'agent qui l'avait arrêtée entra dans la pièce. Grand, blond et musclé, il portait toujours cette horrible veste grise sous laquelle on devinait un holster. Karen se rappela son nom en se précipitant vers lui : agent Brock. Le salaud avait menotté un gamin de sept ans.

— Où est mon fils ? demanda-t-elle. Je veux voir mon fils.

Brock étendit les mains comme s'il voulait l'attraper. Il avait des yeux bleus froids.

— Oh là ! Calmez-vous ! Votre fils va bien. Il dort dans une des pièces donnant sur le hall.

Karen ne le croyait pas. Jonah avait crié comme un damné quand les agents l'avaient arraché de ses bras.

— Emmenez-moi là-bas ! Je veux le voir tout de suite !

Elle essaya de contourner Brock pour atteindre la porte, mais l'agent fit un pas sur le côté et se planta devant elle.

---

1. Bureau Fédéral d'Investigation — Protection des États-Unis. *(N.d.T.)*

— Hé ! Je vous ai dit de vous calmer. Vous pourrez voir votre fils dans une minute. Il faut d'abord que je vous pose quelques questions.

— Vous savez sans doute que je suis avocate ? Certes, je ne pratique pas le droit criminel, mais ce que vous faites est illégal. Vous ne pouvez pas nous retenir ici sans charges.

Brock prit un air méprisant. À l'évidence, il n'avait que faire des avocats.

— Nous pouvons déposer une plainte si c'est ce que vous voulez. Par exemple, mise en danger de la vie d'un enfant ? Est-ce que cela vous paraît suffisamment légal ?

— Comment ? Qu'est-ce que vous dites ?

— Je parle de l'addiction à la drogue de votre ex-mari. Et comment il finançait cela en vendant de la cocaïne à ses étudiants de Columbia. Il faisait la plupart de son trafic dans Central Park juste après être allé chercher votre fils à l'école.

Karen le regarda fixement. C'était la chose la plus grotesque qu'elle ait jamais entendue.

— C'est dément ! La pire chose qu'ils font tous les deux dans le parc c'est de jouer avec un Super Soaker !

— Nous avons des vidéos de surveillance montrant les transactions. Selon nos sources, Swift s'adonne à ce trafic depuis des années.

— Mon Dieu ! Je l'aurais su si David avait vendu de la drogue dans le parc !

Brock haussa les épaules.

— Peut-être que oui, peut-être que non. Une chose est sûre, cependant : le juge aux Affaires familiales veut savoir si vous êtes aussi impliquée. Il peut prendre la décision de vous retirer la garde de votre fils jusqu'à ce que l'affaire soit instruite.

Karen secoua la tête. Brock mentait. En tant que juriste spécialisée dans le droit des sociétés, elle gagnait sa vie en négociant des accords de fusion, et en général elle pouvait dire quand l'une des parties bluffait.

— O.K., prouvez-le ! Montrez-moi ces vidéos !

Brock s'approcha d'un pas.

— Ne vous en faites pas, vous les verrez aux informations ce soir. En fait, votre ex-mari voulait étendre son trafic, aussi a-t-il commencé à travailler avec les Latin Kings. Je suppose que vous avez déjà entendu parler d'eux.

Elle le regarda de côté.

— Vous voulez dire que David avait des amis dans un gang ?

— Les Latin Kings contrôlent le trafic de drogue dans Upper Manhattan. Ce sont aussi les salauds qui ont tué nos agents la nuit dernière. Ils ont abattu trois de nos hommes qui achetaient de la drogue à Swift et trois autres qui faisaient partie de l'équipe de surveillance.

Karen fut prise de dégoût. L'histoire était absurde. Tous ceux qui connaissaient David l'auraient immédiatement su. Pourquoi le FBI inventait-t-il cette histoire ? Que voulait-il cacher ? Elle s'éloigna de Brock, se dirigea vers la table en métal et s'assit sur l'une des chaises.

— Très bien, agent Brook, pour le moment je vais vous croire sur parole. Qu'attendez-vous de moi ?

Il sortit de sa veste un carnet et un stylo.

— Nous avons besoin d'informations sur les relations de votre ex-mari. Et en particulier sur celles qui vivent dans le New Jersey.

— Le New Jersey ? C'est là que vous pensez trouver David ?

Brock la regarda d'un air menaçant.

— C'est moi qui pose les questions, d'accord ? Nous avons déjà les noms de ses collègues à Columbia. Maintenant nous travaillons sur une liste d'amis, de connaissances, etc.

— Je ne suis pas la bonne personne à interroger. David et moi sommes divorcés depuis deux ans.

— Non, vous êtes précisément la bonne personne. Swift est désormais un fugitif et il cherche probablement un ami qui puisse l'aider. Un ami ou une amie très proche, si vous voyez ce que je veux dire. (Il pencha sa tête sur le côté et la regarda d'un air entendu.) Avait-il des amis de ce genre dans le New Jersey ?

Karen secoua de nouveau la tête. Comme c'est pathétique, pensa-t-elle. Brock essaye de jouer sur la jalousie.

— Je n'en ai aucune idée.

— Allons ! Vous ne savez rien de sa vie amoureuse ?

— Pourquoi je m'en soucierais ? Nous ne sommes plus mariés.

— Bien, et avant votre divorce ? David vous trompait-il ? Faisait-il quelque virées nocturnes au-delà du George Washington Bridge ?

Elle le regarda dans les yeux.

— Non.

Brock posa une main sur le coin de la table et se pencha en avant, approchant son visage à quelques centimètres de celui de Karen.

— Vous n'êtes pas très coopérative, Karen. Voulez-vous voir votre fils ?

Son estomac se noua.

— Est-ce que vous me menacez ?

— Non, pas du tout. Je voulais simplement vous rappeler l'intervention possible du juge aux Affaires familiales. Si nous ne lui donnons pas un rapport favorable, il peut décider de confier votre enfant à l'Assistance publique. Vous ne voulez pas le perdre, n'est-ce pas ?

Le visage de Brock était si proche que Karen pouvait sentir son haleine, une odeur écœurante de menthe. L'espace d'une seconde, elle crut qu'elle allait vomir. Pour éviter cela, elle repoussa sa chaise et se leva. Elle frôla Brock en passant et se dirigea droit vers la glace sans tain à l'autre bout de la pièce. Elle essaya de voir au travers, mais tout ce qu'elle vit c'est son propre reflet.

— Alors, bande de crétins, dit-elle en s'adressant au miroir. Savez-vous à qui vous vous en prenez ?

Dans le miroir, elle vit Brock se diriger vers elle.

— Il n'y a personne là, Karen. Seulement vous et moi.

Elle pointa la glace du doigt.

— Amory Van Cleve. Ce nom ne vous dit pas quelque chose ? Rien ? Il connaît la moitié des membres du ministère de la Justice, et il ne va pas être content quand je vais lui raconter ce que vous m'avez fait.

Brock était juste à quelques pas derrière elle.

— Bon, ça suffit. Vous feriez mieux…

— Ôtez ce connard de ma vue ! s'écria Karen, montrant du doigt Brock mais gardant les yeux fixés sur le miroir. S'il est encore là quand j'aurai compté jusqu'à dix, Amory sera sans pitié. Vous m'entendez ? Il va parler à ses amis au ministère de la Justice et faire en sorte que vous alliez tous en prison !

Pendant environ cinq secondes le silence régna dans la pièce. Même Brock se tut en attendant de voir ce qui allait se passer. Puis Karen entendit de nouveau des pas dans le couloir. La porte s'ouvrit et une femme plus âgée, portant un chemisier blanc et des lunettes de lecture, entra dans la pièce.

— Est-ce que ça va, chérie ? dit-elle d'une voix traînante. J'ai entendu crier et j'ai pensé...

Karen se retourna.

— Ne recommencez pas ! cria-t-elle. Ramenez-moi auprès de mon fils !

David se réveilla dans le siège passager de la Corvette de Monique. Groggy et désorienté, il regarda par la vitre. La voiture roulait sur une autoroute à travers un luxuriant paysage montagneux, d'un vert éclatant dans la lumière matinale. Des vaches brunes paissaient dans une grande prairie en pente, non loin d'une vaste grange rouge et un champ fraîchement labouré. C'était un spectacle magnifique et pendant un moment, David ne regarda que le bétail paisible et immobile. Puis il ressentit une douleur sourde dans le bas du dos, sans doute causée par la course de la nuit précédente, et il se rappela pourquoi il roulait ainsi à travers la campagne.

Il remua dans l'inconfortable siège baquet. Monique regardait la route devant elle, une main sur le volant, l'autre piochant dans un pot de crème à la vanille. Avant de quitter sa maison, elle s'était changée et portait une sorte de blouse et un short kaki. Elle écoutait de la musique, son iPod posé sur ses genoux. Sa tête battait le rythme. Elle ne remarqua pas tout de suite que David était réveillé et durant quelques secondes, il la regarda du coin de l'œil, admirant son superbe cou et ses longues cuisses. Au bout d'un moment, cependant, il eut le sentiment de se comporter comme un voyeur, aussi bâilla-t-il pour attirer son attention. Il étendit les bras autant qu'il le put dans l'habitacle étroit de la Corvette.

Monique se tourna vers lui.

— Enfin ! dit-elle. Tu as dormi trois heures. (Elle ôta les écouteurs et David entendit furtivement un peu de rap avant qu'elle éteigne le iPod. Puis elle lui tendit la boîte de gâteaux.) Tu veux un petit déjeuner ?

— Oui, je veux bien, merci. (Aussitôt que David eut pris la boîte, il se rendit compte qu'il était affamé. Il fourra deux cookies dans sa bouche, puis en attrapa trois autres.) Où sommes-nous ?

— Dans la belle Pennsylvanie occidentale. Nous sommes à moins d'une heure de Pittsburgh.

Il regarda l'heure sur l'horloge du tableau de bord : 8:47.

— Tu as bien roulé, dis donc.

— Tu rigoles ? dit-elle d'un air moqueur. Si j'avais conduit comme d'habitude nous serions déjà arrivés. Je n'ai pas dépassé le 110, au cas où il y aurait des flics dans le coin.

David hocha la tête.

— Bonne idée. Ils ont sans doute déjà ma photo. (Il sortit deux autres cookies de la boîte. Puis il regarda de nouveau Monique et remarqua soudain les poches sous ses yeux.) Hé, tu dois être crevée ! Tu veux que je conduise un peu ?

— Non, ça va. Je ne suis pas fatiguée.

Elle tenait maintenant le volant à deux mains, comme pour justifier ses propos. Elle n'avait visiblement pas envie qu'il conduise sa voiture. Bon, c'était compréhensible, pensa-t-il. Sa Corvette était une vraie beauté.

— Tu es sûre ?

— Oui, absolument. J'aime les longs voyages en voiture. Mes meilleures idées me viennent souvent quand je suis sur la route. Tu as lu mon dernier article dans *Physical Review* ? « Effets gravitationnels des dimensions supplémentaires étendues ». J'y ai pensé alors que je roulais vers Washington, un week-end.

Il se souvint qu'elle venait d'Anacostia, dans la banlieue de Washington D.C., que son père était mort et que sa mère était devenue héroïnomane. David voulut lui demander si elle avait toujours de la famille là-bas, mais il n'osa pas.

— À quoi tu pensais pendant que je dormais ? Avant que je me réveille, je veux dire.

— Aux variables cachées. Une chose que tu connais sans doute bien.

David s'arrêta de manger et reposa la boîte de gâteaux. Les variables cachées occupaient une place importante dans la recherche d'Einstein pour trouver une théorie unifiée. Dans les années 1930, il fut convaincu qu'il y avait un ordre sous-jacent à l'étrange comportement quantique des particules subatomiques. Le monde microscopique semblait chaotique, mais c'était uniquement parce que personne ne pouvait voir les variables cachées, les plans détaillés de l'univers.

Elle fronça les sourcils.

— Je ne peux toujours pas me les représenter. La théorie quantique ne rentre pas dans un cadre classique. C'est comme essayer de faire passer un carré dans un trou rond. Les mathématiques des deux systèmes sont totalement différentes.

David essaya de se souvenir de ce qu'il avait écrit sur les variables cachées dans son bouquin.

— Eh bien, je ne peux pas t'aider au niveau des mathématiques. Mais Einstein était convaincu que la mécanique quantique était insuffisante. Dans toutes ses lettres et conférences, il la comparait toujours à un jeu de dés. La théorie ne pouvait ni prévoir exactement quand un atome radioactif allait se désintégrer ni déterminer avec précision où les particules éjectées finiraient. La mécanique quantique ne pouvait donner que des probabilités, et Einstein trouvait cela inacceptable.

— Oui, oui, je sais. « Dieu ne joue pas aux dés avec l'univers. » (Elle leva les yeux au ciel.) C'est une affirmation très arrogante, si tu veux savoir. Qu'est-ce qui permettait à Einstein de croire qu'il pouvait dire à Dieu ce qu'il faut faire ?

— L'analogie va plus loin que ça. (David venait de se souvenir d'un paragraphe de son livre.) Quand on jette une paire de dés, les nombres semblent aléatoires, mais en réalité ils ne le sont pas. Si on maîtrisait parfaitement toutes les variables cachées — la force avec laquelle on a lancé les dés, l'angle de leur trajectoire, la pression de l'air dans la pièce — on pourrait obtenir 7 à chaque fois. Il n'y a pas de surprises si on comprend parfaitement le système. Einstein pensait que c'était vrai aussi en ce qui concerne les particules élémentaires. On pourrait les comprendre parfaitement si on trouvait les variables cachées reliant la mécanique quantique à la théorie classique.

Monique secoua la tête.

— Cela semble bien dans le principe, mais crois-moi, ce n'est pas si simple. (Elle leva une main du volant et montra la campagne devant eux.) Tu vois tout ce beau paysage. C'est une bonne image d'une théorie du champ classique, comme la relativité. Les belles collines douces et les vallées soulignent la courbure de l'espace-temps. Si tu fixes ton regard sur une vache qui traverse le champ, tu peux calculer précisément où elle sera dans une demi-heure. Mais la théorie quantique ? C'est comme si la partie la plus sale et puante du sud du Bronx, où se produisent toutes sortes de choses étranges et imprévisibles, perçait d'un seul coup un tunnel à travers les murs et disparaissait. (Elle déplaça sa main en zigzags rapides pour donner une image de la folie du monde quantique.) C'est ça le problème. On ne peut pas faire apparaître comme par magie le sud du Bronx dans un champ de blé.

Monique sortit un cookie de la boîte de gâteaux. Même si elle venait de déclarer que toute tentative était vaine, David était sûr qu'elle réfléchissait encore au problème. Il lui vint alors à l'esprit qu'elle devait avoir une seconde raison de se rendre à Pittsburgh. Jusque-là, il avait cru que sa motivation première était la colère, une haine viscérale pour les agents du FBI qui avaient saccagé sa maison, mais il commençait maintenant à s'apercevoir que quelque chose d'autre la motivait. Elle voulait connaître la Théorie du Tout. Quand bien même elle ne pourrait ni la publier, ni même en parler à âme qui vive, elle voulait la connaître.

Et David voulait la connaître aussi. Un souvenir de la nuit précédente lui revint.

— Le professeur Kleinman a mentionné quelque chose d'autre la nuit dernière. L'article sur la relativité que j'ai publié en master.

— Celui coécrit avec Kleinman ?

— Oui. « Relativité Générale dans un espace-temps à deux dimensions. » Il en a parlé juste avant de me donner la séquence de nombres. Il a dit que j'étais près de la vérité.

Monique leva un sourcil.

— Mais cet article ne présente pas de modèles réalistes de l'univers ?

— Non, nous travaillions sur Flatland, un univers n'ayant que deux dimensions spatiales. Les mathématiques sont beaucoup plus faciles quand on n'a pas affaire à trois dimensions.

— Quels furent vos résultats ? J'ai lu cet article il y a longtemps.

— Nous avons découvert que les masses à deux dimensions n'exercent pas de gravitation entre elles, mais qu'elles changent en revanche la forme de l'espace autour d'elles. Et nous avons formulé un modèle pour un trou noir à deux dimensions.

Elle le regarda d'un air perplexe.

— Comment êtes-vous parvenus à ça ?

David comprit son désarroi. Dans trois dimensions, les trous noirs naissent quand des étoiles géantes s'effondrent sous leur propre poids. Mais dans deux dimensions, il n'y a pas d'attraction gravitationnelle pour provoquer l'effondrement.

— Nous avons créé un scénario où deux particules entrent en collision pour former le trou noir. Ce fut très compliqué et je ne me rappelle pas tous les détails. Il y a une copie de cet article sur Internet.

Monique réfléchit à cela un moment, tapotant un de ses ongles sur le volant.

— Intéressant. Tu te souviens de ce que je disais avant concernant la théorie classique, si belle et si harmonieuse ? Eh bien, les trous noirs sont la grande exception. Leur physique est terrifiante comme l'enfer.

Elle se tut lorsqu'ils s'engagèrent sur l'autoroute de Pennsylvanie. David regarda le panneau sur le bord de la route : Pittsburgh, 60 km. Il ressentit une pointe d'anxiété en se rendant compte qu'ils étaient bientôt arrivés. Au lieu de réfléchir sur les variations possibles de la théorie unifiée d'Einstein, ils devaient imaginer un moyen de se rendre auprès d'Amil Gupta. Les agents du FBI surveillaient sans aucun doute le Robotics Institute, filtrant tous ceux qui s'approchaient du Newell-Simon Hall. Même si David et Monique parvenaient à passer au travers des cordons de police, que feraient-ils après ? Prévenir Gupta du danger et le persuader de quitter le pays ? L'aider de leur mieux à franchir la frontière avec le Canada ou le Mexique pour se rendre dans un endroit où il serait à l'abri du FBI et des terroristes ? La tâche était si énorme que David ne voyait absolument pas comment s'y prendre.

Au bout d'un moment, Monique fit une pause dans ses calculs et se tourna vers David. Il pensait qu'elle allait lui poser une autre question sur son article concernant Flatland, mais elle dit à la place :

— Tu es marié maintenant, n'est-ce pas ?

Elle avait essayé de dire cela d'une façon naturelle, mais n'avait pas totalement réussi. David perçut une légère hésitation dans sa voix.

— Qu'est-ce qui te fait croire ça ?

Elle haussa les épaules.

— Quand j'ai lu ton livre j'ai vu qu'il était dédicacé à une dénommée Karen. J'ai pensé que ce devait être ta femme.

Son visage était sans expression, résolument détaché, mais David n'était pas dupe. C'était très surprenant qu'elle se souvienne de la dédicace. Monique avait visiblement continué à s'intéresser à lui après la soirée qu'ils avaient passée ensemble vingt ans plus tôt. Elle avait probablement regardé sur Google autant de fois qu'il l'avait fait.

— Nous ne sommes plus mariés. Karen et moi avons divorcé il y a deux ans.

Elle hocha la tête, toujours sans rien exprimer.

— Est-ce qu'elle sait quelque chose ? Sur ce qui s'est passé cette nuit, je veux dire ?

— Non, je ne lui ai pas parlé depuis que j'ai vu Kleinman à l'hôpital. Et je ne peux plus lui téléphoner parce que le FBI repérerait aussitôt mon appel. (Son anxiété augmenta encore en pensant à Karen et à Jonah.) J'espère que ces foutus agents n'ont pas commencé à les harceler.

— *Les* ?

— Nous avons un fils de sept ans. Il s'appelle Jonah.

Monique sourit. Et ce sourire qui semblait lui avoir échappé rompit son indifférence feinte. David fut une fois de plus frappé par sa beauté.

— C'est merveilleux, dit-elle. Comment est-il ?

— Eh bien, il aime les sciences, cela n'a rien de surprenant. Il travaille déjà sur un vaisseau spatial qui peut aller plus vite que la vitesse de la lumière. Mais il aime aussi le baseball, les Pokémon et faire beaucoup de bruit. Tu aurais dû le voir dans le parc hier avec le Super...

David s'arrêta en se rappelant ce qu'il était advenu du Super Soaker.

Monique attendit quelques secondes, les yeux fixés sur la route, espérant à l'évidence qu'il continue. Puis elle le regarda et son sourire disparut.

— Qu'est-ce qui ne va pas ?

Il respira profondément. Sa poitrine était aussi tendue qu'une peau de tambour.

— Mon Dieu ! Comment va-t-on s'en sortir ?

Elle mordit sa lèvre inférieure. Tout en gardant un œil sur la circulation, elle posa la main sur le genou de David.

— Ne t'inquiète pas, David. On va y aller progressivement. La première chose à faire, c'est de parler à Amil Gupta. Ensuite, on pourra élaborer un plan.

Ses longs doigts tapotaient sa rotule. Elle serra un peu plus fort son genou en signe de réconfort, puis tourna à nouveau son attention sur la route. Même si son geste n'avait pas libéré David de sa peur, il lui en était reconnaissant.

Une minute plus tard, Monique montra du doigt un autre panneau routier. Il indiquait AIRE DE SERVICE DE NEW STANTON, 3 km.

— On ferait bien de s'arrêter là. Nous n'avons presque plus d'essence.

Lorsqu'ils arrivèrent sur l'aire de service, David scruta les alentours pour voir s'il y avait des agents de police. Pas de voiture de patrouille devant la station, Dieu merci. Monique s'arrêta devant les pompes en libre-service et remplit le réservoir de la Corvette pendant que David s'enfonçait dans son siège. Puis elle rentra dans la voiture et se dirigea vers le parking. Ils passèrent devant un grand immeuble en béton abritant un Burger King, un Nathan's et un Starbuck.

— Je déteste compliquer les choses, mais il faut que j'aille aux toilettes, dit-elle. Et toi ?

David examina le parking et ne vit pas de voiture de police. Mais un agent pouvait toujours se trouver à l'intérieur du bâtiment, posté juste devant les toilettes des hommes. Les chances étaient faibles, mais c'était tout de même risqué.

— Je vais rester dans la voiture. Au pire, je peux me débrouiller avec une tasse ou un récipient quelconque.

Elle lui jeta un regard méfiant.

— Fais attention ! Tu as intérêt à ne pas en foutre sur le siège.

Elle se gara dans un coin désert du parking, à environ dix mètres du plus proche véhicule. David lui tendit deux billets de vingt dollars.

— Peux-tu acheter quelques trucs pendant que tu seras là-bas ? Des sandwiches, de l'eau et des chips, par exemple ?

— Tu veux dire que tu en as marre des gâteaux ?

Elle sourit de nouveau en ouvrant sa portière, puis se dirigea vers les toilettes.

Lorsqu'elle fut partie, David se rendit compte qu'il avait finalement très envie d'uriner. Il chercha un récipient dans la Corvette, tâtonnant en vain sous les sièges à la recherche d'une bouteille vide ou d'une tasse à café usagée — rien ne traînait dans la voiture. Aucun détritus nulle part, pas même dans la boîte à gants. Il pensait pouvoir attendre que Monique revienne avec des bouteilles d'eau et en vider une, mais la perspective d'uriner à ses côtés lui déplaisait fortement. À court d'idées, il regarda au-delà du parking et remarqua une aire de pique-nique sous un bosquet d'arbres. Une famille y mangeait des hamburgers en guise de petit déjeuner et semblait sur le point de s'en aller. La jeune maman criait après les enfants pour qu'ils ramassent leurs déchets, le père les attendait avec impatience, les clés de la voiture dans la main.

Quelques minutes plus tard, la famille partit et David sortit de la Corvette. Il se dirigea vers l'aire de pique-nique, surveillant de tous les côtés. La seule personne en vue était un vieux monsieur promenant son teckel. David s'installa derrière le plus gros arbre et ouvrit sa braguette. Quand il eut fini, il se dirigea de nouveau vers la Corvette, bien soulagé. Mais au moment où il quittait l'herbe pour l'asphalte, le vieux promeneur de chien se précipita vers lui. « Hé, vous ! » l'interpella-t-il.

David se figea. Pendant une seconde, il imagina que c'était un agent secret. Quand l'homme arriva près de lui, David vit que c'était un vrai vieux monsieur. Sa figure rose était aussi ridée qu'un raisin sec. Il frappa le torse de David avec un journal enroulé.

— J'ai vu ce que vous avez fait, lui reprocha-t-il. Vous ne savez pas qu'il y a des toilettes là-bas ?

Amusé, David lui sourit.

— Désolé. C'était une urgence. J'étais très pressé.

— C'est dégoûtant, voilà ce que c'est ! Vous devriez…

Le vieux monsieur s'arrêta brusquement de râler. Il regarda David, plissa les yeux, puis jeta un œil sur le journal qu'il avait dans la main. Il perdit un peu de ses couleurs. Durant une seconde, il demeura la bouche béante, exposant une rangée de dents jaunes et de travers. Puis il tourna les talons et partit en courant, tirant frénétiquement sur la laisse du teckel.

Au même moment, David entendit Monique crier.

— Amène-toi !

Elle était à côté de la Corvette, un gros sac plastique à la main. Tandis qu'il courait vers elle, elle jeta le sac à l'intérieur, monta dans la voiture et mit le moteur en route.

— Viens, dépêche-toi, monte !

Aussitôt que David fut assis sur son siège, la Corvette démarra. Monique fit ronfler le moteur et en quelques secondes ils étaient sortis de l'aire de service et avaient atteint la bretelle d'entrée de l'autoroute.

— Nom de Dieu ! Qu'est-ce qui t'a pris de parler avec ce type ?

David tremblait. Le vieil homme l'avait reconnu.

L'aiguille du compteur monta à cent quarante. Monique appuya à fond sur l'accélérateur et la Corvette fila à toute allure sur la route.

— J'espère qu'il y a bientôt une sortie. Il faut qu'on quitte l'autoroute avant que ton ami appelle les flics.

David se remémora son promeneur de chien. Il revit le journal enroulé et comprit soudain ce qui s'était passé.

Comme si elle avait lu dans ses pensées, Monique plongea la main dans le sac en plastique qui était entre eux et sortit un exemplaire du *Pittsburgh Post-Gazette*.

— Tiens, ce que j'ai trouvé dans le kiosque à journaux près du Starbucks !

Elle lui tendit le journal.

David vit l'article en haut de la première page. Le gros titre disait : SIX AGENTS TUÉS LORS D'UNE OPÉRATION ANTI-DROGUE À NEW YORK et dessous, en caractères plus petits : « La police recherche un professeur de Columbia ». À côté du gros titre, il y avait une photo en noir et blanc de David, celle qui figurait sur la jaquette de *On the Shoulders of Giants*.

Simon regardait couler le paisible fleuve Delaware du Washington Crossing State Park dans le New Jersey. Il se trouvait dans un parking désert surplombant le fleuve, adossé au flanc d'une splendide Ferrari jaune.

Il avait pris la voiture — un coupé Maranello 575 — au garage Auto-Shop de Princeton. Keith, le garagiste qu'il avait trouvé dans la maison de Monique Reynolds, lui avait dit où trouver les clés. C'était une bonne chose, vu que Simon avait été obligé d'abandonner sa Mercedes après son altercation avec l'officier de police de Princeton. Ce qui lui aurait été encore plus utile, c'est que Keith lui dise où étaient partis David Swift et Monique Reynolds ; mais le jeune mécanicien avait soutenu qu'il ne le savait pas, même après que Simon lui eut coupé trois doigts et lui ai mis les boyaux à l'air.

Simon secoua la tête. La seule chose qu'il avait trouvée, c'était un message que Monique avait laissé sur le comptoir de la cuisine. Il sortit le bout de papier plié de sa poche et l'examina de nouveau, mais il ne lui donnait pas d'indice.

> « Keith, je suis désolé, mais David et moi devons partir précipitamment. Il a d'importants résultats à analyser. Je t'appellerai pour te dire quand je reviens.
>
> P.-S. Il y a du jus d'orange dans le frigo et des bagels dans la corbeille à pain. N'oublie pas de fermer la porte. »

Les dernières lignes étaient en partie masquées par une empreinte de pouce ensanglanté que Simon avait faite quand il avait pris le mot. Avant de quitter la maison, il avait emporté deux bagels. Keith avait déjà avalé son dernier repas.

Simon remit le papier dans sa poche et regarda sa montre : 9 h 25. Bientôt l'heure de sa conversation quotidienne avec son client. Chaque matin, à exactement 9 h 30, Henry Cobb l'appelait pour faire le point. « Henry Cobb » était très certainement un nom d'emprunt. Simon n'avait jamais rencontré l'homme en personne — ils avaient établi le contrat par téléphone, utilisant divers codes que Henry avait inventés — mais à en juger par son accent, son vrai nom devait plutôt être Abdul ou Mohammed. Bien que Simon n'ait pas encore deviné la nationalité de l'homme, sa ville natale était certainement quelque part entre Le Caire et Karachi. Étant donné les nombreuses années passées à tuer des insurgés musulmans en Tchétchénie, il trouvait un peu surprenant qu'un groupe islamiste ait décidé de l'engager. Peut-être n'avait-il pas donné au djihadisme assez d'attention. S'ils étaient vraiment engagés au service de leur cause, leur seul objectif était de prendre le meilleur homme pour faire le boulot. Et Simon, comme les Tchétchènes pouvaient l'attester, avait une excellente réputation de dépisteur.

Quelles que soient la nature et la nationalité de l'organisation d'Henry Cobb, une chose était sûre : ils disposaient de ressources importantes. Pour préparer Simon à la mission, Cobb lui avait envoyé une caisse entière de manuels sur la physique des particules et la relativité générale, ainsi que plusieurs dizaines de numéros de *Physical Review* et *Astrophysical Journal.* Surtout, il avait viré 200 000 dollars sur un compte pour couvrir ses dépenses et promis de payer encore un million quand la mission serait terminée.

L'ironie, c'est que Simon aurait volontiers fait le boulot gratuitement s'il avait su dès le départ de quoi il s'agissait. Il n'avait pas saisi toute l'étendue de l'ambition de Cobb jusqu'à la semaine précédente, quand il était allé dans la maison de campagne de Jacques Bouchet, en Provence. Simon avait affronté le physicien français pendant qu'il était dans son bain, et après une brève lutte dans l'eau, le vieil homme avait commencé à parler. Malheureusement, il ne connaissait que quelques bribes de la *Einheitliche Feldtheorie*, mais il avait dit à Simon beaucoup de choses à propos des possibles conséquences du mauvais usage des équations. Bouchet avait à l'évidence cru que Simon serait horrifié par ces informations, peut-être même assez pour abandonner sa mission. Quelle erreur ! Les désirs de son client rejoignaient exactement les siens. Tout en ressentant une impression de triomphe, il avait continué à interroger Bouchet jusqu'à ce que le vieil homme soit assis en tremblant dans sa baignoire. Puis il lui avait tranché les veines du poignet et regardé les flots de sang ondoyer dans l'eau du bain.

À 9 h 29, Simon prit son téléphone portable et l'ouvrit en prévision de l'appel de Cobb. Sergei et Larissa apparurent sur l'écran, souriant comme s'ils attendaient quelque chose.

— Soyez patients, murmura-t-il. Cela ne va plus être long maintenant.

À 9 h 30 précises, le téléphone sonna. Simon porta le combiné à son oreille.

— Ici George Osmond.

C'était son nom d'emprunt.

— Bonjour, George. C'est un plaisir de parler de nouveau avec vous. (La voix était lente, prudente, avec un accent du Moyen-Orient.) Dites-moi, comment s'est déroulée la partie hier soir ?

Sans que Simon comprenne pourquoi, Cobb utilisait des métaphores de baseball dans la plupart de ses codes. Leurs conversations voilées frisaient parfois le ridicule, mais Simon devait admettre que ces précautions étaient justifiées. Depuis le

11-Septembre, aucun appel téléphonique n'était sûr. On devait partir du principe que le gouvernement écoutait tout.

— La partie fut un peu décevante. Match nul, en fait.

Il y eut un long silence. Cobb ne semblait pas être content.

— Et le lanceur ?

C'était le nom de code pour Kleinman.

— Il n'a jamais pu jouer. Il est hors compétition pour la saison, j'en ai peur.

Un silence encore plus long suivit.

— Comment c'est arrivé ?

— Il y a eu interférence avec les Yankees. Vous pourrez lire ça dans les journaux d'aujourd'hui. Bien sûr, les journalistes n'ont pas fait un compte rendu sérieux. Ils ont essayé de tourner l'affaire en un autre scandale lié à la drogue.

Cette fois le silence se poursuivit pendant presque une demi-minute. Simon imagina son client dans une *dishdasha* blanche, un grain de chapelet roulant entre ses doigts.

— Je ne suis pas content, dit-il enfin. Je comptais sur le lanceur. Comment allez-vous faire pour gagner sans lui ?

— Ne vous inquiétez pas, j'ai un très bon remplaçant. Un homme plus jeune, un joueur très prometteur. Il travaillait très étroitement avec le lanceur, je crois.

— Ai-je déjà entendu parler de ce joueur ?

— Il est également mentionné dans les journaux. Un joueur de l'université. Je pense qu'il est l'homme qu'il nous faut.

— Savez-vous où il est ?

— Non, pas encore. J'ai failli le contacter cette nuit, mais il a quitté la ville soudainement.

Henry laissa échapper un soupir d'insatisfaction. Ce n'était à l'évidence pas un homme patient. Les gens comme lui le sont rarement.

— C'est inacceptable. Je vous paye, j'attends donc des résultats.

Simon se sentit touché dans son orgueil. Il était fier de son professionnalisme.

— Calmez-vous. Vous en aurez pour votre argent. Je connais quelqu'un qui peut m'aider à trouver ce joueur.

— Qui ?

— Un agent de l'équipe des Yankees.

Un autre long silence suivit, mais celui-là était différent. C'était un silence étonné, stupéfait.

— Avec les Yankees ? marmonna son client. Vous avez un ami chez eux ?

— Une simple relation de travail. Vous savez, les Yankees sont sûrs de retrouver ce joueur tôt ou tard. Dès qu'ils sauront où il est, l'agent me transmettra l'information.

— Pour de l'argent, j'imagine ?

— Naturellement. Je vais avoir besoin d'une substantielle augmentation dans mon budget pour couvrir cet extra.

— Je vous l'ai déjà dit, l'argent n'est pas un problème. Je payerai toutes les dépenses nécessaires. (Sa voix était maintenant conciliante, presque déférente.) Êtes-vous sûr de pouvoir faire confiance à cet homme ?

— J'ai organisé une rencontre avec lui pour vérifier ses intentions. Il doit arriver dans quelques minutes.

— Bon, alors je vais vous laisser. S'il vous plaît, tenez-moi informé.

— Bien sûr.

Simon fronça les sourcils quand il éteignit le téléphone et le rangea dans sa poche. Il détestait les discussions avec les clients. C'était de loin la partie la plus pénible de son travail. Mais il n'aurait plus à le faire très longtemps. Si tout se déroulait selon ses plans, cette mission serait la dernière. Il laissa le fleuve Delaware et la rangée de chênes qui bordait l'autre côté. Un panneau installé au bord de l'eau indiquait l'endroit où le général Washington avait fait traverser le fleuve à ses troupes. Dans la nuit du 25 décembre 1776, il avait conduit 2 400 insurgés de Pennsylvanie au New Jersey et avait ainsi pu surprendre l'armée anglaise dans ses casernes à Trenton. Le fleuve était si paisible à présent qu'il était difficile de croire que quelqu'un était mort à cet endroit. Mais Simon avait appris une chose. La mort glisse sous la surface ridée de l'eau ; il en était ainsi dans toutes les rivières, dans tous les pays. Cette loi était universelle.

Le ronflement d'un SUV[1] interrompit ses pensées. Simon regarda par-dessus son épaule et vit une Suburban noire entrer dans le parking. Il n'y avait pas d'autre véhicule en vue, ce qui était bon signe. Si le FBI avait préparé une embuscade, ils auraient envoyé tout un convoi. La Suburban s'arrêta à l'autre extrémité du parking et, quelques secondes plus tard, un homme en sortit. Bien qu'il portât des lunettes de soleil et fût à près de cinquante mètres, Simon sut immédiatement que c'était son contact. L'homme avait cette démarche nonchalante typique, les épaules voûtées et les mains dans les poches. Un semi-automatique était probablement logé dans son holster d'épaule sous sa veste, mais c'était légitime — Simon était armé lui aussi.

L'agent s'arrêta à quelques mètres de la Ferrari. Il pointa du doigt la voiture, en souriant.

— Jolie bagnole. Elle a dû vous coûter un paquet.

Simon haussa les épaules.

— C'est rien. Juste un outil de travail.

— Juste un outil, ah bon ! (Il fit le tour de la Ferrari, admirant ses lignes.) Un outil comme ça ne me déplairait pas.

— Vous pourriez en avoir une. Mon offre tient toujours.

L'agent fit courir ses doigts le long du becquet de la Ferrari.

— Soixante mille, ça vous va ? C'est ce qui était convenu ?

Simon hocha la tête.

— Trente payable maintenant. Le reste si votre information conduit à la capture du suspect.

— Eh bien, je pense que c'est mon jour de chance. Je viens d'avoir un message du Bureau pendant que je venais ici. (Il replia les bras sur la poitrine.) Vous avez l'argent sur vous ?

Tout en gardant un œil sur l'agent, Simon ouvrit d'une main la porte de la Ferrari et attrapa la mallette noire qui était posée sur le siège du conducteur.

— Le premier versement est ici. En billets de vingt dollars.

L'agent cessa d'admirer la voiture. Toute son attention portait désormais sur la mallette. Sa cupidité était immense, c'est pourquoi Simon l'avait choisi.

---

1. Sport Utility Vehicle. *(N.d.T.)*

— Nous avons reçu le témoignage d'un citoyen qui a vu Swift il y a une heure. Sur une aire de service de l'autoroute de Pennsylvanie.

Simon jeta un œil sur la rive du fleuve située en Pennsylvanie.

— Où ? Quelle aire de repos ?

— Celle de New Stanton. À environ cinquante kilomètres à l'est de Pittsburgh. Il a probablement déjà quitté l'autoroute à l'heure qu'il est.

Sans une hésitation, Simon tendit la mallette à l'agent. Il était impatient de partir.

— Je prendrai contact avec vous pour le second versement. Attendez-vous à un appel d'ici une douzaine d'heures.

L'agent saisit la mallette à deux mains. Il semblait étonné de sa bonne fortune.

— Je l'attends avec impatience. C'est un plaisir de faire affaire avec vous.

Simon monta dans la Ferrari et démarra.

— Tout le plaisir est pour moi, M. Brock.

De sa position stratégique, David examinait attentivement le Newell Simon Hall, situé une centaine de mètres plus loin, essayant de se rappeler l'emplacement exact du bureau d'Amil Gupta. Monique et lui étaient cachés dans une salle de classe vide du Purnell Arts Center, un bâtiment voisin du campus de Carnegie Mellon. La salle était apparemment utilisée pour des cours de théâtre ; des panneaux de bois peints représentant des arbres, des maisons, des voitures et des devantures de magasins se trouvaient au milieu des tables. Parmi eux, il y en avait un représentant la façade d'un salon de coiffure, avec les mots *SWEENEY TODD*[1] en guise d'enseigne. Il était posé près de la fenêtre par laquelle David et Monique observaient. Tous ces décors en deux dimensions donnaient à la pièce une atmosphère étrange de fête foraine. David pensa alors à son article sur *Flatland*, un univers sans profondeur.

1. Sweeney Todd est un tueur en série devenu personnage populaire dans des contes et des films. Il égorgeait ses victimes. *(N.d.T.)*

Il était presque midi. Après le fiasco de New Stanton, ils avaient passé plus d'une heure à rouler dans les petites rues de la banlieue de Pittsburgh pour éviter les grands axes, et ils avaient pu atteindre Carnegie Mellon sans rencontrer de voiture de police. Une fois arrivés, Monique cacha la Corvette parmi les centaines de voitures de sport garées sur le parking principal de l'université, puis ils traversèrent le campus à pied. Ils choisirent le Purnell Arts Center pour la reconnaissance des lieux parce qu'il était situé sur une petite butte dominant le Newell Simon Hall ; il offrait donc une excellente vue sur le parking entre les deux bâtiments.

La première chose que remarqua David fut le véhicule robotisé Highlander, un Hummer spécialement conçu avec une grande parabole montée sur le toit. Il avait lu un article sur cette voiture dans *Scientific American*. Le Highlander faisait partie des projets favoris de Gupta. Il pouvait circuler pendant cent cinquante kilomètres sans conducteur. Deux étudiants du Robotics Institute expérimentaient le véhicule, observant sa navigation autonome sur le parking. La parabole contenait un scanner laser qui détectait les obstacles sur son passage. Un des étudiants tenait une télécommande pour couper immédiatement le moteur si la voiture robotisée s'emballait.

La seconde chose que David remarqua fut les Suburbans. Deux SUV noires étaient stationnées près de l'entrée de Newell Simon et deux autres au fond du parking. Il les montra du doigt à Monique.

— Tu vois toutes ces SUV ? Ce sont des voitures du Gouvernement.

— Comment le sais-tu ?

— J'en ai vu plein dans le garage du FBI à New York. (Puis il montra deux hommes en T-shirts et shorts qui se lançaient un ballon de football.) Regarde ces types avec le ballon. Pourquoi jouent-ils en plein milieu du parking ?

— Ils ont l'air un peu trop âgés pour être des étudiants, remarqua Monique.

— Exactement. Et regarde le type torse nu allongé sur l'herbe là-bas. Pour un gars qui se fait bronzer, il est sacrément pâle.

— Il y en a encore deux assis dans l'herbe de l'autre côté du bâtiment.

David secoua la tête.

— C'est de ma faute. Ils ont probablement renforcé la surveillance ici quand ils ont appris qu'on était sur l'autoroute. Ils ont compris qu'on allait essayer de rencontrer Gupta.

Il se détourna de la fenêtre et s'affaissa contre le mur. C'était un piège. Les agents secrets attendaient tout simplement qu'il se montre. Assez bizarrement, David n'était pas paniqué. Sa peur était retombée, du moins pour le moment, et à présent il ressentait avant tout de l'indignation. Il pensait à l'article en première page du *Pittsburgh Post-Gazette*, leur histoire inventée de toute pièce qui faisait de lui un vendeur de drogue et un meurtrier. « Ces enculés se croient tout permis ! » murmura-t-il.

Monique était adossée contre le mur à côté de lui.

— Bon, la prochaine étape est évidente. Tu restes ici et j'y vais.

— Quoi ?

— Ils ne me recherchent pas. Ces agents ne savent pas que je suis avec toi. Tout ce qu'ils savent, c'est qu'un vieil homme t'a vu sur une aire de repos.

— Et si le type a vu aussi la plaque d'immatriculation de ta voiture ?

Elle le regarda d'un air dubitatif.

— Ce vieux type ? Il a couru pour sauver sa peau après t'avoir reconnu. Il n'a rien vu d'autre.

David fronça les sourcils. Il n'aimait pas du tout le plan de Monique.

— C'est trop risqué. Ces agents examinent tous les gens qui s'approchent de ce bâtiment. J'imagine qu'ils ont des photos de tous les physiciens théoriques du pays, et s'ils découvrent qui tu es, ils auront à coup sûr des doutes. Ils se sont déjà introduit dans ta maison, ne l'oublie pas.

Elle respira profondément.

— Je sais que c'est risqué. Mais qu'est-ce qu'on peut faire d'autre ? Tu as une meilleure idée ?

Malheureusement, il n'en avait pas. Il se détourna d'elle et regarda tout autour de la pièce, espérant y trouver l'inspiration.

— Un costume ? hasarda-t-il. C'est une école de théâtre, il y a donc probablement des costumes dans le coin. Peut-être pourrais-tu mettre une perruque ou quelque chose comme ça ?

— S'il te plaît, David. Tout ce qui se trouve ici ne fera que me rendre ridicule. Et cela ne servira qu'à attirer l'attention.

— Pas forcément. Et si…

Avant que David ait pu terminer sa phrase, il entendit un grondement sourd dans le couloir à l'extérieur de la salle de classe. Monique cria « merde ! » et sortit son revolver de son short, mais David lui saisit le poignet. C'était la dernière chose à faire. Il l'entraîna derrière le panneau de bois représentant la devanture du salon de coiffure *Sweeney Todd.* Bientôt le grondement cessa et ils entendirent un cliquètement de clés. David était sûr qu'une équipe d'agents du FBI se tenait dans le couloir, prête à prendre d'assaut la salle de classe. Mais quand la porte s'ouvrit, il ne vit qu'une femme de ménage de l'établissement, en blouse bleu pâle, poussant un gros chariot de ménage en toile.

Soulagée, Monique étreignit l'épaule de David, mais aucun d'eux ne bougea de sa cachette. Glissant un œil au bord du décor *Sweeney Todd*, David observa la femme de ménage poussant son chariot dans la salle de classe. Quand elle arriva au fond, elle souleva une poubelle pleine de déchets — les découpes de bois des décors, un énorme paquet de chiffons imprégnés de peinture… — et versa son contenu dans le chariot. C'était une femme noire, grande et mince, portant un T-shirt et un short en jean sous sa blouse. Elle ne devait avoir guère plus de vingt-trois ans, mais son visage était déjà marqué par les soucis et la fatigue. Elle fronça les sourcils quand elle secoua la poubelle au-dessus du chariot et à ce moment-là, David s'aperçut que la femme de ménage et Monique, en dépit de leur différence d'âge, se ressemblaient beaucoup. Elles avaient les mêmes longues jambes, la même attitude de défi. David continua à la regarder tandis qu'elle reposait la poubelle vide et commençait à pousser le chariot vers la porte. Juste avant qu'elle l'atteigne, il sortit de sa cachette. Monique essaya de l'arrêter, mais elle ne fut pas assez rapide.

— Excusez-moi, dit David à la femme qui lui tournait le dos.

Elle se retourna brusquement.

— Mon Dieu ! Qu'est-ce que... ?

— Désolé de vous avoir fait peur. Ma collègue et moi sommes en train d'apporter la touche finale aux décors pour la représentation de ce soir. (Il se tourna vers Monique pour lui faire signe de venir. Le visage tendu, elle s'avança. David posa sa main sur le creux de ses reins et la poussa du coude en avant.) Voici le professeur Gladwell, dit-il. Et je suis le professeur Hodges. Du département de Théâtre.

La femme de ménage pressait ses mains sur sa poitrine, encore sous le coup de la surprise. Elle regarda David et Monique d'un air furieux.

— Vous m'avez fait une de ces peurs ! Je croyais que cette salle était vide jusqu'à une heure.

David sourit pour la mettre à l'aise.

— D'habitude elle l'est, mais nous faisons un petit travail de dernière minute pour le spectacle de ce soir. C'est la première d'une pièce formidable, absolument passionnante.

Cela ne semblait pas enthousiasmer la jeune femme.

— Bon, et qu'est-ce que vous voulez ? On dirait que vous voulez quelque chose.

— En fait, je me demandais si la blouse que vous portez... Est-ce qu'on pourrait vous l'emprunter pour quelques heures ?

Elle les regarda bouche bée, l'air incrédule. Puis elle baissa les yeux sur sa blouse, où il était marqué CARNEGIE MELLON BUILDING SERVICES juste au-dessus de son sein gauche.

— Ça ? Mais qu'est-ce que vous voulez en faire ?

— Un des personnages de notre pièce est une femme de ménage, mais je ne suis pas content du costume que nous avons actuellement. Je voudrais quelque chose qui ressemble plus à votre blouse. J'ai juste besoin de la montrer à notre costumière pour qu'elle la copie.

La femme plissa les yeux. Elle n'en croyait pas ses oreilles.

— Le problème c'est que je dois porter cet uniforme quand je travaille. Si je vous la prête, il va falloir que j'aille en chercher une autre à la réserve, et c'est loin.

— Je vais vous dédommager pour ce dérangement.

David sortit de sa poche un rouleau de billets de vingt dollars. Il en compta dix.

Elle regarda les 200 $. Elle parut tout à coup beaucoup moins suspicieuse, car à présent elle avait une bonne raison d'écarter ses soupçons.

— Vous allez me payer l'uniforme ?

Il hocha la tête.

— Le département de Théâtre a un budget pour les imprévus comme celui-ci.

— Et vous allez me le redonner quand vous aurez fini ?

— Absolument. Vous pourrez le reprendre cet après-midi.

Le regardant toujours d'un air dubitatif, elle commença à retirer sa blouse.

— Simplement, n'en parlez à personne de votre service, d'accord ?

— Vous inquiétez pas. J'dirai pas un mot.

David eut une autre idée.

— Et nous aurions aussi besoin de votre chariot. Comme accessoire pour notre spectacle.

Elle tendit la blouse à David.

— Le chariot, ça ne me gêne pas. Il y en a un autre au sous-sol que je peux utiliser.

Elle rangea ses 200 $ et sortit rapidement de la pièce, comme si elle craignait qu'il changeât d'avis.

David attendit quelques secondes, puis il ferma à clé la salle de classe. La blouse bleue sur le bras, il se tourna vers Monique.

— Voilà, j'ai ton costume.

Elle regarda d'un air sinistre l'uniforme.

— Une femme de ménage. Comme c'est original ! dit-elle d'une voix amère.

— Oh, je suis désolé ! J'ai juste pensé…

— Oui, je sais à quoi tu as pensé. (Elle secoua la tête.) Les femme noires nettoient les bureaux, n'est-ce pas ? Du coup, si les agents du FBI me voient pousser un chariot dans ce bâtiment, c'est à peine s'ils me regarderont.

— Si tu ne veux pas…

— Non, non, tu as raison. C'est bien ça le plus triste, tu as absolument raison. (Elle prit la blouse du bras de David et la secoua pour la défroisser. Le tissu bleu siffla dans l'air.) Qu'importe le nombre de diplômes obtenus, le nombre d'articles publiés ou les prix reçus. À leurs yeux, je ne suis qu'une femme de ménage.

Elle passa ses bras dans les manches de la blouse et commença à la boutonner. Pendant un moment, elle sembla prête à pleurer, mais elle pinça les lèvres et refoula ses larmes. David éprouva un sentiment de culpabilité. En dépit de ses bonnes intentions, il l'avait profondément blessée.

— Monique… C'est de ma faute. Je ne voulais pas…

— Ah ! C'est bien vrai que c'est de ta faute. Maintenant monte là-dedans.

Elle montra le tas de déchets dans le réceptacle en toile du chariot.

David la regarda interloqué.

— Là-dedans ?

— Exactement ? Tu vas t'allonger dans le fond et je vais entasser les ordures au-dessus de toi. Ainsi, nous pourrons tous les deux entrer dans le bâtiment pour aller voir Gupta.

« Merde ! Et en plus, c'est moi qui ai eu cette idée ! »

Lucille Parker était assise dans un des sièges passagers du C-21, la version militaire du Learjet, alors qu'il survolait l'ouest de la Pennsylvanie. Elle regarda par le hublot et vit l'autoroute se dérouler comme une corde à travers les collines et les vallées verdoyantes. Quelque part sur son parcours se trouvait l'aire de service où David Swift avait été repéré, mais Lucille ne pouvait la voir. Ils l'avaient certainement déjà dépassée. Elle aperçut la ville de Pittsburgh, une tache grise à cheval sur la Monongahela River.

L'appel du directeur du Bureau arriva juste au moment où l'avion amorçait sa descente. Lucille attrapa le combiné du ARC-190, la radio de l'armée de l'air qui permettait des communications sécurisées avec le sol.

— Ici Black One.

— Alors, Lucy, dit le directeur. Où en êtes-vous ?

— Je suis à dix minutes de Pittsburgh. Un véhicule m'attend à l'aéroport.

— Qu'en est-il de la surveillance ?

— Aucune trace du suspect, mais il est encore tôt. Nous avons dix agents en poste autour du bâtiment de Gupta et dix autres à l'intérieur. Des caméras vidéo dans le hall et toutes les entrées, et des dispositifs d'écoute à tous les étages.

— Êtes-vous sûr que c'est le bon mode d'action ? Peut-être devrions-nous mettre la main sur Gupta et voir ce qu'il sait.

— Non, si nous arrêtons Gupta tout de suite, la nouvelle se répandra très vite. Et Swift ne viendra pas ici. Mais si on reste dans l'ombre, on pourra les prendre tous les deux.

— Très bien, je compte sur vous, Lucy. Plus tôt nous en finirons avec cette affaire, mieux ce sera. Je suis fatigué de recevoir les appels du SecDef. (Le directeur laissa échapper un long soupir.) Avez-vous besoin de quelque chose d'autre ? Plus d'agents, plus de soutien ?

Lucille hésita. Ce qu'elle avait à dire n'était pas facile.

— J'ai besoin des dossiers personnels de tous les agents de la région de New York.

— Pourquoi ?

— Plus je repense à ce qui s'est passé à Liberty Street cette nuit, plus je suis convaincu qu'il y a eu des fuites. Les assaillants connaissaient trop bien nos procédures. Je pense qu'ils ont un informateur chez nous.

Le directeur soupira de nouveau.

— Seigneur ! Il ne manquait plus que ça.

C'était sombre, inconfortable, et l'odeur était pire que David ne l'avait imaginé. La plupart des détritus entassés sur lui étaient supportables — des papiers, des chiffons, des bouts de tissu, etc. — mais quelqu'un avait jeté les restes d'un burrito dans la poubelle et l'odeur sulfureuse des œufs pourris imprégnait le fond du chariot. Ajoutant la blessure à l'insulte, le bord coupant d'une planche de bois lui rentrait dans le dos et s'enfonçait dans ses omoplates quand les roues du chariot heurtaient un obstacle. David grimaça de douleur quand Monique le poussa pour sortir du Purnell Arts Center et emprunter l'allée vers le Newell Simon Hall.

Au bout d'une minute environ, ses yeux s'habituèrent à l'obscurité et il remarqua une petite déchirure dans la toile du chariot. Se tortillant sur les coudes et les genoux, il parvint à avancer de quelques centimètres et à voir par le trou. Ils étaient maintenant dans le parking ; juste devant eux, la voiture robotisée Highlander se dirigeait droit vers l'entrée de service du Newell Simon Hall. Monique suivait le véhicule et les deux étudiants qui surveillait son bon fonctionnement. Le plan semblait marcher. Dans quelques secondes, ils seraient à l'intérieur du bâtiment. Puis David entendit quelqu'un crier « Attention ! » et une seconde plus tard, quelque chose tomba sur les couches de déchets qui le recouvraient. Un objet contondant frappa l'arrière de sa tête, lui écrasant le nez sur le fond du chariot. La douleur fut intense, mais il ne broncha pas. Il entendit bientôt des bruits de pas, le claquement de baskets sur l'asphalte. À travers la déchirure de la toile, il vit une paire de jambes blanches et poilues, puis une autre. Oh putain ! pensa-t-il. Ce sont les agents qui jouent au ballon. Ils l'ont lancé dans le chariot. Pire encore, l'impact avait bousculé les ordures au-dessus de lui, exposant ses épaules et le haut de sa tête.

Les agents arrivèrent tout près. L'un d'eux était à moins d'un mètre cinquante. David ne bougea pas, attendant que l'homme se penche sur le côté du chariot et le voie. Puis il aperçut une troisième paire de jambes, lisses et brunes, marcher devant les agents.

— Ben alors ! s'écria Monique. Vous avez failli m'assommer avec votre truc !

— Désolé, m'dame, répliqua l'agent. Nous ne voulions…

— C'est pas une cour de récréation ! Vous devriez faire attention à ce que vous faites, les gars !

L'homme recula. Avec juste quelques mots et un ton assuré, Monique l'avait complètement intimidé. David admira sa technique. La meilleure défense, c'est l'attaque.

Les orteils dans les sandales de Monique se tournèrent vers le chariot et elle se pencha sur le bord. David sentit ses mains sur son dos quand elle sortit le ballon et arrangea les ordures pour le recouvrir. Puis elle se tourna vers les agents.

— Voilà votre ballon. Maintenant, allez jouer ailleurs.

Les jambes blanches reculèrent. Les jambes brunes montèrent la garde pendant encore quelques secondes, puis elles disparurent de sa vue et le chariot recommença à rouler.

Ils franchirent bientôt l'entrée de service du Newell Simon Hall, un quai de chargement qui servait également de garage pour le Highlander. Monique se dirigea vers le monte-charge et pressa le bouton. David retint sa respiration jusqu'à ce que la porte du monte-charge s'ouvre et que Monique pousse le chariot à l'intérieur. Aussitôt que les portes furent fermées, elle toussa deux fois de suite rapidement. Comme ils supposaient que le FBI avait truffé le bâtiment de micros, ils s'étaient entendus sur un système de communication — quand Monique toussait deux fois, cela signifiait « Est-ce que ça va ? ». David toussa une fois pour répondre par l'affirmative, puis ils atteignirent le quatrième étage.

Après avoir avancé le long d'un couloir impeccablement propre, ils arrivèrent à la réception du bureau d'Amil Gupta. David reconnut l'endroit où il s'était présenté lors de sa précédente visite au Robotics Institute. Un bureau noir et lisse encombré d'ordinateurs se trouvait au centre de la pièce, exactement comme dans le souvenir de David, mais la réceptionniste n'était plus la grande blonde aux formes généreuses qui lui avait fait de l'œil pendant qu'il attendait d'être reçu par le professeur. À présent, c'était un jeune homme, dix-huit ans au plus. David pencha un peu la tête pour mieux voir l'adolescent par le trou dans la toile. Le gamin avait les yeux fixés sur un ordinateur et manipulait comme un fou un joystick qui se trouvait à côté du clavier. Il avait l'air d'un étudiant de premier cycle, un *geek* qui avait quitté le lycée quelques années plus tôt et parvenait à poursuivre ses études en travaillant pour le Robotics Institute. Il avait un visage rondelet, une peau couleur olive et des sourcils noirs épais.

Monique abandonna le chariot et s'approcha du bureau du garçon.

— Excusez-moi, dit-elle. Je viens nettoyer le bureau du Dr Gupta.

Il ne leva pas la tête. Ses yeux fixés sur l'écran se déplaçaient de droite à gauche pour suivre les images du jeu vidéo.

— Excusez-moi, répéta Monique, un peu plus fort cette fois. Je vais dans son bureau vider la poubelle, d'accord ?

Toujours pas de réponse. Le gamin regardait l'écran, la bouche béante, le bout de la langue pendant sur sa lèvre inférieure. On ne lisait aucune émotion sur son visage, juste une concentration soutenue. Un vrai robot ! L'effet global était assez déconcertant. Peut-être que ce n'est pas un étudiant, pensa David. Il lui vint à l'esprit que quelque chose n'allait pas chez ce garçon.

Finalement, Monique abandonna et se dirigea vers la porte qui se trouvait derrière le bureau. Elle saisit la poignée, mais celle-ci ne tourna pas. Fronçant les sourcils, elle retourna vers l'adolescent.

— La porte est fermée, dit-elle. Vous devez l'ouvrir pour que je puisse faire mon travail.

Le garçon ne répondit pas, mais David entendit un sourd ronflement qui venait de pas très loin. C'était le ronronnement d'un moteur électrique et il semblait se diriger vers le chariot. Un air perplexe apparut sur le visage de Monique qui regardait quelque chose se trouvant de l'autre côté de la pièce. Puis David vit ce qui avait capté son attention : un engin de couleur argentée, en forme de boîte, à peu près de la taille d'une valise, avançant vers elle sur des chenilles. Elle s'arrêta à ses pieds, étendit un bras robotisé et pointa un détecteur de la forme d'une boule vers elle.

La machine ressemblait un peu à une tortue avec un très long cou. Monique et le robot se regardèrent attentivement pendant deux secondes, puis une voix de synthétiseur sortit du haut-parleur de la machine : « Bonjour ! Je suis le réceptionniste autonome AR-21, mis au point par les étudiants du Robotics Institute. Puis-je vous aider ? »

Monique restait bouche bée. Elle jeta un coup d'œil sur le réceptionniste humain, se demandant s'il lui faisait une plaisanterie, mais l'adolescent était toujours absorbé par son jeu vidéo.

La machine réorienta son détecteur vers le visage de Monique.

— Puis-je vous être utile ? demanda-t-il. S'il vous plaît, dites-moi ce que vous voulez et j'essaierai de vous aider.

Avec une répugnance évidente, elle se tourna vers la machine et fixa son regard sur ses capteurs ronds.

— Je suis la femme de ménage. Ouvrez la porte !

— Je suis désolé, répondit le AR-21. Je ne comprends pas ce que vous dites. Pouvez-vous répéter s'il vous plaît ?

Monique fronça plus encore les sourcils.

— La... femme... de... ménage, répéta-t-elle plus fort et lentement. Ouvrez... la... porte !

— Avez-vous dit « curriculum brochure » ? S'il vous plaît, répondez oui ou non.

Elle avança d'un pas vers la machine et pendant un moment David crut qu'elle allait lui donner un coup de pied.

— J'ai besoin... d'entrer... dans le bureau... du Dr Gupta. Vous comprenez ? Le bureau... du Dr Gupta.

— Avez-vous dit « Gupta » ? S'il vous plaît, répondez oui ou non.

— Oui ! Oui ! Dr Gupta !

— Le professeur Amil Gupta est le directeur du Robotics Institute. Voulez-vous prendre un rendez-vous avec lui ?

— Oui ! Je veux dire, non ! Je veux juste nettoyer son bureau !

— Le professeur Gupta a des heures de bureau le lundi et le mercredi. Le premier rendez-vous possible est lundi prochain à trois heures. Est-ce que cela vous convient ? S'il vous plaît répondez oui ou non !

Monique avait atteint sa limite. Levant les bras en signe de reddition, elle retourna d'un pas lourd vers le chariot. David ressentit une secousse quand elle empoigna le bord du réceptacle en toile, et puis elle commença à le pousser pour sortir de la réception. Ils longèrent rapidement le couloir, les roues du chariot crissant sur le sol carrelé. Mais au lieu de retourner dans le monte-charge, Monique ouvrit la porte d'un local de service et y fit entrer le chariot.

Dès que la porte fut fermée, elle se pencha sur le tas d'ordures et repoussa les vieux papiers et les chiffons sales qui recouvraient la tête et les épaules de David. Se soulevant sur les coudes, il leva les yeux et aperçut le visage exaspéré de Monique penché vers lui. Le message était clair : elle avait besoin d'aide.

Avec prudence, David sortit la tête et promena son regard sur la pièce. Les murs étaient recouverts d'étagères métalliques contenant un assortiment de produits d'entretien et de fournitures de bureaux — bouteilles de nettoyant pour le sol, paquets de papier toilette, boîtes de cartouches d'encre… Dans un coin, il y avait un grand évier en inox. Pas de trace de caméra de surveillance. Bien sûr, le FBI pouvait en avoir caché une, mais David doutait que les agents fédéraux aient installé un système vidéo élaboré dans une pièce qui était si petite et si souvent inoccupée. Pour les micros, c'était autre chose ; il était facile d'en poser dans toutes les pièces du bâtiment. Sans dire un mot, il sortit du chariot, se dirigea vers l'évier et tourna le robinet à fond. Il avait vu ce truc dans un film, mais il ne savait pas si cela brouillerait totalement la réception des micros. Pour plus de sécurité, il attira Monique près de lui et lui murmura à l'oreille.

— Il faut que tu retournes à la réception.

Elle secoua la tête.

— Pas question. Ce robot est inutile. Le logiciel de communication est merdeux, c'est ça le problème.

— Alors retourne là-bas et attire l'attention du gamin. Tape-lui sur l'épaule s'il le faut !

— Ça ne va pas marcher. On dirait que le gamin est handicapé. Et les agents du FBI écoutent probablement tout ce qui se dit là-bas. Si je fais trop d'histoires, ils vont se méfier.

— Bon, alors, qu'est-ce qu'on va faire ? Attendre ici que Gupta ait besoin de papier toilette ?

— Y a-t-il un autre moyen d'entrer dans le bureau de Gupta ?

— Je ne sais pas ! Ça fait des années que je ne suis pas venu ! Je ne me rappelle pas…

Quelque chose vint soudain frapper le talon de David. C'était juste un léger tapotement sur l'arrière de sa basket, mais il eut sacrément peur. Il baissa les yeux et vit un disque bleu, de la taille d'un Frisbee, qui se déplaçait lentement sur le sol du local, laissant une trace humide zigzagante sur le linoléum.

Une seconde après, Monique le vit aussi, et laissa échapper un cri d'effroi. David plaqua la main sur sa bouche.

— N'aie pas peur, murmura-t-il. Ce n'est qu'un robot. Un autre projet de Gupta. Il répand du produit nettoyant suivant un circuit programmé, puis aspire l'eau sale.

Elle fronça les sourcils.

— Quelqu'un pourrait marcher dessus et abréger ses souffrances.

David hocha la tête en regardant le robot se déplacer. Il ressemblait un peu à un insecte géant, avec une frêle antenne noire sortant du bord du disque. Gupta équipait tous ses robots de transmetteurs radio parce qu'il était obsédé par le contrôle de leurs déplacements. Quand David avait interviewé Gupta dix ans auparavant, le vieil homme lui avait fièrement montré un écran d'ordinateur sur lequel il pouvait voir où se trouvaient précisément toutes les machines autonomes se promenant dans les corridors et les laboratoires du Newell Simon Hall. Le souvenir de cet écran, avec ses points lumineux et ses plans du sol en trois dimensions, donnèrent soudain une idée à David.

— Si nous ne pouvons aller à Gupta, Gupta viendra à nous, dit-il en se dirigeant vers le robot de nettoyage. (Il se pencha pour attraper l'antenne de la machine.) Cela va attirer son attention.

D'un geste du poignet, il arracha le mince fil métallique.

Le robot émit aussitôt une sonnerie aiguë assourdissante. David fit un bond. Ce n'était pas ce qu'il attendait ; il espérait qu'une alerte apparaîtrait seulement sur l'écran d'ordinateur de Gupta, et pas ce cri perçant les oreilles.

— Merde ! s'écria Monique. Qu'est-ce que tu as foutu ?

— Je ne sais pas.

— Arrête-le ! Arrête ce truc !

David attrapa l'engin et le retourna, cherchant frénétiquement un bouton d'arrêt. Mais il n'y avait rien sous la machine hormis des trous d'où gouttait un liquide et des brosses qui tournaient. La force de la sonnerie le faisait vibrer dans sa main. Renonçant à trouver un interrupteur, il courut à l'évier et frappa le robot aussi fort qu'il le put contre le rebord en inox. La coque en plastique de l'engin se cassa en deux, faisant gicler le liquide de nettoyage et les plaques de circuits imprimés de tous côtés. Le bruit cessa alors brusquement.

David se pencha sur l'évier, haletant. Il se tourna vers Monique, qui avait l'air d'avoir mal au cœur. Elle ne dit pas un mot, mais il vit clairement ce qu'elle pensait. Les agents du FBI devaient avoir entendu cette sonnerie. Bientôt, l'un d'eux allait arriver dans le local pour voir ce qui s'y passait. Monique semblait paralysée par cette pensée, et pendant plusieurs secondes elle resta plantée au milieu de la pièce, les yeux fixés sur la porte. En la regardant, David sentit son cœur se serrer. Ils étaient pris au piège. Ils étaient impuissants. Leur plan avait échoué avant même d'être conçu. Ils ne pourraient pas se sauver et encore moins sauver le monde.

Puis la porte s'ouvrit et Amil Gupta entra.

— O.K. ! Où en sommes-nous ?

Lucille se tenait dans le poste de commandement mobile que le Bureau avait établi sur le campus de Carnegie Mellon tôt le matin. De l'extérieur, il ressemblait à une cabine de chantier ordinaire, une longue boîte beige en aluminium — le genre de chose que l'on voit ordinairement sur les chantiers de construction — mais l'intérieur contenait plus d'électronique qu'un sous-marin nucléaire. D'un côté, il y avait une rangée d'écrans de contrôle affichant des images en direct des divers bureaux, escaliers, ascenseurs et corridors mis sous surveillance du Newell Simon Hall. Deux techniciens étaient assis devant les écrans ; ils visionnaient les vidéos et portaient des écouteurs pour écouter les conversations enregistrées par les micros. De l'autre côté de la cabine, deux autres techniciens examinaient l'activité sur le réseau Internet du Robotics Institute ainsi que les niveaux de radiation du bâtiment, ce qui avait son importance dans les opérations antiterroristes. Enfin, au milieu de la cabine, Lucille interrogeait l'agent Crawford, son consciencieux et ambitieux commandant en second.

— Gupta est resté seul dans son bureau depuis 10 heures, rapporta Crawford. (Il lisait sur l'écran d'un Blackberry qu'il tenait à la main.) À 10 h 15, il est allé aux toilettes, il est revenu à 10 h 20. À 11 h 05, il est allé dans la salle de repos pour boire un café, il est revenu à 11 h 09. Vous pouvez maintenant le voir sur l'écran numéro 1, juste ici.

L'écran montrait Gupta à son bureau, bien calé dans son fauteuil pivotant et regardant attentivement son écran de contrôle. L'homme était petit mais vif, il était âgé de soixante-seize ans, mesurait à peine plus d'un mètre cinquante, avait les cheveux gris et un visage poupin hâlé. Selon le dossier que Lucille avait lu en venant à Pittsburgh, la petite stature de Gupta était due à la malnutrition dont il avait été victime quand il était enfant, à Bombay, dans les années 1930. Il ne souffrait certainement plus de faim maintenant ; grâce à la société de logiciels qu'il avait fondée et aux divers investissements réalisés dans l'industrie robotique, il pesait actuellement dans les trois cents millions de dollars. Bien que l'homme fût aussi maigre qu'un poulet plumé, il portait un superbe costume italien vert olive qu'aucun employé du gouvernement n'aurait pu s'offrir.

— Qu'est-ce qu'il y a sur son ordinateur ? demanda Lucille.

— Des programmes informatiques, principalement, répondit Crawford. Notre branchement sur son accès internet montre qu'il a téléchargé un énorme programme, plus de cinq millions de lignes de code, dès qu'il est entré dans le bureau. C'est sans doute un de ses programmes d'intelligence artificielle. Il y a apporté des petits changements durant les deux dernières heures.

— Et concernant les e-mail et les appels téléphoniques ?

— Il a reçu une douzaine d'e-mails, mais rien d'inhabituel et tous ses appels entrants sont allés sur la boîte vocale. À l'évidence, il ne veut pas être dérangé.

— Il n'a reçu aucune visite ?

L'agent Crawford regarda de nouveau sur son BlackBerry.

— Un de ses étudiants, un Asiatique qui s'est présenté sous le nom de Jacob Sun, est venu à la réception et a pris un rendez-vous pour le voir la semaine prochaine. Pas d'autre visiteur, hormis un livreur de FedEx. Et une femme de ménage, qui vient de quitter la réception il y a une minute.

— Est-ce que vous les avez entrés dans la base de données biométriques ?

— Non, ça ne nous a pas paru nécessaire, madame. Aucun de ces visiteurs ne correspondait au profil.

Crawford cligna deux fois des paupières rapidement, signe que son attitude suffisante chancelait un peu.

— Euh... au profil de nos cibles, David Swift et ses conspirateurs. Les individus que nous avons observés n'étaient visiblement pas...

— Que les choses soient claires, je me moque que ce soit un étudiant, une femme de ménage ou un vieil homme de quatre-vingt-dix-neuf ans en fauteuil roulant. Je veux que vous contrôliez toutes les personnes qui approchent du bureau de Gupta. Isolez leurs visages de la vidéo et passez-les au système de reconnaissance, compris ?

Il hocha la tête.

— Oui, madame, nous allons le faire. Je suis désolé si...

Avant qu'il ait pu finir sa phrase, un des techniciens poussa un cri et arracha ses écouteurs. Crawford, qui était alors très impatient de mettre un terme à la conversation avec Lucille, se dirigea vers l'homme.

— Qu'est-ce qui ne va pas ? demanda-t-il. Une interférence ?

Le technicien secoua la tête.

— Une sorte d'alarme vient de se déclencher. Au quatrième étage, je crois.

Le cerveau de Lucille entra en ébullition.

— C'est l'étage de Gupta, n'est-ce pas ? (Elle se tourna vers l'écran numéro 1 et vit le vieux monsieur se lever de son fauteuil et s'éloigner de son bureau.)

— Regardez, il s'en va. Il va sortir de son bureau !

Crawford se pencha au-dessus de l'épaule du technicien et montra du doigt une rangée de boutons située sous les écrans.

— Passe sur la caméra de la réception. Voyons où il va.

Le technicien appuya sur un bouton. L'écran numéro 1 afficha alors un adolescent au visage ingrat assis à un bureau de la réception et un étrange engin mécanique qui ressemblait à un tank miniature. Mais pas de Gupta. Ils attendirent quelques secondes et ne virent aucune trace de lui.

— Où est-il allé ? demanda Lucille. Son bureau a-t-il une autre sortie ?

Crawford commença à cligner des paupières frénétiquement.

— Euh… il faut que j'examine le plan de l'étage. Laissez-moi…

— Bon Dieu ! On n'a pas le temps. Envoyez tout de suite des agents là-haut !

David empoigna le professeur Gupta et couvrit sa bouche tandis que Monique fermait la porte derrière lui. Le vieil homme était étonnamment léger, guère plus de cinquante kilos, aussi fut-il relativement aisé de l'emmener dans le coin le plus reculé du local de service. Avec beaucoup de délicatesse, David déposa Gupta contre le mur et s'accroupit à ses côtés. Le professeur avait près de deux fois l'âge de David et pourtant sa fine ossature, ses petites mains et son visage sans rides lui donnaient une apparence enfantine. Pendant un moment David imagina que c'était Jonah, qu'il prenait son fils dans ses bras pour le tenir au chaud et posait légèrement sa main sur ses lèvres pour adoucir ses cris.

— Dr Gupta, murmura-t-il. Vous vous souvenez de moi ? Je suis David Swift. Je suis venu vous voir pour que vous me parliez de votre travail avec le Dr Einstein, vous vous en rappelez ?

Ses yeux, des billes blanches avec le centre marron foncé, regardèrent David avec angoisse pendant une seconde, puis s'écarquillèrent en le reconnaissant. Ses lèvres bougèrent sous la main de David.

— Qu'est-ce qui vous prend ?

— S'il vous plaît, chuchota David. Parlez tout bas.

— C'est pour votre sécurité, ajouta Monique, penchée au-dessus de l'épaule de David. Vos bureaux sont sous surveillance. Il se peut même qu'il y ait des micros dans cette pièce.

Les yeux de Gupta allaient de David à Monique. Il était visiblement terrifié, mais semblait essayer de trouver un sens à la situation. Au bout de quelques secondes, il hocha la tête et David retira sa main de la bouche du vieil homme. Gupta se passa nerveusement la langue sur les lèvres.

— Des micros ? murmura-t-il. Mais qui écoute ?

— Le FBI, à coup sûr, répondit David. Et peut-être aussi d'autres. Des gens très dangereux vous recherchent, professeur. Nous devons vous sortir de là.

Il secoua la tête, perplexe. Ses cheveux gris décoiffés tombaient sur son front.

— C'est une plaisanterie ? David, je ne vous ai pas vu depuis des années et maintenant vous débarquez ici avec... (Il s'arrêta et montra du doigt l'uniforme de Monique.) Qui êtes-vous ? Vous travaillez au service d'entretien de Carnegie Mellon ?

— Non, je suis Monique Reynolds, murmura-t-elle. De l'Institute for Advanced Study.

Il la regarda attentivement, comme s'il essayait de la resituer.

— Monique Reynolds ? La spécialiste de la théorie des cordes ?

Elle acquiesça d'un signe de tête.

— C'est exact. Je suis désolée si nous avons...

— Oui, oui, je vous connais. (Il lui fit un petit sourire.) Ma fondation a financé quelques expérimentations sur la physique des particules au Fermilab, je suis donc au courant de votre travail. Mais pourquoi êtes-vous habillée comme ça ?

David s'impatientait. Ce n'était plus qu'une question de temps avant que les agents du FBI arrivent près du local pour voir ce qui avait déclenché l'alarme.

— Il faut qu'on s'en aille. Professeur, je vais vous aider à monter dans le chariot, puis...

— Le chariot ?

— S'il vous plaît, venez avec nous. Nous n'avons pas le temps de vous expliquer.

David saisit le bras de Gupta au-dessus du coude et commença à l'aider à se relever. Mais le vieil homme refusa de bouger. Avec une force surprenante, il dégagea son bras de l'emprise de David.

— Vous allez devoir prendre le temps. Je n'irai nulle part tant que vous ne m'aurez pas expliqué ce qui se passe.

— Écoutez, les agents vont arriver d'une…

— Alors je vous recommande de le faire rapidement.

« Merde, pensa David. Le problème avec ces brillants scientifiques, c'est qu'ils sont beaucoup trop rationnels. » Il regarda le plafond un moment, essayant de vaincre sa peur et de s'éclaircir les idées. Puis il regarda Gupta dans les yeux.

— *Einheitliche Feldtheorie*, murmura-t-il. Voilà ce qu'ils veulent.

Les mots allemands eurent un effet à retardement sur Gupta. Dans un premier temps, il leva les sourcils avec une surprise et un étonnement modérés, mais quelques secondes plus tard, son visage devint livide. Il retomba contre le mur, regardant d'un air déconcerté les étagères de produits d'entretien.

David se pencha vers lui afin de continuer à murmurer dans son oreille.

— Quelqu'un essaie de rassembler les éléments de la théorie. Ce sont peut-être des terroristes. Peut-être des espions, je ne sais pas. Ils sont d'abord allés trouver MacDonald, puis Bouchet et Kleinman. (Il fit une pause, redoutant la réaction du vieil homme. Gupta avait travaillé avec ces trois physiciens pendant de nombreuses années. Lui et Kleinman avaient été particulièrement proches.) Je suis désolé, professeur. Ils sont morts tous les trois. Vous êtes le seul survivant.

Gupta le regarda. La peau brune sous son œil droit se contracta.

— Kleinman ? Il est mort ?

David hocha la tête.

— Je l'ai vu à l'hôpital la nuit dernière. Il a été torturé.

— Non, oh non, non… !

Gupta étreignit son ventre et gémit. Il avait les yeux clos et la bouche ouverte. On aurait dit qu'il allait vomir.

Monique s'agenouilla et entoura le professeur de son bras.

— Allons, allons..., murmura-t-elle en lui tapotant le dos. Remettez-vous !

David patienta quelques secondes pendant que Monique réconfortait le vieil homme. Il ne pouvait pas attendre plus longtemps. Il imaginait les agents du FBI, montant quatre à quatre les escaliers du Newell Simon Hall.

— Le gouvernement a compris ce qui se passait. Maintenant, il veut lui aussi la théorie. C'est pourquoi le FBI vous a mis sous surveillance et qu'ils me traquent depuis seize heures.

Gupta ouvrit les yeux, grimaçant de douleur. Son visage était luisant de sueur.

— Comment savez-vous tout ça ?

— Avant de mourir, Kleinman m'a donné une série de nombres. Il s'est avéré que c'étaient les coordonnées géographiques de votre bureau. Je pense que Kleinman voulait que je sauvegarde la théorie. Que je la mettre à l'abri du gouvernement et des terroristes.

Le professeur regardait fixement le sol et remuait lentement la tête.

— Son pire cauchemar, murmura-t-il. C'était le pire cauchemar de *Herr Doktor.*

David sentit une poussée d'adrénaline.

— De quoi avait-il peur ? Était-ce une arme ?

Il continua à secouer la tête.

— Il ne me l'a jamais dit. Il l'a dit aux autres, mais pas à moi.

— Comment ? Qu'est-ce que vous voulez dire ?

Gupta respira profondément. Avec difficulté, il s'assit et sortit un mouchoir de sa poche.

— Einstein était un homme de conscience, David. Il avait réfléchi longuement avant de choisir les personnes qui pourraient porter ce fardeau. (Il essuya avec son mouchoir la sueur qui perlait sur son front.) En 1954, j'étais marié et ma femme était enceinte de notre premier fils. La dernière chose que *Herr Doktor* voulait était de me mettre en danger. Il morcela donc les équations, qu'il confia ensuite aux autres — Kleinman, Bouchet et MacDonald. Aucun d'eux n'était marié, vous voyez.

Monique, qui était encore agenouillée près de Gupta, lança à David un regard inquiet. David, tout aussi troublé se pencha un peu plus près du vieil homme.

— Pardon, murmura-t-il. Vous dites que vous ne connaissez pas la théorie unifiée ? Pas même une partie ?

Il secoua de nouveau la tête.

— Je sais qu'Einstein a réussi à formuler la théorie et qu'il a décidé de la garder secrète. Mais je ne connais aucune des équations ou des principes sous-jacents. Mes collègues avaient juré à *Herr Doktor* qu'ils n'en parleraient à personne et ils ont tenu parole.

La déception de David était si forte qu'il fut pris de vertige. Il dut s'adosser au mur pour garder son équilibre.

— Attendez, bredouilla-t-il. Cela n'a pas de sens. Le code de Kleinman donnait vos coordonnées. Pourquoi m'a-t-il envoyé ici si vous ne connaissez pas la théorie ?

— Peut-être avez-vous mal interprété ce code. (Gupta avait retrouvé un peu de son sang-froid et il regardait à présent David comme s'il était un étudiant.) Vous avez dit que c'était une séquence numérique ?

— Oui, oui, seize chiffres. Les douze premiers sont la latitude et la longitude du Newell Simon Hall. Les quatre derniers sont votre numéro de téléphone…

David s'arrêta au milieu de sa phrase. Il avait entendu quelque chose. Un rapide cliquetis métallique, peu bruyant mais parfaitement reconnaissable, venant de la porte du local où ils se tenaient. Quelqu'un essayait de tourner la poignée de la porte.

La tête de l'agent Crawford allait et venait au-dessus des écrans de contrôle, son visage anxieux à moins de vingt-cinq centimètres de l'écran. Par son microcasque, il murmurait des instructions à une équipe de deux hommes qui se rendaient dans le bureau d'Amil Gupta. Lucille se tenait derrière lui, contrôlant toute l'activité dans le poste de commande. Ils avaient sécurisé le périmètre du Newell Simon Hall, il n'y avait donc aucune chance que Gupta puisse s'échapper du bâtiment. Cependant, Lucille ne pourrait se relaxer avant de l'avoir localisé.

Sur l'écran de contrôle, elle vit les agents Walsh et Miller se diriger vers la réception du bureau de Gupta. Ils étaient habillés comme des étudiants, en shorts, T-shirts et baskets, avec chacun un gros sac à dos bleu. Ce n'était pas le meilleur déguisement du monde, mais cela devrait faire l'affaire. Le jeune type était toujours assis au bureau de la réception, mais l'étrange tank miniature avait disparu. Un des agents — Walsh, le plus grand — s'approcha de lui.

— Il faut qu'on voie le professeur Gupta ! s'écria-t-il. Il y a le feu dans le laboratoire informatique !

Le garçon ne leva même pas les yeux, fixant le grand écran plat qui occupait presque tout l'espace sur le bureau. Comme la caméra de surveillance était encastrée dans le mur derrière lui, Lucille put voir ce qu'il y avait sur l'écran : un soldat virtuel en uniforme kaki passait en courant devant un blockhaus jaune. Un de ces foutu jeux vidéo.

L'agent Walsh se pencha au-dessus du bureau.

— Hé, t'es sourd ? Y'a urgence ! Où est le professeur Gupta ?

L'adolescent inclina simplement la tête et continua à jouer à son jeu. Pendant ce temps, l'agent Miller se rendit à la porte du bureau de Gupta.

— C'est fermé. Regarde s'il y a un bouton sur le bureau pour ouvrir la porte.

Walsh fit le tour du bureau et poussa le fauteuil du garçon sur le côté. Quand il se pencha pour examiner ce qu'il y avait dessus, sa main heurta le clavier et l'écran de l'ordinateur devint tout noir. L'adolescent bondit aussitôt de sa chaise et se mit à hurler. C'était un cri terrible, désespéré, fou, long et constant. Tout en hurlant, il battait des mains, les secouant sauvagement comme si elles étaient en train de brûler.

— Bon Dieu ! s'écria Walsh, se retournant pour lui faire face. Tu vas la fermer !

Le garçon se raidit et hurla encore plus fort. Et merde ! pensa Lucille en voyant la scène sur l'écran de contrôle. Elle avait déjà vu ce genre de comportement. Une des petites-filles de sa sœur à Houston avait le même problème. Le garçon était autiste.

Elle avança de quelques pas et s'empara du microcasque qui était sur la tête de l'agent Crawford.

— Laissez tomber avec ce garçon ! hurla-t-elle dans le micro. Et ouvrez la porte !

Walsh et Miller, disciplinés, ouvrirent leur sac et en sortirent les outils nécessaires. Walsh plaça le pied-de-biche entre la porte et le chambranle, puis Miller l'enfonça à coups de marteau. Au bout de trois coups, la porte céda et ils pénétrèrent dans le bureau de Gupta. Lucille vit les agents apparaître sur un autre écran, passant à grands pas devant le bureau du professeur pour fouiller la pièce.

— Il n'est pas là, annonça Walsh par radio. Mais il y a une autre porte dans le fond, plus ou moins cachée par une bibliothèque. Devons-nous aller dans cette direction ?

— Évidemment, beugla Lucille.

À côté d'elle, l'agent Crawford cherchait parmi les plans du Newell Simon Hall.

— La porte n'est pas sur les plans. Ce doit être une modification récente.

Lucille le regarda avec dégoût. Il était vraiment bon à rien.

— Je veux que six agents aillent se pointer au quatrième, vous entendez ? Toutes les pièces doivent être fouillées, absolument toutes !

Tandis que Crawford tentait de reprendre sa radio, un des techniciens s'approcha de Lucille avec un listing dans les mains.

— Euh… agent Parker ? Est-ce que je peux vous déranger une seconde ?

— Seigneur ! Quoi encore !

— J'ai… euh… les résultats de la recherche dans la base de données que vous m'avez demandée. J'ai fait passer les images de vidéo surveillance par le système de reconnaissance des visages.

— Bon et alors ! Avez-vous trouvé quelque chose ?

— Euh… oui, je pense que j'ai trouvé quelque chose qui pourrait vous intéresser.

— Eh, y'a quelqu'un là-dedans ?

Tous trois se figèrent en entendant la voix retentissante de l'autre côté de la porte. David, Monique et le Professeur Gupta retinrent leur respiration en même temps, et le seul bruit dans le local fut celui de l'eau qui coulait toujours dans l'évier.

Puis il y eut un coup violent dans la porte, si violent qu'il fit trembler les murs.

— C'est les pompiers ! S'il y a quelqu'un ici, ouvrez !

Gupta se cramponna au bras de David, ses doigts fins s'enfonçant dans son biceps. David pensa de nouveau à Jonah, se rappelant comment son fils s'accrochait à lui quand il avait peur. Gupta montra la porte et le regarda d'un air interrogateur. David secoua la tête. Ce n'était certainement pas les pompiers.

Puis, un bruit métallique se fit entendre dans le couloir. Quelque chose de lourd racla le cadre de la porte. Une seconde plus tard, un fracas retentissant secoua la pièce. Dans l'espace étroit entre la porte et le chambranle, David vit passer l'extrémité fourchue d'une barre de métal.

Monique sortit son revolver de la ceinture de son short et cette fois, David ne l'arrêta pas. Il savait qu'ils n'avaient aucune chance contre les agents du FBI s'ils commençaient à tirer, mais ses pensées n'étaient plus très claires. En fait, il avait l'impression d'être ivre, ivre de peur et de rage. C'était stupide et suicidaire, mais il était trop épuisé pour s'en soucier. Et puis merde, pensa-t-il. On n'a plus le choix.

Heureusement, le professeur Gupta prit les choses en main. Il lâcha David et saisit le bras de Monique, la forçant à baisser son arme.

— Vous n'avez pas besoin de ça, murmura-t-il. J'ai une meilleure idée.

Gupta fouilla dans la poche intérieure de sa veste et en sortit un petit appareil qui ressemblait un peu à un BlackBerry, mais avait à l'évidence une autre fonction. Avec ses petits pouces, il commença à taper rapidement sur le clavier de l'appareil. Sur l'écran miniature s'afficha un plan d'architecte en trois dimensions du Newell Simon Hall avec des icônes clignotantes éparpillées à divers étages. David avait déjà vu ce plan lors de sa visite précédente dans le bureau de Gupta. Le vieil homme l'utilisait pour suivre ses robots à la trace.

Un autre choc énorme ébranla la porte. Le bruit fit sursauter David, mais Gupta resta penché sur son minuscule écran, ses pouces s'agitant frénétiquement. Mon Dieu, pensa David, qu'est-ce qu'il peut bien faire ? Puis vint le troisième coup, le plus fort de tous. Il fut accompagné d'un sourd gémissement métallique, qui indiquait que le cadre de porte en métal était en train de céder sous la pression du pied-de-biche. L'extrémité fourchue dépassait maintenant de plusieurs centimètres dans la pièce et brillait avec un éclat argenté à la lumière des néons. Encore un coup et la porte serait ouverte.

Puis David entendit un bourdonnement familier dans le couloir. C'était le bruit d'un moteur électrique. Et la voix synthétique du Réceptionniste Autonome AR-21 résonna : « Attention ! Alerte ! Des niveaux de radiation dangereux ont été détectés. Évacuez le bâtiment immédiatement… Alerte ! Des niveaux de radiation dangereux ont été détectés. Évacuez le bâtiment immédiatement… »

Une alarme lointaine retentit et des lumières stroboscopiques d'urgence commencèrent à clignoter au plafond. Gupta avait à l'évidence refait les systèmes électriques du bâtiment afin de pouvoir les diriger avec une télécommande. David entendit alors dans le couloir les agents du FBI hurlant des ordres. Puis ils laissèrent tomber leurs outils, qui claquèrent sur le sol, et partirent en courant vers la sortie. Bientôt, le bruit de leurs pas s'évanouit.

Souriante, Monique rangea son revolver et étreignit l'épaule de Gupta. Le vieil homme sourit d'un air modeste et désigna sa télécommande.

— L'alarme était déjà dans le programme, expliqua-t-il. À l'origine, nous avons mis au point ce type de robot pour le ministère de la Défense. Analyse de milieux hostiles. La version militaire s'appelle le Dragon Runner.

David aida Gupta à se relever.

— Nous ferions bien de partir. Les agents seront de retour dans quelques minutes avec leurs compteurs Geiger. (Il emmena le professeur vers le chariot.) Ce n'est pas le moyen de transport le plus confortable, mais il m'a permis de pénétrer dans le bâtiment. Vous n'avez qu'à rester allongé sans parler, d'accord ?

— Vous êtes sûr que c'est une bonne idée ? demanda Gupta. Le FBI me recherche et l'immeuble est certainement encerclé. Vous ne pensez pas qu'ils vont inspecter le chariot de ménage ?

Monique, qui avait déjà déverrouillé la porte, s'arrêta dans son élan.

— Il a raison. On n'y arrivera jamais.

David secoua la tête.

— Nous n'avons pas le choix. Nous devons essayer d'avancer avec le chariot aussi loin que possible, jusqu'à ce que nous ayons dépassé les caméras de surveillance. Puis il ne nous restera plus qu'à tenter notre chance avec…

— Les caméras de surveillance ? l'interrompit Gupta. Elles transmettent leurs informations sans fil, n'est-ce pas ?

— Euh… oui, je suppose, répondit David. Étant donné que c'est une opération secrète, le FBI a certainement évité de faire passer des fils partout.

Gupta sourit à nouveau.

— Avant, je dois faire quelque chose. Emmenez-moi salle 407. Le matériel de brouillage est là-bas. Après cela, nous n'aurons plus besoin du chariot.

— Comment allons-nous sortir du bâtiment ? demanda Monique. Même si les caméras sont hors d'usage, ils ont encore assez d'agents pour surveiller les sorties.

— Ne vous inquiétez pas, je connais un endroit où nous pouvons aller, répliqua Gupta. Mais il faut d'abord aller chercher Michael.

— Michael ?

— Oui, il est assis au bureau de la réception. Il aime y jouer à ses jeux vidéo.

Le garçon handicapé, pensa David. Celui qui gardait les yeux fixés sur l'écran de l'ordinateur au lieu de répondre à Monique.

— Je suis désolé, professeur, mais pourquoi devez-vous…

— On ne peut pas le laisser, David. C'est mon petit-fils.

Lucille étudiait le document qu'elle avait dans les mains. Sur le côté gauche, il y avait l'image d'une des caméras de surveillance montrant une femme de ménage poussant un chariot en toile dans la réception d'Amil Gupta. Sur la droite figurait la page d'un dossier du FBI sur Monique Reynolds, professeur de physique à l'Institute of Advanced Study de Princeton. Le Bureau avait rassemblé pas mal d'informations sur le professeur Reynolds avant l'opération secrète dans sa maison au 112 Mercer Street. Les agents du New Jersey avaient rapporté qu'elle n'avait pas de casier judiciaire, contrairement à sa mère qui avait une longue liste d'arrestations pour drogue, et à sa sœur, une prostituée qui exerçait à Washington D.C. Concernant l'affaire, le professeur Reynolds n'avait apparemment aucune relation avec des assistants d'Einstein ; l'Institut lui avait simplement accordé l'honneur d'habiter au 112 Mercer Street parce qu'elle était une physicienne renommée. Les agents avaient conclu que Reynolds n'avait rien à voir dans l'affaire et avaient recommandé que le Bureau déguise la fouille de sa maison en acte de vandalisme. Il semblait à présent que cette conclusion avait été prématurée.

Elle est jolie, pensa Lucille. Des lèvres pleines, des pommettes hautes, des sourcils arqués. Et à peu près du même âge que David Swift. Tous deux ont été étudiants en physique à la fin des années 1980. Et Princeton, bien sûr, est un des arrêts du train New Jersey Transit que Swift avait pris la nuit dernière. Évidemment, Lucille n'aurait jamais pu deviner cela, néanmoins elle éprouva un sentiment d'humiliation en regardant le portrait de Monique. « Petite salope, murmura-t-elle. Toi et Swift vous avez failli m'avoir. Mais maintenant, je vous tiens. »

Une agitation à l'autre bout du poste de commande interrompit ses réflexions. L'agent Crawford, debout devant les écrans de contrôle, criait dans son casque radio.

— Affirmatif, repli au rez-de-chaussée. Il faut défendre le périmètre.

Lucille posa le listing et regarda Crawford.

— Qu'est-ce qui se passe ?

— Nous avons une alerte radioactive au quatrième étage. Je fais replier tout le monde jusqu'à ce que l'équipe Hazmat arrive.

Lucille se tendit. Radiation ? Pourquoi ne l'ont-ils pas détectée avant ?

— Qui a annoncé ça ? Et de combien de rems parlent-ils ?

Elle attendit avec impatience que Crawford pose ces questions dans sa radio. Après quelques secondes interminables, il donna une réponse.

— C'est une alarme qui s'est mise en route. Celle d'un drone de surveillance, un Dragon Runner.

— Quoi ? Nous n'avons déployé aucun drone de surveillance ici !

— Mais l'agent Walsh a certifié qu'il s'agissait d'un Dragon Runner.

— Je m'en fous. (Lucille fit une pause. Elle se rappelait une chose qu'elle avait vue sur un écran de surveillance quelques minutes auparavant. Un étrange engin qui ressemblait à un tank miniature, roulant sur le sol de la réception de Gupta.) Merde, c'est un des robots de Gupta ! C'est un piège.

Crawford se tenait là, l'air dépassé par les événements. Un piège ? Qu'est-ce que vous…

Elle n'avait pas le temps de lui expliquer. Elle arracha donc de nouveau le microcasque de la tête de Crawford et hurla :

— Tout le monde retourne à son poste ! Il n'y a aucun danger radioactif dans le bâtiment. Je répète, aucun danger radioactif dans…

— Agent Parker ! cria l'un des techniciens. Regardez l'écran numéro 5 !

Lucille se tourna juste à temps pour voir Monique Reynolds pousser un chariot le long d'un couloir. Elle peinait, les deux mains agrippées à la poignée du chariot et le haut du corps presque courbé à l'horizontale. Et, marchant à côté d'elle, l'adolescent autiste de la réception du bureau de Gupta.

Monique passa rapidement devant la rangée de caméras de surveillance, mais Lucille eut tout de même le temps de visualiser sa position. Elle parla de nouveau dans le micro.

— Que toutes les équipes se dirigent dans l'angle sud-ouest du quatrième étage. La cible a été vue dans cette partie. Je répète, l'angle sud-ouest du quatrième étage.

Lucille laissa échapper un long soupir et rendit le micro-casque à Crawford. Très bien, pensa-t-elle, maintenant ce n'est plus qu'une question de temps. Elle regarda la rangée d'écrans de contrôle et vit ses agents se précipiter dans les escaliers du Newell Simon Hall. En moins d'une minute, ils convergeraient vers l'endroit où se trouvait Monique Reynolds et sortiraient Amil Gupta du chariot de ménage. Et peut-être même David Swift, s'il avait été assez stupide pour pénétrer dans le bâtiment avec elle. Ensuite, Lucille pourrait oublier toute cette foutue mission et retourner à son bureau du quartier général, où elle n'aurait pas à se soucier de théories physiques, d'historiens en fugue ou encore de SecDef timbré aux idées à la Buck Rogers[1].

Mais tandis qu'elle rêvait de cet heureux dénouement, toute la rangée d'écrans devint noire.

Après avoir roulé aussi vite que possible pendant quatre heures et demie, Simon atteignit Carnegie Mellon et se dirigea droit vers le Robotics Institute. Dès qu'il eut quitté Ford Avenue, il craignit cependant qu'il ne fût trop tard. Une douzaine d'hommes baraqués en shorts et T-shirts gardaient les entrées de l'immeuble. La moitié d'entre eux fouillaient les sacs à dos et les sacoches des étudiants qui voulaient sortir et l'autre observait attentivement la foule, leurs semi-automatiques dans les holsters à peine dissimulés.

Simon gara rapidement la Ferrari et trouva un poste d'observation derrière un bâtiment voisin. Son intuition avait été juste. David Swift et Monique Reynolds avait voyagé vers l'ouest pour se rendre auprès d'Amil Gupta. Simon connaissait bien Gupta et son travail avec le Dr Einstein ; en fait, quand il avait commencé à s'occuper de cette affaire, il avait naturellement supposé que Gupta serait l'une des cibles au même titre que Bouchet, MacDonald et Kleinman. Mais son client, Henri Cobb, lui avait rapidement fait savoir qu'il était inutile de poursuivre Gupta.

---

1. Bande dessinée américaine de science-fiction créée par Richard Calkins et Philip Francis Nowlan. (*N.d.T.*)

Bien qu'il eût été assistant d'Einstein dans les années cinquante, Gupta n'avait aucune connaissance sur la théorie unifiée. Cobb ne lui avait pas révélé comment il avait découvert ce fait étrange, mais il l'avait déclaré avec une certitude sans équivoque. Aussi était-il assez amusant de voir le peloton d'agents du FBI encercler le Robotics Institute, prêts à s'abattre sur un homme qui ne pourrait malheureusement rien leur dire.

Le problème était que David avait lui aussi supposé que Gupta connaissait la théorie, et les agents fédéraux avaient sans doute déjà mis la main sur lui et sa copine physicienne. Les arracher aux griffes du FBI ne serait pas aisé. Le Bureau avait renforcé la sécurité autour de l'opération ; en plus des agents devant le Newell Simon Hall, il y en avait une douzaine à l'entrée de service et probablement d'autres dans la cabine qui leur servait de poste de commande. (Il l'avait reconnue à la profusion d'antennes sur le toit.) Simon n'était pas découragé pour autant. Il savait que s'il attendait le bon moment, il pourrait créer une diversion. C'était pratique qu'il y ait autant d'étudiants devant les agents. Un bouclier humain pourrait se révéler utile quand il affronterait les hommes du FBI.

Simon sortit une paire de jumelles tactiques afin de pouvoir observer l'opération de plus près. Devant l'entrée de service, un imposant agent brandissant un M-16 se tenait à côté d'une rangée de femmes menottées, en blouses bleu pâle. Simon fit un zoom sur leurs visages : toutes les cinq étaient noires, mais Monique Reynolds ne se trouvait pas parmi elles. Quelques centaines de mètres plus loin, deux autres agents fouillaient dans un chariot de ménage en toile, jetant en l'air comme des fous des journaux, des sacs froissés et des morceaux de bois. En vingt secondes, toutes les ordures furent éparpillées sur le parking, et les agents regardaient au fond du chariot d'un air abattu. Puis une forte femme en chemisier blanc et jupe rouge trotta vers eux et commença à crier. Simon fit le point sur son visage ; il était ridé autour des yeux et très contracté par la frustration. Il ressentit un choc en la reconnaissant : c'était la *babushka* ! La femme aux gros seins qui avait failli le tuer la nuit précédente. Elle semblait en charge de cette opération et l'expression de son visage laissait présager que quelque chose allait de travers. Au moins une des cibles avait dû réussir à s'échapper.

Puis, Simon remarqua un autre essaim d'agents entourant une voiture très particulière. Le compartiment passager du véhicule avait été retiré de son châssis, et à la place, il y avait toute une machinerie surmontée d'une grande parabole argentée. Simon regarda la chose avec étonnement — il avait déjà vu ce véhicule, dans un article de magazine sur les voitures robotisées. Il s'en souvenait très bien parce que la technologie l'avait fasciné. La parabole contenait un scanner laser rotatif conçu pour détecter les obstacles sur le trajet du véhicule. Les hommes du FBI inspectaient minutieusement la voiture, éclairant chaque recoin avec leurs torches électriques. Un agent interrogeait les deux étudiants du Robotics Institute qui expérimentaient l'engin, tandis qu'un autre regardait sous le véhicule, cherchant des passagers clandestins accrochés au châssis. Finalement, les agents laissèrent l'essai se poursuivre, et les étudiants marchèrent derrière la voiture robotisée pour sortir du parking.

Mais quand le véhicule tourna à droite vers Forbes Avenue et se mit à rouler lentement, Simon remarqua quelque chose d'étrange : la parabole argentée n'avait pas tourné en même temps que le véhicule. Le scanner laser ne fonctionnait pas, et pourtant la voiture n'avait pas raté le virage. Elle exécuta une courbe impeccable, gardant bien son axe tout le temps. Simon comprit qu'il ne pouvait y avoir que deux explications : soit le véhicule employait une autre technologie d'évitement des obstacles, soit un conducteur était caché quelque part à l'intérieur.

Souriant, Simon rangea ses jumelles et retourna rapidement à sa Ferrari.

CHAPITRE SEPT

Dans un compartiment obscur et bien caché du Highlander, Amil Gupta était penché sur les commandes. Quatre personnes étaient entassées dans l'espace confiné : David se trouvait coincé entre Monique et Gupta, tandis que Michael, accroupi de l'autre côté du compartiment, jouait avec une Game Boy posée sur ses genoux. Gupta avait prévenu ses compagnons que son petit-fils se mettrait à hurler si on le touchait, aussi David et Monique étaient-ils inconfortablement entrelacés pour maintenir quelques centimètres entre eux et l'adolescent. Les fesses de Monique clouaient la cuisse de David au sol et ses coudes lui entraient dans les côtes. À un moment, l'arrière de sa tête alla cogner le menton de David, et ses dents se refermèrent sur le bout de sa langue, mais il ne broncha pas. Il savait que les agents du FBI étaient juste à l'extérieur du véhicule. Il les voyait sur l'écran qui se trouvait au centre du volant, grâce à une vidéo en direct provenant de l'une des caméras du Highlander.

Le volant ressemblait un peu à celui d'une Formule 1, avec des poignées à gauche et à droite de l'écran central. Gupta appuyait sur la poignée droite pour faire accélérer le véhicule et sur la gauche pour freiner. Par à-coups, il manœuvra le Highlander pour le faire sortir du parking et l'éloigner des agents fédéraux. Quand il tourna dans Forbes Avenue, il laissa échapper un soupir de soulagement.

— Je pense que nous sommes tirés d'affaire, dit-il. Personne ne semble nous suivre.

Gupta resta sur la file de droite de la rue animée, roulant à la vitesse d'un escargot afin que les étudiants puissent suivre le Highlander à pied. David remarqua que la boussole en haut de l'écran indiquait l'est.

— Où allons-nous ? demanda-t-il.

— Je ne sais pas, répondit Gupta. J'essaie juste pour le moment de mettre un peu de distance entre nous et ces messieurs du FBI.

— Allons au parking à l'est du campus, marmonna Monique. C'est là que ma voiture est garée. Je ne peux pas rester enfermée comme ça plus longtemps.

Gupta acquiesça.

— Très bien, mais il va nous falloir quelques minutes pour arriver là-bas. Je pourrais faire accélérer le Highlander, mais cela paraîtrait bizarre si je laissais tomber mes élèves.

Le vieil homme semblait être un expert de la conduite téléguidée. Il n'en était visiblement pas à son coup d'essai.

— Il y a quelque chose que je ne comprends pas, professeur, dit David. Pourquoi avez-vous installé une cabine de pilotage dans un véhicule robotisé ?

— Le Highlander m'a été commandé par l'armée, expliqua Gupta, et elle voulait un véhicule robotisé qui puisse aussi être conduit par des soldats si nécessaire. Le Pentagone ne se fie pas totalement à la technologie, voyez-vous. J'ai contesté cette idée, mais ils ont insisté. Nous avons donc conçu le système de pilotage manuel et l'habitacle à deux places. Nous l'avons installé au centre du véhicule pour maximiser la quantité d'armes embarquées.

— Mais comment se fait-il que les agents du FBI n'aient pas imaginé qu'il pouvait y avoir des gens à l'intérieur ? Ils ne connaissent pas le matériel de l'armée ?

Le professeur ricana.

— À l'évidence, vous n'avez jamais travaillé pour le gouvernement. Tous ces contrats de recherche et de développement sont classés secret défense. L'armée de terre ne dit pas à la Marine ce qu'elle fait, et la Marine ne tient pas non plus au courant l'armée de terre. Tout ça est totalement ridicule.

Le pied droit de David s'engourdissait à cause du poids de Monique sur sa cuisse. Il essaya de bouger un peu sa jambe, en faisant bien attention de ne pas frôler Michael. Les doigts de l'adolescent dansaient sur les touches de la Game Boy, mais le reste de son corps était immobile, en position fœtale. Sur l'écran de son jeu, un soldat faisait feu avec son fusil sur un bâtiment jaune en ruine. David observa l'action pendant quelques secondes, puis se pencha vers Gupta.

— Votre petit-fils semble beaucoup plus calme maintenant, murmura-t-il. Le jeu vidéo produit un grand effet sur lui.

— C'est un des symptômes de l'autisme, dit Gupta. Certaines activités sont privilégiées au détriment de toutes les autres. C'est sa façon de se couper du monde.

Gupta disait cela de façon détachée. Il parlait comme s'il était le médecin du garçon, sans une pointe de regret ou de désespoir. Pour David, cette attitude témoignait d'une grande maîtrise de ses émotions. Il n'aurait jamais pu faire la même chose si Jonah était né autiste.

— Où sont ses parents ?

Le professeur secoua la tête.

— Ma fille est une droguée, et elle ne m'a jamais dit qui était le père de Michael. Le gamin vit avec moi depuis cinq ans.

Gupta gardait les yeux fixés sur l'écran, mais ses mains semblèrent se raidir sur les poignées du volant. Même les hommes les plus rationnels ont leurs faiblesses, pensa David. Plutôt que de le tourmenter davantage, il montra du doigt la Game Boy de Michael.

— C'est le même jeu que sur l'ordinateur de la réception de votre bureau ?

Le professeur acquiesça en hochant vigoureusement la tête, pressé de changer de sujet.

— Oui, c'est un programme appelé Warfighter. L'armée l'utilise pour l'entraînement au combat. Le Robotics Institute a eu un contrat pour développer une nouvelle interface de ce programme, et un jour, Michael est venu dans la salle informatique pendant que nous y travaillions. Il a jeté un œil sur l'écran et depuis, il ne peut plus s'en passer. J'ai essayé de l'intéresser à d'autres jeux vidéo — un jeu de baseball notamment — mais il ne veut jouer qu'à Warfighter.

Monique bougea un peu, libérant de son poids la cuisse de David, mais écrasant sa rotule. Ses fesses étaient fermes et musclées. Malgré la douleur, David sentit du désir monter en lui. Il n'avait pas été aussi proche d'une femme depuis pas mal de temps. Il aurait voulu refermer ses bras autour de sa taille et respirer son parfum, mais ce n'était pas vraiment le bon moment. Il se retourna vers Gupta.

— Votre institut travaille beaucoup pour l'armée, n'est-ce pas ? Le Dragon Runner, le Highlander, le Warfighter ?

Gupta haussa les épaules.

— C'est là qu'il y a de l'argent. Ma fondation dispose de ressources substantielles, mais seul le Pentagone peut financer ce genre de recherches à long terme. Je n'ai jamais travaillé pour l'armement, notez-le bien. La reconnaissance, oui, la simulation de combat, oui. Les armes, jamais.

— Pourquoi pensez-vous que les militaires sont si intéressés par la théorie du champ unifié ? Quel genre d'arme pourrait-on créer à partir d'elle ?

— Je vous l'ai dit, je ne connais pas les détails de la *Einheitliche Feldtheorie*. Mais toute théorie d'unification doit décrire ce qui arrive aux particules et aux forces lorsqu'elles sont soumises à de très hautes énergies. Des énergies comparables à celles qu'il y a dans les trous noirs, par exemple. Et il est fort probable que des phénomènes inattendus puissent survenir dans ces conditions.

Monique remua de nouveau. Son corps était tendu, agité.

— Comment pourrait-on concevoir une arme à partir de ces phénomènes ? demanda-t-elle. Il est impossible de recréer artificiellement de si hautes énergies. Il faudrait un accélérateur de particules grand comme notre galaxie.

— Peut-être que oui, peut-être que non, répondit Gupta. Il est impossible de prévoir les conséquences d'une nouvelle découverte en physique. Regardez la théorie de la relativité de *Herr Doktor*. Après avoir écrit l'article en 1905, il lui fallut plusieurs mois pour comprendre que ses équations conduisaient à la formule $E = mc^2$. Et quarante années de plus ont passé avant que les physiciens utilisent la formule pour faire une bombe atomique.

David hocha la tête.

— Lors d'une conférence de presse dans les années trente, quelqu'un a demandé à Einstein s'il était possible de libérer de l'énergie en fissionnant des atomes. Il a alors complètement rejeté cette idée. Sa réponse exacte fut : « Ce serait comme tirer sur des oiseaux dans le noir dans un pays où il n'y a que peu d'oiseaux. »

— C'est juste. *Herr Doktor* se trompait totalement. Et il n'a certainement pas voulu répéter cette erreur. (Le professeur secoua la tête.) Dieu merci, je n'ai jamais eu à porter le fardeau de la théorie unifiée, mais je savais ce qui était en jeu. Ce n'est pas un problème de physique, c'est un problème de comportement humain. Les hommes ne sont simplement pas assez intelligents pour cesser de s'entre-tuer. Ils utiliseront toujours tous les outils à leur disposition pour anéantir leurs ennemis.

Il se tut lorsque sur l'écran s'afficha l'entrée du parking à l'est du campus, qui était beaucoup plus grand que celui qu'ils venaient de quitter. Le professeur fit franchir l'entrée au Highlander, puis pressa la poignée gauche pour arrêter le véhicule. Il appuya ensuite sur une touche et l'écran afficha alors une vue panoramique du parking.

— Je veux vous montrer quelque chose. Dr Reynolds, pouvez-vous m'indiquer votre voiture sur l'écran, s'il vous plaît ?

Monique allongea le cou pour voir de plus près. Au bout de quelques secondes, elle désigna une Corvette rouge tout au fond, à environ une centaine de mètres.

— C'est celle-là, près de l'autocar dans l'angle.

Gupta toucha l'écran à cet endroit et un X blanc commença à clignoter au-dessus de la Corvette. Puis il appuya sur une autre touche et croisa les bras sur sa poitrine.

— Maintenant j'ai mis le Highlander en pilotage automatique. Regardez l'écran !

Sans que Gupta touche les commandes, le véhicule robotisé commença à avancer lentement sur le parking. Il prit le chemin le plus court vers la Corvette, se déplaçant à environ 25 km/h et se faufilant habilement entre les voitures en stationnement. À mi-parcours, une camionnette recula soudain de son emplacement, à environ trois mètres devant eux. L'écran montra le Highlander se dirigeant droit sur la porte coulissante de la camionnette. David, tendit instinctivement son pied droit, cherchant à l'aveugle une pédale de frein inexistante, mais Gupta garda les bras croisés sur sa poitrine. Aucune intervention n'était nécessaire car le Highlander avait déjà ralenti. Et le véhicule s'arrêta tout seul.

— Remarquable, n'est-ce pas ? dit Gupta en montrant l'écran. Le pilotage automatique est beaucoup plus qu'un simple algorithme. Il implique une analyse de l'environnement et une identification des dangers. C'est un processus de prise de décision extrêmement complexe, et la prise de décision est la clé de l'intelligence et de la conscience. (Il se retourna vers David et Monique.) C'est la raison pour laquelle je suis passé de la physique à la robotique. Je voyais bien que le monde n'évoluait pas vers le rêve de paix universelle de *Herr Doktor*. Et j'ai compris que son rêve ne deviendrait jamais réalité tant qu'il n'y aurait pas un changement fondamental dans la conscience humaine.

La camionnette s'éloigna du Highlander, qui reprit son chemin vers la Corvette. Gupta s'appuya alors contre la paroi du compartiment.

— Je pensais que l'intelligence artificielle pourrait servir de modèle à cette nouvelle conscience. Si nous pouvions apprendre aux machines à penser, nous pourrions comprendre des choses sur nous-mêmes. Je sais que cette approche peut paraître complètement utopique, mais pendant vingt ans, j'ai fondé de grands espoirs sur elle. (Il baissa la tête et soupira. La faible lumière de l'écran de navigation éclaira son visage épuisé.) Tout cela n'a servi à rien. Nos machines ont une intelligence égale à celle d'un termite. Assez pour se déplacer sur un parking, mais pas plus.

Le Highlander arriva à la destination programmée. L'écran de navigation afficha l'arrière de la Corvette de Monique, qui était juste à quelques mètres ; les lettres de sa plaque d'immatriculation personnalisée formaient le mot STRINGS[1]. David se tourna vers Gupta, espérant voir avec lui quelle serait la prochaine étape, mais le vieil homme regardait toujours le sol.

— Quel gâchis ! Quel gâchis ! murmura-t-il en secouant la tête. Pauvre Alastair, le secret l'a rendu fou. Il est retourné en Écosse pour tenter d'oublier les équations que *Herr Doktor* lui avaient confiées, mais il n'a pas pu les effacer de son esprit.

1. Strings : cordes. (*N.d.T.*)

Jacques et Hans étaient plus forts, mais la théorie les a tourmentés aussi.

Monique jeta un œil par-dessus son épaule et échangea un regard avec David. Ils n'avaient pas le temps d'écouter une longue conférence sur le parking. Les agents du FBI étaient à moins de quatre-vingt mètres, et une fois qu'ils auraient inspecté chaque centimètre du Newell Simon Hall, ils allaient à coup sûr étendre le périmètre de leurs recherches. Ils pouvaient même décider d'examiner une seconde fois le Highlander. De nouveau envahi par l'anxiété, David se pencha vers Gupta et toucha le bras du vieil homme.

— Professeur, il faut partir. Comment ouvre-t-on la trappe ?

Gupta leva la tête, mais il avait les yeux dans le vague.

— Vous savez ce que m'a confié Hans la dernière fois que je l'ai vu ? Il m'a dit que cela vaudrait mieux pour tout le monde que Jacques, Alastair et lui laissent la théorie unifiée mourir avec eux. J'ai été choqué de l'entendre dire ça, parce que Hans aimait la théorie plus que quiconque. À chaque découverte majeure en physique, comme celle du quark top ou de la violation de parité, il m'a appelé pour me dire : « Tu vois, *Herr Doktor* l'avait prédit. »

Malgré l'urgence, David ne put s'empêcher de penser à son vieux maître, Hans Kleinman. Il imagina le pauvre homme, solitaire, traînant les pieds dans les rues d'Harlem ouest avec les secrets de l'univers enfermés dans son cerveau fatigué. Pas étonnant qu'il ne se soit jamais marié, qu'il n'ait jamais fondé une famille. Et pourtant, il n'avait pas été totalement seul. Il était resté en relation avec Amil Gupta.

— Quand avez-vous vu le Dr Kleinman pour la dernière fois ? demanda David.

Gupta réfléchit un moment.

— Il y a environ quatre ans, je crois. Oui, oui, quatre ans. Hans venait de quitter Columbia et semblait un peu dépressif, alors je l'ai invité à Carnegie's Retreat. Nous avons passé deux semaines là-bas.

— Carnegie's Retreat ? Qu'est-ce que c'est ?

— Le nom fait paraître l'endroit plus grandiose qu'il ne l'est en réalité. C'est juste une vieille cabane de chasse en

Virginie-Occidentale que possède Carnegie Mellon. L'université la met à disposition des membres du corps enseignant l'été, mais pratiquement personne n'y va. C'est trop isolé.

Une cabane dans les bois ! Kleinman et Gupta y avaient passé quelque temps quatre ans auparavant, mais c'était leur seul lien avec l'endroit. Ni le FBI ni les terroristes ne pouvaient donc le connaître.

— Est-ce qu'il y a des ordinateurs dans cette cabane ?

Gupta sembla étonné par la question. Il leva la main à son menton et tapota ses lèvres avec son index.

— Oui, nous y avons installé un ordinateur pour que Michael puisse jouer à ses jeux. Il avait treize ans à l'époque.

Monique se retourna afin de pouvoir regarder David dans les yeux.

— À quoi penses-tu ? Que Kleinman a caché les équations là-bas ?

Il acquiesça.

— C'est possible. Le code de Kleinman dit que le professeur Gupta a la théorie, pas vrai ? Amil ne connaît pas les équations, mais peut-être que Kleinman les a secrètement introduites dans l'un des ordinateurs du professeur. Kleinman savait qu'il ne pouvait pas utiliser les ordinateurs du Robotics Institute ou de la maison d'Amil Gupta — ce sont les premiers endroits où le gouvernement irait fouiller s'il cherchait la théorie. Cette cabane en Virginie-Occidentale serait une bien meilleure cachette. Personne d'autre que Gupta ne sait que Kleinman est allé là-bas.

Gupta se tapotait toujours les lèvres. Il avait l'air sceptique.

— Je n'ai jamais vu Hans à l'ordinateur à Carnegie's Retreat. Et s'il y a caché la théorie, pourquoi ne me l'a-t-il pas dit ?

— Peut-être a-t-il eu peur que quelqu'un veuille vous questionner. Ou vous torturer.

Avant que Gupta ne puisse répondre, Monique montra du doigt l'écran de navigation du Highlander. Les deux étudiants qui avaient suivi le véhicule depuis le Newell Simon Hall faisaient des signes de la main à la caméra, essayant d'attirer leur attention. L'un était petit et gros, l'autre grand et boutonneux, mais leurs visages exprimaient la même inquiétude.

— Merde, s'écria Monique. Il se passe quelque chose dehors !

Gupta vit aussi l'écran. Il appuya alors sur une autre touche du tableau de bord et la trappe dissimulée tout en haut du Highlander s'ouvrit avec un sifflement. Monique et David sortirent les premiers, puis Gupta aida son petit-fils à s'extraire du véhicule. Aussitôt que les baskets de David touchèrent l'asphalte, il entendit le hurlement des sirènes. Une demi-douzaine de voitures blanc et noir de la police de Pittsburgh dévalaient à toute vitesse Forbes Avenue, se dirigeant vers le Newell Simon Hall. Le FBI avait fait appel à du renfort.

Monique se précipita vers la Corvette et déverrouilla les portes.

— Vite ! Montez dans la voiture ! Il faut partir avant qu'ils bouclent la rue !

David guidait le professeur Gupta et Michael vers la porte du côté passager quand il s'arrêta dans sa course.

— Attendez une seconde ! Nous ne pouvons pas prendre cette voiture. (Il se tourna vers Monique, montrant sa plaque d'immatriculation personnalisée.) Le FBI a certainement visionné ses vidéos de surveillance à l'heure qu'il est. Une fois qu'ils auront découvert qui tu es, tous les flics de Pennsylvanie vont rechercher une Corvette rouge immatriculée STRINGS !

— Qu'est-ce qu'on peut faire d'autre ? répondit Monique. On ne peut pas prendre le Highlander, ils vont le rechercher aussi !

Le grand étudiant boutonneux leva alors la main timidement.

— Euh... professeur Gupta ? Vous pouvez prendre ma voiture si vous voulez. Elle est garée juste là-bas. (Il montra du doigt une vieille Hyundai Accent grise, avec une grosse bosse sur l'aile arrière.)

Monique regardait le véhicule, bouche bée.

— Une Hyundai ? Tu veux que je laisse ma Corvette ici et que je conduise une Hyundai ?

Gupta s'approcha de l'étudiant boutonneux, qui avait déjà sorti les clés de la voiture de sa poche, et lui donna une petite tape dans le dos.

— C'est très généreux de ta part, Jeremy. Nous te rapporterons ta voiture dès que possible. Et pendant ce temps, je pense que toi et Gary devriez quitter la ville durant quelques jours. Prenez un bus pour Finger Lakes, allez faire une randonnée dans les gorges. D'accord, les garçons ?

Les étudiants hochèrent la tête, visiblement contents de rendre service à leur professeur bien-aimé. Jeremy tendit les clés à Gupta, qui les passa aussitôt à David. Mais Monique, toujours debout près de la porte ouverte de la Corvette, regardait sa voiture d'un air accablé, comme si elle ne devait jamais la revoir.

Quand David s'approcha d'elle, elle lui lança un regard plein de reproche.

— J'ai dû économiser pendant sept ans pour pouvoir me payer cette voiture. Sept ans !

Il passa derrière elle pour attraper le sac de voyage, l'ordinateur portable et les sandwiches que Monique avait achetés le matin à l'aire de service de New Stanton. Puis il laissa tomber les clés de la Hyundai dans la main de Monique.

— Allez, montre-moi ce que cette voiture a dans le ventre ! On m'a dit qu'elle avait un bon petit moteur.

De son poste d'observation et muni de ses jumelles, Simon vit quatre silhouettes sortir de la voiture robotisée. Il reconnut immédiatement David Swift, Monique Reynolds et Amil Gupta. La quatrième personne était un mystère — un adolescent dégingandé avec des cheveux noirs et la peau mate. Gupta tournait autour de lui pour le faire sortir du véhicule sans le toucher. Très étrange, se dit-il. Simon fut d'abord tenté de s'attaquer à eux directement, mais ce parking n'était pas le champ d'opération idéal. Trop à découvert, trop visible. De plus, les agents du FBI se trouvaient à proximité, et des escadrons de voitures de la police locale convergeaient vers le campus. Il valait mieux attendre une meilleure occasion.

Les quatre silhouettes se dirigèrent d'abord vers la Corvette de Monique (Simon en avait eu une description complète par Keith, le garagiste qu'il avait liquidé), mais après avoir discuté brièvement avec deux jeunes hommes, les quatre personnes s'étaient entassées dans une voiture grise cabossée. Le véhicule sortit en trombe du parking et tourna à droite dans Forbes Avenue. Simon les laissa prendre une centaine de mètres d'avance avant de les suivre avec sa Ferrari. Il avait décidé de ne pas leur tirer dessus avant d'avoir atteint une portion de route suffisamment retirée. Après avoir roulé pendant environ un kilomètre, la voiture tourna de nouveau à droite dans Murray Avenue. Ils s'engageaient donc vers le sud.

Karen pensait que Jonah dormait encore. Elle l'avait couché dès leur retour des bureaux du FBI ce matin, et lorsqu'elle était retournée dans sa chambre quelques heures plus tôt, il était toujours étendu sous sa couette Spider-Man, le visage enfoui dans un oreiller rouge et bleu. Mais alors qu'elle s'apprêtait à quitter la pièce, il se tourna sur le côté et la regarda.

— Où est Papa ?

Elle s'assit au bord de son lit et repoussa les cheveux blonds qui lui couvraient les yeux.

— Hé, mon petit cœur. Tu vas mieux maintenant ?

Jonah fronça les sourcils et repoussa la main de sa mère.

— Pourquoi la police le recherche ? Est-ce que Papa a fait quelque chose de mal ?

« Bon, se dit Karen. Ne lui donne pas trop d'informations. Essaie d'abord de voir ce qu'il sait déjà. »

— Qu'est-ce que les agents t'ont dit la nuit dernière ? Après t'avoir séparé de moi, je veux dire ?

— Ils ont dit que papa avait des problèmes. Et ils m'ont demandé s'il avait des petites amies. (Il s'assit dans le lit et repoussa la couette avec ses pieds.) Ils sont en colère contre papa ? Parce qu'il a une petite amie ?

Karen secoua la tête.

— Non, chéri, personne n'est en colère. Ce qui s'est passé cette nuit est simplement une erreur, d'accord ? Ces agents se sont trompés d'appartement.

— Ils avaient des pistolets. Je les ai vus. (Les yeux de Jonah s'écarquillèrent en y repensant. Il s'agrippa à la manche de

Karen et mit le tissu en boule dans son poing.) Est-ce qu'ils vont tirer sur Papa quand ils vont le trouver ?

Elle prit Jonah dans ses bras et le serra contre elle, le menton de son fils sur son épaule gauche. Il commença alors à sangloter, sa petite poitrine se soulevant contre la sienne, et Karen se mit aussi à pleurer. Ils partageaient la même crainte. Des hommes armés recherchaient David, et tôt ou tard ils le trouveraient. Ses larmes glissèrent sur ses joues et tombèrent sur le dos de Jonah.

Tandis qu'elle berçait son fils sur ses genoux, ses yeux tombèrent sur le tableau accroché au mur à côté du lit. C'était un dessin du système solaire que David avait fait pour Jonah deux ans auparavant, juste avant de quitter l'appartement. Sur une grande affiche jaune, il avait dessiné le soleil et toutes les planètes, ainsi que la ceinture d'astéroïdes et quelques étoiles filantes. David avait travaillé à ce tableau pendant des heures, dessinant avec soin les anneaux de Saturne et la grande tache rouge de Jupiter. Karen se souvint qu'elle avait alors éprouvé de l'amertume en voyant tout le temps qu'il y consacrait ; il voulait bien passer toute une journée à faire un dessin pour Jonah, mais il ne pouvait pas prendre cinq minutes pour parler avec sa femme, alors même que leur mariage s'effondrait. Avec le recul, cependant, elle se rendait compte que David n'avait finalement pas été aussi insensible qu'elle l'avait jugé. Il avait simplement battu en retraite devant l'inévitable. Plutôt que de s'engager dans une nouvelle discussion stérile, il avait préféré se pencher sur l'affiche jaune et faire quelque chose qu'il aimait.

Au bout d'une minute ou deux, Karen essuya ses larmes. « Allez, pensa-t-elle, assez pleuré. Il est temps de passer à l'action. » Elle prit Jonah par les épaules, le tint à bout de bras et le fixa dans les yeux.

— Bon, écoute-moi. Habille-toi vite !

Il la regarda d'un air troublé, les joues gonflées et rouges.

— Pourquoi ? Où on va ?

— Nous allons aller voir une de mes amies. Elle peut nous aider à réparer cette erreur, comme ça Papa n'aura plus de problèmes. Tu veux bien ?

— Comment elle peut réparer ? Est-ce qu'elle connaît la police ?

Karen posa la main sur son dos pour l'inciter à se lever.

— Allez, habille-toi ! Nous en parlerons en route.

Pendant que Jonah ôtait son pyjama, elle se dirigea vers sa chambre pour enfiler un de ses tailleurs de femme d'affaires. Peut-être le Donna Karan gris, qu'elle avait l'habitude de porter pour les négociations de contrats. Si elle voulait mener à bien son projet, il fallait au moins qu'elle ait l'air respectable.

Mais à peine était-elle sortie de la chambre de Jonah, que la sonnette retentit. Elle se figea un moment, se rappelant comment les agents du FBI avaient pénétré dans l'appartement la nuit précédente. Avec précaution, elle s'approcha de la porte d'entrée et regarda par le judas.

C'était Amory. Il se tenait sur le paillasson dans son costume de travail gris, l'air anxieux et fatigué. Un tampon de gaze sur son front recouvrait la coupure qu'il s'était faite lorsque les agents fédéraux l'avaient plaqué au sol. Il avait un téléphone portable à l'oreille et il hocha plusieurs fois la tête, mettant apparemment un terme à une conversation.

Karen ouvrit la porte. Amory éteignit aussitôt son téléphone et entra dans l'appartement.

— Karen, le procureur veut te parler. Il faut que tu viennes tout de suite avec moi.

Elle fronça les sourcils.

— Quoi ? Tu es fou ? Je ne vais certainement pas retourner là-bas !

— Ce n'est pas le FBI, c'est le procureur. Il veut te présenter ses excuses pour la conduite de ses agents la nuit dernière. (Il montra le tampon de gaze au-dessus de son sourcil.) Il m'a déjà fait part de son regret pour le mauvais traitement que j'ai subi.

— Des excuses ? (Karen secoua la tête, abasourdie.) S'il veut présenter des excuses, il devra venir ici pour le faire ! Il devra se mettre à genoux et demander pardon à mon fils ! Et ensuite il devra se pencher pour que je puisse lui botter le cul.

Amory attendit qu'elle ait fini.

— Il a aussi de nouvelles informations concernant l'affaire de ton ex-mari. Ils ont identifié un de ses complices. C'est un professeur de Princeton qui s'appelle Monique Reynolds.

— Jamais entendu parler d'elle. Et il n'y a pas de trafic de drogue, Amory. Je te l'ai dit, c'est une histoire qu'ils ont inventée de toutes pièces.

— Je crains que tu ne te trompes. Cette Reynolds est une femme noire de Washington, et elle a des rapports certains avec le commerce de la drogue. Sa mère est une toxico et sa sœur une prostituée.

Karen fit un large geste de la main.

— Et alors ? Ça ne prouve absolument rien. Ils continuent à inventer des histoires.

— Ils ont vu cette femme avec lui, Karen. Tu es sûr que David n'en a jamais parlé ?

Amory la regardait fixement, observant ses yeux. Au bout de quelques secondes, elle commença à voir clair dans le jeu du FBI. Ils voulaient jouer la carte de la petite amie pour éveiller sa jalousie et qu'elle trahisse son ex-mari. Mais pourquoi Amory continuait-il à l'observer si attentivement ?

— Qu'est-ce qui se passe ? demanda-t-elle. C'est un interrogatoire ?

En guise de réponse, il ricana, mais son rire était forcé.

— Non, non, je suis simplement en train d'établir les faits. C'est ce que font les avocats, nous...

— Mon Dieu ! Moi qui croyais que tu étais de mon côté !

Il fit un pas vers elle et posa la main sur son épaule. Il pencha légèrement la tête et lui fit un sourire paternel, celui qu'il réservait habituellement à ses jeunes associés dans son cabinet d'avocats.

— S'il te plaît, calme-toi. Bien sûr que je suis de ton côté. J'essaie juste de rendre les choses un peu plus faciles pour toi. J'ai quelques amis qui souhaitent nous apporter leur aide.

Il lui caressa le bras, mais ce geste lui donna la chair de poule. Le vieux salaud était de mèche avec le FBI. Ils l'avaient acquis à leur cause. Elle repoussa sa main.

— Je n'ai pas besoin de ton aide, d'accord ? Je peux prendre soin de moi toute seule.

Le sourire d'Amory disparut.

— Karen, s'il te plaît, écoute-moi. C'est une affaire extrêmement sérieuse, dans laquelle des gens très importants sont impliqués. Tu ne veux pas qu'ils deviennent des ennemis, n'est-ce pas ? Ce ne serait pas bon ni pour toi ni pour ton fils.

Elle le contourna et alla ouvrir la porte d'entrée. Elle ne pouvait pas croire qu'elle avait couché avec ce connard.

— Tu peux aller dire à tes amis qu'ils aillent se faire foutre, dit-elle en lui montrant la porte.

Avec un air condescendant, il sortit de l'appartement en essayant tant bien que mal de garder sa dignité.

— Si j'étais toi, je ferais attention, dit-il froidement. Je ne ferais rien d'imprudent.

Karen claqua la porte. Elle projetait justement de faire quelque chose de très imprudent...

Assis à sa table dans son bureau de l'aile ouest de la Maison Blanche, le vice-président avalait sans plaisir son dîner, un petit morceau de blanc de poulet tout sec entouré de carottes cuites à la vapeur. Depuis sa quatrième attaque cardiaque, les chefs cuisiniers ne lui servaient plus que des plats fades et pauvres en graisse, comme celui-ci. Durant la première année, il avait accepté stoïquement ce nouveau régime ; le souvenir des douleurs qui lui enserraient la poitrine était encore suffisamment vif pour qu'il ne s'écarte pas des prescriptions. Mais le temps passant, cela lui devint de plus en plus pénible. Il rêvait d'un bon gros steak saignant ou d'une queue de homard large comme son poing arrosée de beurre fondu. La privation quotidienne de bonne cuisine le mettait de mauvaise humeur, le rendant cassant avec ses assistants et son escorte des Services Secrets. Il continuait néanmoins à servir son pays. Les Américains comptaient sur lui. Le président était un crétin, un homme de paille sans cervelle qui avait juste été capable de gagner les élections. Sans les conseils et l'orientation du vice-président, toute l'administration irait droit dans le mur.

Alors qu'il mastiquait son poulet totalement dépourvu de saveur, il entendit frapper à la porte. Son chef d'état-major entra dans le bureau, mais avant qu'il ait pu dire un mot, le secrétaire à la Défense se précipita dans la pièce, sa tête carrée baissée comme un bélier en train de charger.

— Il faut absolument que nous parlions, déclara-t-il.

Le vice-président fit signe à son chef d'état-major de quitter le bureau et de fermer la porte derrière lui. Le SecDef passa à grands pas devant le groupe de fauteuils capitonnés regroupés au centre de la pièce, manquant renverser une lampe Tiffany qui se trouvait au bout de la table. L'homme était impétueux, irascible et présomptueux, mais il était un des rares membres de l'administration en qui le vice-président avait confiance. Ils travaillaient ensemble depuis la présidence de Nixon.

— Qu'est-ce qui se passe encore ? demanda le vice-président. Une autre explosion à Bagdad ?

Il secoua la tête.

— Nous avons un problème avec l'Opération Shortcut.

Le vice-président poussa son assiette sur le côté. Il ressentit un élancement au milieu de la poitrine.

— Je croyais que tout était sous contrôle.

— C'est la faute de ce foutu FBI. Ils ont encore échoué. (Le secrétaire retira ses lunettes et battit l'air avec.) Ils ont d'abord laissé filer un détenu parce qu'ils l'avaient emmené dans un endroit mal sécurisé, et puis une autre cible à cause d'une négligence de la surveillance. Maintenant, les deux hommes sont en fuite et le Bureau ne sait absolument pas où ils sont !

L'élancement dans la poitrine du vice-président s'accentua. Comme si une punaise s'enfonçait sous son sternum.

— Qui sont ces cibles ?

— Ce sont des professeurs, probablement des ultralibéraux totalement cinglés. Je ne serais pas surpris s'ils travaillaient pour Al-Qaida. Ou peut-être qu'ils sont financés par les Iraniens. Le Bureau n'a évidemment aucune piste. Le directeur a mis une femme en charge de l'opération... c'est sans doute en partie le problème.

— Quel est son nom ?

— Parker, Lucille Parker. Je ne sais pas grand-chose d'elle, hormis qu'elle est du Texas. Cela explique tout. Elle est probablement en relation avec le Cowboy-en-Chef, dit-il en faisant un signe de tête en direction du bureau ovale.

Le vice-président but une gorgée d'eau, espérant que cela apaiserait sa douleur dans la poitrine. L'Opération Shortcut avait commencé environ deux semaines auparavant quand la NSA[1] avait repéré quelque chose d'anormal au cours de sa surveillance du réseau Internet. C'était un e-mail plein de signes cryptés et d'étranges équations, provenant d'un ordinateur se trouvant dans une institution psychiatrique de Glasgow, en Écosse. Dans un premier temps, la NSA l'avait considéré comme le travail d'un fou, mais par curiosité, un des analystes de l'agence avait commencé à l'étudier de plus près. Il s'avéra alors que l'auteur du message était un ancien physicien qui avait jadis travaillé avec Albert Einstein. Les équations ne représentaient qu'un fragment d'un ensemble plus vaste, mais elles étaient suffisamment importantes pour convaincre la NSA de constituer un groupe d'intervention spéciale afin de trouver le reste. L'avis des experts était que cette théorie pourrait peut-être donner aux États-Unis une nouvelle arme de destruction massive dans la guerre contre le terrorisme.

S'il y avait une chose que le vice-président avait apprise durant ses quarante années au gouvernement, c'est que les fonctionnaires sont incapables d'agir rapidement. Avant que le groupe d'intervention de la NSA se soit mis au travail, trois des quatre cibles pouvant fournir des renseignements étaient mortes. Un gouvernement étranger ou un groupe terroriste était aussi à la recherche de la théorie, et les experts du contre-terrorisme disaient que si elle tombait entre de mauvaises mains, les conséquences pourraient être désastreuses. Selon la note de service du directeur de la NSA, elles pourraient reléguer le 11-Septembre au rang d'accident mineur.

— Alors, quel est votre plan ? demanda le vice-président. Je suppose que vous avez une bonne raison de venir dans mon bureau ?

---

1. National Security Agency : Agence de Sécurité Nationale. (*N.d.T.*)

Le secrétaire hocha la tête.

— J'ai besoin d'un ordre émanant directement de l'exécutif. Je veux déployer la Force Delta sur le territoire national. Je veux qu'ils surveillent les frontières et poursuivent activement les cibles. C'est le moment pour le Pentagone de prendre la direction des opérations.

Le vice-président réfléchit un moment. Techniquement, le Posse Comitatus Act[1] interdit aux unités armées de prendre part à des opérations civiles sur le sol des États-Unis. Cependant, des exceptions peuvent être faites au cas où la sécurité nationale serait en jeu.

— En admettant que j'accepte, en combien de temps pouvez-vous ramener vos hommes aux États-Unis ?

— Les troupes sont actuellement dans l'ouest de l'Irak. Elles peuvent être rapatriées chez nous en moins de douze heures.

À exactement six heures du soir, alors qu'ils roulaient sur la Route 19 à travers les paysages vallonnés de la Virginie-Occidentale, le bruit des coups de feu provenant de la Game Boy de Michael cessèrent brusquement. L'appareil émit alors un petit son aigu, puis une voix synthétique annonça : « C'est l'heure du dîner. » David regarda par-dessus son épaule et vit Michael lever la tête et se tourner vers le professeur Gupta, qui somnolait près de son petit-fils.

— C'est l'heure de dîner, grand-père.

C'étaient les premiers mots que David l'entendait prononcer. Sa voix était aussi tranchante et dépourvue d'émotion que celle de la Game Boy. David remarqua la ressemblance entre Michael et Gupta — ils avaient les mêmes sourcils épais, les mêmes cheveux indisciplinés –, mais les yeux de l'adolescent étaient vitreux et son visage sans expression.

— C'est l'heure de dîner, grand-père, répéta-t-il.

---

1. Loi américaine adoptée le 16 juin 1878 visant à interdire le recours à l'armée pour des opérations de maintien de l'ordre sur le territoire national. (*N.d.T.*)

Gupta cligna des paupières et se gratta la tête. Il se pencha en avant, regardant d'abord Monique, qui conduisait la Hyundai, puis David.

— Excusez-moi, dit-il. Vous n'auriez pas quelque chose à manger ?

David hocha la tête.

— Nous avons acheté quelques trucs ce matin. (Il prit le sac en plastique contenant les provisions que Monique avait trouvées à l'aire de service de New Stanton.) Voyons ce qu'il reste.

Pendant qu'il fouillait dans le sac, Monique quitta la route des yeux un moment et regarda dans le rétroviseur. Depuis trois heures, elle scrutait nerveusement la route pour voir s'il n'y avait pas de voitures de police derrière eux ; mais cette fois-ci son regard se porta sur Gupta et son petit-fils.

— Le jeu vidéo lui dit quand il faut manger ?

— Oui, répondit Gupta, nous avons programmé le Warfighter pour qu'il s'arrête automatiquement pendant une demi-heure aux heures des repas. Et il s'éteint le soir, bien sûr. Sinon, Michael continuerait à jouer jusqu'à ce qu'il s'écroule.

David trouva un sandwich à la dinde au fond du sac.

— Est-ce que votre petit-fils aime la dinde ?

Gupta fit un signe négatif de la tête.

— Non, je crains que non. Avez-vous quelque chose d'autre ?

— Pas grand-chose. Juste un paquet de chips et quelques gâteaux secs.

— Ah, il aime les chips ! Mais seulement avec du ketchup. Il ne mange des chips que s'il y a exactement deux gouttes de ketchup dessus.

Sous le sandwich à la dinde, David trouva quelques sachets de ketchup que Monique avait par chance mis dans le sac. Il les passa au professeur Gupta avec le paquet de chips.

— C'est parfait, dit le professeur. Vous voyez, Michael est très sélectif dans son alimentation. C'est un autre symptôme de l'autisme.

Pendant que Gupta ouvrait le paquet de chips, Monique jeta de nouveau un coup d'œil dans le rétroviseur. Ses lèvres pincées en une fine ligne manifestaient sa désapprobation. Des chips et du ketchup, ça ne faisait pas beaucoup pour un dîner !

— Est-ce que vous vivez seul avec Michael, professeur ? demanda-t-elle.

Gupta sortit une chips du sac et fit tomber une goutte de ketchup dessus.

— Oui, on n'est que tous les deux. Ma femme est morte il y a vingt-six ans.

— Quelqu'un vous aide-t-il à vous occuper de votre petit-fils ? Une aide à domicile ?

— Non, nous nous débrouillons tout seuls. Il ne pose pas vraiment de problème. Il faut simplement se conformer à ses manies. (Gupta fit tomber une autre goutte de ketchup sur la chips et la tendit à son petit-fils.) Bien sûr, les choses seraient plus faciles si ma femme était encore en vie. Hannah savait bien s'y prendre avec les enfants. Elle aurait aimé Michael de tout son cœur.

David ressentit de la sympathie pour le vieil homme. Il se souvint que lors de son entretien pour *On the Shoulders of Giants*, Gupta lui avait raconté la longue série de tragédies personnelles qu'il avait eu à vivre après avoir travaillé avec Einstein. Son premier enfant, un fils, était mort d'une leucémie à l'âge de douze ans. Quelques années plus tard, Hannah Gupta donna naissance à une fille, mais celle-ci fut gravement blessée dans un accident de voiture. Et en 1982, juste après que le professeur eut abandonné la physique et créé sa société de logiciels qui allait le rendre riche, sa femme était morte d'une attaque à l'âge de quarante-neuf ans. À un moment de son entretien, Amil avait montré sa photo — une beauté d'Europe de l'Est, mince, avec des cheveux noirs et un air grave.

Gupta lui avait raconté quelque chose d'autre durant cet entretien, quelque chose de vaguement dérangeant, mais David ne se rappelait plus très bien. Il se tourna vers le professeur.

— Votre femme, elle fut également étudiante à Princeton, n'est-ce pas ?

Le vieil homme leva les yeux tout en faisant couler du ketchup sur une autre chips.

— Non, pas exactement. Elle assistait à certains séminaires au département de physique, mais elle ne fut en réalité jamais inscrite comme étudiante. Bien qu'elle fût dotée d'un brillant esprit scientifique, la guerre l'a contrainte à interrompre ses études et elle n'a pu obtenir par la suite les certificats académiques nécessaires.

À présent, David se souvenait. Hannah Gupta était une survivante de l'Holocauste. Elle faisait partie des réfugiés juifs qu'Einstein avait aidés à venir à Princeton après la Seconde Guerre mondiale. Einstein avait essayé de sauver le plus de juifs européens qu'il avait pu, se portant garant d'eux pour leur immigration aux États-Unis et leur trouvant du travail dans les laboratoires de l'université. C'est ainsi qu'Amil et Hannah s'étaient rencontrés.

— Oui, j'ai quelques très bons souvenirs de ces séminaires, continua Gupta. Hannah était assise au fond de la salle et tous les hommes la regardaient du coin de l'œil. Il y avait une vraie compétition parmi nous pour attirer son attention. Jacques et Hans étaient également sur les rangs.

— Vraiment ? (David était intrigué. Gupta n'avait pas parlé de cette rivalité amoureuse entre les assistants d'Einstein lors de leur entretien précédent.) La compétition a-t-elle été rude ?

— Oh, pas vraiment ! J'étais fiancé à Hannah avant même que Jacques et Hans aient eu le courage de lui parler. (Le professeur sourit d'un air songeur.) Nous sommes tous restés amis, grâce à Dieu. Hans fut le parrain de mes deux enfants. Il se montra particulièrement attentionné envers ma fille quand Hannah est morte.

Fascinant, pensa David. S'il avait connu cette histoire plus tôt, il aurait pu l'inclure dans son livre. David se rendit compte aussitôt de la stupidité de cette réflexion. La découverte d'Einstein de la théorie du champ unifié constituait une omission beaucoup plus importante !

Quelques kilomètres plus tard, ils tournèrent à l'ouest, sur la County Highway 33, une petite route qui serpentait au milieu des collines. Bien qu'il restât encore une heure avant la tombée de la nuit, les coteaux escarpés et boisés maintenaient la route dans l'ombre. De temps en temps, ils passaient devant une vieille caravane délabrée ou une voiture abandonnée rouillant sous les arbres, mais c'étaient les seuls signes de civilisation. La route était déserte, hormis la Hyundai et une voiture de sport jaune à environ cinq cents mètres derrière eux.

Monique jeta de nouveau un œil dans le rétroviseur. Le professeur Gupta mettait une autre chips tachetée de ketchup dans la bouche de l'adolescent, comme s'il nourrissait un oisillon. David semblait trouver le spectacle touchant, mais Monique secouait la tête en les regardant.

— Où est passée votre fille, professeur ? demanda-t-elle.

Le visage du vieux monsieur se contracta.

— À Columbus, en Géorgie. C'est une ville parfaite pour les drogués, parce que Fort Benning n'est pas loin. Il y a plein de méthamphétamine pour les soldats.

— Avez-vous essayé de l'envoyer en cure de désintoxication ?

— Oh oui ! J'ai essayé. Plus d'une fois. (Il baissa la tête et regarda en fronçant les sourcils le sachet de ketchup dans sa main, plissant le nez comme s'il avait senti quelque chose de pourri.) Elizabeth est une femme très têtue. Elle était aussi brillante que sa mère, mais elle a abandonné le lycée prématurément. Elle a quitté la maison à quinze ans et depuis, elle vit dans la misère. Je ne vous dirai jamais ce qu'elle fait pour vivre, c'est trop humiliant. Même si Michael n'était pas autiste, je l'aurais pris avec moi.

Les sourcils de Monique s'abaissèrent et un pli vertical s'inscrivit entre eux. Durant les dernières vingt-quatre heures, David avait appris à décrypter cette expression. Sa colère était surprenante — il pensait que le fait que sa mère était héroïnomane l'aurait rendue plus compréhensive vis-à-vis des problèmes du professeur Gupta. Mais ce n'était pas le cas. Elle semblait avoir envie d'attraper le professeur par le col de sa chemise.

— Votre fille n'acceptera pas de se faire soigner si vous êtes le seul à lui proposer, dit-elle. Il y a trop d'amertume entre vous. Il faut que quelqu'un d'autre intervienne.

Gupta se pencha en avant et plissa les yeux. À présent, il paraissait lui aussi en colère.

— J'ai déjà essayé. J'ai demandé à Hans d'aller en Géorgie, de lui parler et de tenter de la raisonner. Il s'est rendu dans le taudis où vivait Elizabeth, a jeté toutes ses drogues et l'a inscrite dans un centre de désintoxication. Il lui a même trouvé un travail de secrétariat pour un des généraux en poste à Fort Benning. (Il pointa son doigt vers le reflet de Monique dans le rétroviseur.) Et savez-vous combien de temps cela a duré ? Deux mois et demi. Et puis elle a rechuté ; elle a perdu son travail et a cessé le traitement médical. C'est à ce moment que Michael est venu vivre définitivement avec moi.

Le vieil homme se laissa retomber sur le dossier de son siège en soupirant. Michael était assis à côté de lui, attendant patiemment la chips suivante. Le professeur en sortit une du sac, mais ses mains tremblaient tellement qu'il ne put faire sortir une goutte de ketchup du sachet. David s'apprêtait à lui demander s'il avait besoin d'aide quand la voiture de sport jaune qu'il avait vue une minute avant les dépassa en trombe. Elle roulait au moins à 130 km/h sur la route sinueuse, empruntant la voie opposée alors même que c'était interdit.

— Mon Dieu ! cria-t-il, effrayé. Qu'est-ce que c'était que ça ?

Monique se pencha en avant pour mieux voir.

— Ce n'est pas une voiture de police. À moins que les flics de Virginie-Occidentale roulent en Ferrari.

— Une Ferrari ?

Elle hocha la tête.

— Et une belle en plus. Un coupé Maranello 575. Il n'y en a que cinquante dans tout le pays. Elle coûte au moins trois fois le prix de ma Corvette.

— Comment tu sais tout ça ?

— Le doyen de l'école d'ingénieur de Princeton en a une. Je la vois chaque fois que je vais au garage de Keith. C'est une voiture de rêve, mais qui tombe en panne très régulièrement.

La Ferrari franchit à nouveau la ligne médiane, revenant sur la voie de droite. Mais au lieu de filer, la voiture commença à ralentir. Sa vitesse descendit à 110, 100, puis 80 km/h. Quelques secondes plus tard, elle avançait à 50 km/h juste à une dizaine de mètres devant eux mais Monique ne pouvait pas la doubler à cause des virages qui empêchaient la visibilité.

— Qu'est-ce qui lui prend à ce gars ? dit David. D'abord il nous double comme un fou et maintenant il se traîne.

Monique ne répondit pas. Elle étira son cou au-dessus du volant et examina la Ferrari, qui descendait lentement la colline. Au bout de quelques secondes son visage se crispa.

— La plaque d'immatriculation est du New Jersey, dit-elle d'une voix à peine audible.

Arrivée au bas de la colline, la Ferrari accéléra à nouveau et fila à une centaine de mètres. Puis le conducteur freina brusquement et la voiture s'arrêta devant un pont à voie unique, leur bloquant le passage.

L'opération était complexe. Simon devait capturer quatre personnes dans un véhicule en mouvement sans les blesser ou attirer l'attention. Il songea d'abord à faire sortir la Hyundai de la route, mais celle-ci était bordée des deux côtés de bois touffus et il savait que leur voiture se plierait comme un accordéon si elle percutait un arbre. Il lui faudrait beaucoup plus de temps pour extraire les occupants de l'épave que pour les interroger. Non, il devait d'abord les ralentir.

Simon vit l'occasion idéale quand il aperçut un pont à voie unique qui traversait une rivière peu profonde. Il freina brusquement pour mettre la Ferrari en travers de la route, prit son Uzi et bondit de la voiture. Il fit reposer le canon du fusil sur le capot de la Ferrari et visa la Hyundai qui approchait. Dès que la voiture aurait suffisamment ralenti pour faire demi-tour, il tirerait dans les pneus, et le tour serait joué. Le véhicule était déjà si près qu'il pouvait distinguer tous ses occupants, y compris l'adolescent dégingandé à l'arrière. « C'est une bonne chose qu'ils aient emmené le gosse » pensa-t-il. Il projeta de s'en prendre d'abord au garçon pour rendre les autres plus coopératifs.

David repéra un mouvement au bout de la Ferrari. Il aperçut alors un grand type au crâne rasé, portant un T-shirt noir et un pantalon de camouflage, accroupi derrière la voiture. Sa tête était penchée sur le côté avec un œil ouvert, regardant fixement le bout du canon d'une mitrailleuse noire à canon court. Une vague de terreur envahit la poitrine de David. C'était comme s'il sentait déjà les balles pénétrer dans son cœur. Son dos se raidit contre le siège et sa main droite agrippa l'accoudoir de la portière. Mais ses yeux restèrent fixés sur le tireur derrière la Ferrari. Il remarqua alors que l'arme n'était pas pointée sur eux. Elle était dirigée un peu plus bas, vers les pneus de la Hyundai.

Monique vit à son tour l'homme.

— Merde ! cria-t-elle. Il faut faire demi-tour.

Son pied lâcha la pédale d'accélérateur, mais avant qu'elle ait pu appuyer sur celle du frein, David lui attrapa le genou.

— Non, ne ralentis pas ! Il va tirer dans les pneus !

— Qu'est-ce que tu fous ? Laisse-moi !

— Prends par là. (Il désigna une trouée dans les arbres sur le côté gauche de la route, un sentier rocailleux et envahi de mauvaises herbes menant à la rivière.) Accélère ! Fonce !

— T'es cinglé ? Nous ne pouvons…

Trois claquements métalliques retentissants secouèrent la Hyundai quand une rafale de mitrailleuse transperça le pare-chocs avant. Sans plus discuter, Monique appuya sur l'accélérateur et fonça de l'autre côté de la route.

Une autre rafale atteignit l'arrière de la Hyundai, tandis qu'un monticule de terre la faisait tanguer et que la pente l'emportait sur l'étroit sentier. Monique s'agrippa au volant et jura de toutes ses forces pendant que David, Amil et Michael bondissaient sur leurs sièges et que la voiture sonnait comme une valise pleine d'argenterie. Ils roulèrent à toute allure sur les touffes de mauvaises herbes et les pierres. Une seconde plus tard, ils traversaient en glissant le cours d'eau peu profond, emportés par leur élan au-dessus du lit rocailleux de la rivière. Dans de grandes gerbes d'eau, ils atteignirent l'autre rive et Monique accéléra. Le moteur rugit de protestation, mais la voiture grimpa comme un cabri et retrouva le sentier ramenant à la route. David regarda alors dans le rétroviseur latéral et vit l'homme chauve debout sur le pont, la crosse de la mitrailleuse toujours calée contre son épaule. Mais au lieu de tirer, il se rua vers la Ferrari et sauta dedans.

— Mieux vaut filer, cria David. Il nous poursuit !

C'était un sentier pour les canoéistes. Les Américains privilégiés pouvaient ainsi amener leurs 4×4 au bord de la rivière et faire glisser leurs bateaux dans l'eau. Simon se maudit de ne pas l'avoir remarqué plus tôt.

Quand il retourna à la Ferrari et démarra, il décida de revoir sa stratégie. Plus de tentatives ingénieuses pour capturer ses proies indemnes. Il suffisait que l'un d'eux survive pour qu'il obtienne ce dont il avait besoin.

Monique écrasa l'accélérateur, mais ils montaient vers le sommet d'une colline et la Hyundai peinait à atteindre les 110 km/h. Voyant que le moteur était en surrégime, elle tapa du poing sur le volant.

— Je t'avais dit qu'il fallait prendre ma Corvette, cria-t-elle en regardant le compteur de vitesse.

David jeta un coup d'œil par la vitre arrière. Il ne vit aucun signe de la Ferrari sur la route tortueuse derrière eux, mais crut entendre au loin le sourd grondement de la voiture. À l'arrière, Michael était de nouveau penché sur sa Game Boy, attendant en silence que l'écran reprenne vie. Il avait même l'air de ne s'être aperçu de rien. Le professeur Gupta, lui, était terrifié. Il avait levé les deux mains et les avait posées sur le devant de sa poitrine, comme s'il essayait de calmer les battements de son cœur. Ses yeux étaient grands ouverts.

— Qu'est-ce qui se passe ? hoqueta-t-il.

— Tout va bien, professeur, mentit David.

Il secoua la tête violemment.

— Il faut que je sorte. Laissez-moi sortir de la voiture !

Une crise de panique, pensa David. Il tendit les mains, les paumes vers le bas, dans un geste qui, il l'espérait, serait apaisant. Respirez bien ! Prenez une profonde, une très profonde respiration.

— Non, il faut que je sorte !

Il déboucla sa ceinture et mit la main sur la poignée de la porte. Heureusement, elle était fermée à clé, et avant que Gupta puisse la déverrouiller, David était passé sur le siège arrière et essayait de le retenir en se couchant sur lui et en tenant ses poignets.

— Je vous ai dit que tout allait bien ! répéta-t-il.

Mais au moment où les mots sortaient de sa bouche, il regarda à nouveau par la vitre arrière et vit la Ferrari jaune à environ cinquante mètres derrière eux.

David se retourna brusquement pour prévenir Monique, mais c'était inutile. Ses yeux noirs chargés de colère fixaient déjà le rétroviseur.

— C'est la voiture du doyen, s'exclama-t-elle. Cet enfoiré a piqué la voiture du doyen !

— Il gagne du terrain, dit David. Tu ne peux pas aller plus vite ?

— Non, je ne peux pas ! Il est en Ferrari et je conduis une saloperie de Hyundai ! Il a dû débarquer chez moi pour nous trouver et est tombé sur Keith. C'est sans doute comme ça qu'il s'est procuré la voiture !

La Ferrari gagnait régulièrement du terrain alors qu'ils approchaient du sommet. Quand la voiture fut à environ six ou sept mètres, David vit le type chauve baisser sa vitre, puis pencher la moitié de son corps par la fenêtre et pointer sa mitrailleuse vers la voiture. David attrapa aussitôt Michael et le professeur Gupta et les projeta sur le sol derrière les sièges avant. L'adolescent poussa un cri perçant quand David les couvrit tous deux de son corps.

— Baisse-toi ! cria-t-il à Monique. Il va tirer !

La première rafale fit voler en éclats la vitre arrière, envoyant des bouts de verre sur leurs dos. La seconde passa juste au-dessus de leurs têtes, les balles traversant comme l'éclair le véhicule et trouant le pare-brise. Certain que Monique avait été atteinte, David repassa devant pour prendre le contrôle. Mais il la trouva toujours agrippée au volant, apparemment indemne. Il ne voyait de sang nulle part, mais ses joues étaient humides. Elle pleurait.

— Tu crois qu'il a tué Keith ? demanda-t-elle.

Tous deux connaissaient la réponse, ils gardèrent donc le silence. David posa simplement la main sur son épaule.

— Sortons-nous de là, O.K. ?

La Hyundai atteignit le sommet et commença à prendre de la vitesse dans la descente. Le type chauve tira de nouveau sur eux, mais manqua cette fois-ci son coup en raison d'un brusque virage à droite. Les pneus de la Hyundai crissèrent en prenant le virage et David dut s'accrocher au tableau de bord pour ne pas tomber sur Monique.

— Bon Dieu ! cria-t-il. Fais attention à ce que tu fais !

Elle ne sembla pas l'entendre. Elle regardait droit devant elle, les yeux braqués sur la ligne médiane. Son mollet droit était contracté à force d'appuyer sur la pédale d'accélérateur et ses mains étaient si fortement agrippées au volant que les veines ressortaient. Tout son corps était un arc tendu de nerfs et de muscles, et sur son visage se lisait une concentration extrême. L'esprit qui avait sondé les méandres de la théorie des cordes, les équations complexes et les dimensions enroulées, calculait maintenant les forces centrifuges.

À mi-descente, la route devenait plus droite et traversait les bois en pente raide. La Hyundai roulait maintenant à plus de 160 km/h, mais la Ferrari la talonnait toujours. Sur les deux côtés de la route, les arbres formaient un rideau ininterrompu de feuilles, de troncs et de branches. David aperçut soudain une trouée, à une centaine de mètres. Une étroite bande d'asphalte partait vers la gauche, faisant un angle à quarante-cinq degrés avec la route. Il tourna la tête vers Monique, qui avait manifestement déjà repéré le chemin.

David se retourna pour observer la Ferrari. Le type chauve se penchait de nouveau par la fenêtre, la mitrailleuse levée, visant ce coup-ci droit sur eux. David eut juste le temps de faire une courte prière silencieuse. « Pas tout de suite, implora-t-il. Attends encore une seconde avant de tirer. Juste une seconde. »

Puis Monique tourna violemment vers la gauche. La Hyundai fit une embardée qui envoya David contre la portière du côté passager. La voiture pencha dangereusement sur la droite, menaçant de se retourner, mais les roues gauches retombèrent bientôt sur le sol. La Hyundai retrouva finalement son équilibre et fila sur la route étroite. Surpris, Simon leva les yeux du viseur de son Uzi et essaya de les suivre en tournant brusquement son volant d'une main. Mais l'arrière de la Ferrari chassa vers la gauche et la voiture se mit à tourner sur elle-même dans le sens des aiguilles d'une montre. Elle traversa alors la route en glissant comme une toupie jaune vif, dont la vitesse, l'étrangeté et l'éclat lui conféraient une certaine beauté. Puis elle quitta l'asphalte et heurta un arbre avec un craquement sinistre.

Monique relâcha l'accélérateur, mais continua à rouler. Regardant par la vitre arrière brisée de la Hyundai, David vit la Ferrari enroulée autour du tronc noueux d'un chêne. Puis la route fit une courbe en S et l'épave fut hors de vue.

Karen et Jonah étaient debout dans le hall de l'immeuble du *New York Times*. Un agent de sécurité en blazer bleu était assis, l'air renfrogné, derrière un bureau. Il jeta un regard sur eux.

— Est-ce que je peux vous aider ? demanda-t-il.

Karen lui fit un grand sourire.

— Oui, je viens voir Mme Gloria Mitchell. Elle est reporter au journal.

— Vous avez rendez-vous ?

Elle fit un signe négatif de la tête. Elle n'avait pas essayé d'appeler Gloria car elle se doutait bien que le FBI avait mis son téléphone sur écoute.

— Non, nous sommes de vieilles amies. Je voulais juste passer la voir à son bureau pour lui dire bonjour.

L'agent décrocha le téléphone. Quel est votre nom ?

— Karen Atwood. (Son nom de jeune fille.) Nous étions dans la même classe au lycée Forest Hills. Nous ne nous sommes pas vues depuis longtemps, mais elle se souviendra de moi.

Le garde prit son temps pour faire le numéro. Karen surveillait avec angoisse le hall, craignant que des agents du FBI débarquent. Elle avait peur d'être à nouveau arrêtée, avant d'avoir pu atteindre la salle de rédaction du journal. Pour se calmer les nerfs, elle serra fort la main de Jonah.

Le garde eut finalement Gloria au bout du fil.

— Karen Atwood voudrait vous voir, dit-il. (Il y eut une pause.) Oui, Karen Atwood. (Après une autre pause, il couvrit de sa main la partie inférieure du combiné et se tourna vers Karen.) Elle dit qu'elle ne connaît personne de ce nom.

La poitrine de Karen se serra. Comment Gloria pouvait-elle l'avoir oubliée ? Elles avaient fait de la gym ensemble pendant trois ans !

— Dites-lui que c'est Karen Atwood du lycée Forest Hills. Du cours de gym de M. Sharkey.

Avec un soupir d'impatience, le garde répéta l'information au téléphone. Il y eut un long silence, puis le garde dit :

— O.K., je vous l'envoie.

Il raccrocha le téléphone et commença à écrire le nom de Karen sur un passe pour les visiteurs.

Elle poussa un soupir de soulagement.

— Merci.

Toujours renfrogné, le garde lui tendit le passe.

— Mme Mitchell est au sixième étage. Prenez l'ascenseur sur la gauche.

En traversant le hall, Karen craignait de voir des hommes en costume gris lui fondre dessus, mais elle et Jonah montèrent dans l'ascenseur sans incident. Elle trouva bizarre que les agents du FBI la laissent contacter le journal. Ils supposaient sans doute que personne ne croirait à son histoire. En vérité, elle n'avait pas grand-chose à raconter. Elle était seulement persuadée que les accusations de trafic de drogue contre David étaient fausses. Pourquoi le gouvernement inventait-il de tels mensonges ? De plus, c'était sa parole contre celle du procureur. Aux yeux du monde, elle était la femme d'un professeur qui revendait de la drogue, et aucun journal ne prendrait son accusation au sérieux.

À moins qu'elle ait des preuves, bien sûr. Et Karen ne se présentait pas les mains complètement vides. Elle se rappelait le nom de l'inspecteur de police qui avait appelé à son appartement la veille, l'homme qui pourrait dire au *New York Times* pourquoi David avait été appelé à l'hôpital St Luke. Il s'appelait Hector Rodriguez.

Lucille était assise derrière le bureau d'Amil Gupta, au téléphone avec le directeur du Bureau pendant que ses agents analysaient l'ordinateur du professeur. Au cours des quatre heures qui avaient suivi la fuite de Gupta, Swift et Reynolds, son équipe avait passé au peigne fin tous les recoins du campus de Carnegie Mellon, cherchant des indices qui leur permettraient de savoir où les suspects étaient partis. L'agent Walsh avait interrogé une femme de ménage qui avait reconnu avoir vendu son uniforme à Reynolds et Swift, et l'agent Miller avait trouvé la Corvette. Bien qu'ils n'aient pas l'ombre d'une piste, Lucille était sûre qu'avec un peu de persévérance, son équipe localiserait rapidement les suspects et les arrêterait. C'est pourquoi sa fureur fut d'autant plus grande quand le directeur l'informa que le Pentagone prenait l'affaire en main.

— À quoi jouent-ils ? cria-t-elle dans le téléphone. L'armée ne peut pas se charger des affaires civiles ! Ils n'ont pas le droit de participer à une opération sur le territoire national !

— Je sais, je sais, répondit le directeur. Mais ils ont dit qu'ils avaient un ordre de l'exécutif. Et la Delta Force a de l'expérience dans les chasses à l'homme. En Irak et en Afghanistan du moins.

— Et où vont-ils aller ? Nous n'avons aucun indice concernant les lieux où pourraient se trouver les suspects. Ils peuvent être n'importe où entre le Michigan et la Virginie à l'heure qu'il est.

— D'après le plan d'action, les troupes ont pris l'avion pour la base aérienne d'Andrews et elles se déploieront à partir de là. Grâce à leurs hélicoptères et à leurs véhicules Stryker, ils pourront se déplacer rapidement.

Lucille secoua la tête. C'était totalement débile. Déployer une unité de commandos n'allait pas les aider à trouver les fugitifs. À tous les coups, les soldats finiraient pas tirer sur un pauvre mec bourré qui aurait réussi à passer à travers un de leurs barrages.

— Monsieur, laissez-moi encore un peu de temps, dit-elle. Je sais que je peux les retrouver.

— C'est trop tard, Lucy. Les troupes sont déjà en train de monter dans leur C-17. Vous avez le contrôle de l'opération jusqu'à minuit. Ensuite, nous passerons la main au ministère de la Défense.

Une protestation silencieuse fit office de réponse. Le directeur attendit un moment et ajouta :

— Je dois me rendre à une autre réunion. Téléphonez-moi dans deux heures pour me communiquer les modalités de transfert du commandement.

Puis il raccrocha.

Pendant plusieurs secondes, elle regarda le téléphone portable dans sa main. L'écran affichait « Dernier appel 19:29 », puis le familier sceau du FBI réapparut. Mais ce qu'elle voyait à travers l'écran, c'était bien la fin de sa carrière. Pendant trente-quatre ans elle avait franchi tous les échelons, s'imposant au milieu d'une horde de machos, et elle avait réussi en étant plus coriace et intelligente qu'eux. Elle avait intercepté des braqueurs de banques, infiltré des gangs de motards, fait échouer des kidnappings et mis des gangsters sur écoute. Il y a un mois, le directeur lui avait promis de la nommer à la tête du Bureau de Dallas, une place en or pour couronner ses dizaines d'années de service. À présent elle voyait ses espoirs s'écrouler. Au lieu d'avoir une promotion, elle allait être mise à la retraite.

L'agent Crawford, son commandant en second, se dirigea vers elle l'air penaud, comme un chien battu approchant de son maître.

— Euh… agent Parker ? Nous avons fini l'analyse de l'ordinateur de Gupta.

Elle glissa le téléphone dans sa poche et se tourna vers lui. Elle était encore en charge de l'affaire pour quatre heures, et elle allait faire de son mieux.

— Avez-vous trouvé des documents de physique ?

— Non, il n'y a que de la robotique. Des programmes informatiques et des plans pour de nouvelles machines. Nous avons aussi trouvé le programme qui lui permettait de communiquer avec ses robots. C'est de cette façon qu'il a pu commander au Dragon Runner de donner l'alerte aux radiations.

Lucille fit grise mine. Elle n'aimait pas qu'on lui rappelle son échec, même si elle ne pouvait l'ignorer. Il lui fallait voir la source de sa ruine.

— Montrez-moi le programme !

Crawford se pencha sur le bureau et cliqua sur une icône triangulaire. Une fenêtre représentant un plan en trois dimensions du Newell Simon Hall avec une douzaine de points jaunes clignotants éparpillés aux différents étages apparut sur l'écran.

— Ce programme indique l'emplacement et le statut de chaque robot. Gupta était capable de leur envoyer des ordres en utilisant un dispositif sans fil.

— Sans fil ? (Elle sentit une bouffée d'espoir envahir sa poitrine. Étant donné que les téléphones portables et les autres dispositifs sans fil envoient périodiquement des signaux à leurs réseaux, le Bureau pourrait sans doute déterminer leurs positions approximatives lorsqu'ils étaient allumés.) Pouvons-nous les suivre à la trace ?

— Non, le système de Gupta utilise seulement des ondes courtes. Pour contrôler les robots aux autres emplacements, il envoie les commandes par ligne terrestre à un serveur local, lequel transmet le signal aux machines.

Merde ! Elle ne trouvait pas de faille. Soudain, une autre idée lui vint.

— Quels sont ces autres emplacements ? Où y a-t-il des robots ailleurs qu'ici ?

Crawford cliqua sur une autre icône et une carte du campus de Carnegie Mellon apparut.

— Il y en a quelques-uns dans le département des sciences informatiques et d'autres dans le laboratoire. (Il montra un groupe de points lumineux sur le bord de la carte.) Il y en a aussi dans la maison de Gupta.

— Est-ce qu'il y en a en dehors de Pittsburgh ?

Avec un nouveau clic de la souris, une carte des États-Unis s'afficha sur l'écran. Quatre points clignotaient en Californie, deux en Géorgie et une demi-douzaine près de Washington, D.C.

— Le ministère de la Défense teste les robots de surveillance de Gupta dans plusieurs endroits, expliqua Crawford. Et la NASA prépare une de ses machines pour une mission sur mars.

— Et là ?

Lucille montra du doigt un point clignotant en Virginie-Occidentale. C'était le plus près de Pittsburgh.

L'agent Crawford cliqua sur le point et une étiquette apparut à côté : Carnegie's Retreat, Jolo, Virginie-Occidentale.

— Cela ne semble pas être une base militaire ou un centre de la NASA, remarqua Lucille.

La bouffée d'espoir dans sa poitrine se transforma en battement régulier. Elle savait que ce n'était qu'un pressentiment, mais au fil des ans, elle avait appris à se fier à ses intuitions.

Crawford regarda de près l'étiquette sur l'écran de l'ordinateur.

— Je n'ai vu ce nom dans aucun des dossiers de Gupta. C'est sans doute l'emplacement d'un client privé. Une de ces sociétés de protection qui utilisent des robots.

Elle secoua la tête d'un air dubitatif. Le point clignotait à l'extrême sud de l'État, le cœur du pays de Hatfield-and-McCoy. Il n'y avait pas de société de protection dans le coin.

— Avons-nous des agents opérant dans cette partie de la Virginie-Occidentale ?

Crawford chercha dans sa poche le BlackBerry qu'il utilisait pour suivre ses hommes en opération.

— Euh… voyons. Les agents Brock et Santullo sont sur I-77, ils aident la police locale à mettre en place un barrage routier. Ils sont à quatre-vingts kilomètres de Jolo.

— Dîtes à Brock et Santullo de filer là-bas aussi vite que possible. Ils vont avoir besoin de renforts, aussi rassemblez une douzaine d'agents et tenez prêt le Learjet.

Crawford eut l'air un peu surpris.

— Vous êtes sûre ? Tout ce que nous savons pour le moment…

— Faites ce que je vous dis !

CHAPITRE 8

Il faisait nuit noire quand ils arrivèrent à Carnegie's Retreat, mais grâce à la lumière des phares de la Hyundai, David eut un aperçu suffisant du lieu pour savoir qu'Andrew Carnegie n'avait jamais séjourné ici. Ce n'était rien d'autre qu'une cabane de plain-pied construite avec des traverses de chemin de fer dans une petite clairière. Le jardin était jonché de branches mortes et un épais tapis de feuilles humides recouvrait le porche. L'université Carnegie Mellon laissait l'endroit se délabrer et, manifestement, aucun enseignant n'était venu ici depuis au moins un an.

David ouvrit la portière arrière et aida le professeur à sortir. Le vieil homme s'était remis de sa crise de panique mais il avait encore les jambes tremblantes. David dut le prendre par le bras pour traverser le jardin. Michael les suivait de près. Monique quitta à son tour la voiture, laissant les phares allumés afin d'éclairer le chemin. Quand ils atteignirent la porte d'entrée, Gupta montra un pot de fleurs plein de poussière.

— La clé est sous ce pot.

David se penchait pour la prendre quand il entendit au loin une détonation sourde, qui se propagea entre les collines. Il se raidit brusquement.

— Mon Dieu, dit-il d'un air affolé. Qu'est-ce que c'était que ça ?

Gupta se mit à rire et lui tapota dans le dos.

— Ne vous inquiétez pas, ce sont les habitants du coin. Le soir, ils aiment faire un tour dans les bois avec leur fusil pour traquer leur dîner.

David respira profondément.

— Je commence à comprendre pourquoi les professeurs de votre université ne viennent jamais là.

— Oh ! C'est pourtant pas si mal. Les gens d'ici sont très intéressants, en fait. Ils ont une église où ils font de la manipulation de serpents le dimanche. Ils dansent autour de la chaire en tenant des serpents à sonnettes au-dessus de leurs têtes. Étonnamment, ils ne sont pratiquement jamais mordus.

— Allons, entrons ! les pressa Monique.

Elle scrutait avec nervosité la voûte sombre de feuillage au-dessus de sa tête.

David se pencha de nouveau, souleva le pot de fleur et prit la clé rouillée. Il l'introduisit dans la serrure, et après deux ou trois essais, la porte s'ouvrit. Puis il fit courir sa main le long du mur pour trouver l'interrupteur.

L'intérieur de la cabane était un peu plus chaleureux. Une cheminée en pierre occupait le mur du fond et un tapis marron à longs poils recouvrait le sol. Une petite cuisine équipée d'un vieux réfrigérateur se trouvait sur la gauche et deux chambres sur la droite. Au centre de la pièce, une table en chêne supportait un ordinateur et plusieurs périphériques.

Le professeur les invita à pénétrer à l'intérieur.

— Entrez, entrez. J'ai bien peur qu'il n'y ait rien à manger. La cabane est vide depuis si longtemps.

Il se dirigea droit vers la table pour allumer l'ordinateur, mais en cherchant l'interrupteur dessous, il tomba sur autre chose.

— Oh, regarde, Michael ! J'avais oublié que nous l'avions laissé ici ! Et les batteries sont encore chargées !

Gupta s'agenouilla et appuya sur plusieurs boutons. David entendit d'abord le bourdonnement d'un moteur électrique, puis il vit un robot à quatre pattes émerger de sous la table. La machine, haute d'environ soixante centimètres et longue de quatre-vingt-dix, ressemblait à un brontosaure miniature. Son corps était fait de plastique noir brillant ; son cou et sa queue segmentés ondulaient d'une façon incroyablement réaliste quand le robot se déplaçait sur le sol. Sur sa tête, de la taille d'un poing, deux diodes électroluminescentes faisaient office d'yeux et une fine antenne noire était fixée sur son dos. La créature mécanique s'arrêta devant eux et tourna la tête d'un côté et de l'autre comme si elle surveillait la pièce.

— Veux-tu jouer à la balle, Michael ? demanda une voix synthétique.

La synchronisation entre les mouvements de la mâchoire en plastique et les sons était parfaite.

L'adolescent s'arrêta aussitôt de jouer à Warfighter sur sa Game Boy. Pour la première fois, David le vit sourire, et la ressemblance avec Jonah lui sauta alors aux yeux. Michael courut sur le tapis et attrapa une balle rose vif qu'il fit ensuite rouler vers le dinosaure robotisé. La machine tourna la tête, suivant la balle avec ses détecteurs, puis se dirigea vers elle.

— Il est programmé pour courir après tout ce qui est rose, expliqua Gupta. Il a un détecteur CMOS qui peut reconnaître la couleur.

Le professeur observait son petit-fils avec un plaisir évident. Mais Monique piaffait d'impatience. Elle regarda l'ordinateur qui était sur la table, puis David. Il était facile de deviner sa pensée : quelque part à l'intérieur de ce disque dur se trouvait peut-être la Théorie du Tout. Et elle était pressée de la connaître.

— Euh..., professeur ? dit David. Pourrions-nous regarder les fichiers ?

Le vieil homme sortit brusquement de sa rêverie.

— Oui, oui, bien sûr ! Je suis désolé, David, j'ai été distrait.

Il approcha une chaise de la table et alluma l'ordinateur. David et Monique restèrent debout derrière lui, regardant par-dessus son épaule.

Gupta ouvrit le dossier « Mes documents ». Dans la fenêtre apparut une liste de tous les fichiers créés par les différents professeurs qui étaient venus à Carnegie's Retreat depuis que l'ordinateur avait été installé. Gupta cliqua sur un dossier appelé MICHAEL'S BOX. Le contenu était protégé par un mot de passe. Gupta tapa alors « REDPIRATE 79 », et le dossier s'ouvrit.

— Ce sont les documents que nous avons créés quand nous sommes venus ici il y a quatre ans, dit-il en montrant du doigt une liste de sept fichiers Microsoft Word. Si Hans a caché la théorie dans l'ordinateur, elle doit forcément être quelque part dans ce dossier, parce que tout le reste a été créé après.

Les sept documents étaient rangés par ordre de dates de dernières modifications ; cela allait du 27 juillet 2004, en haut au 9 août 2004, en bas. Le premier fichier était intitulé VISUAL. Les noms des six suivants étaient des nombres à trois chiffres : 352, 512, 845, 641, 870 et 733.

Gupta ouvrit Visual.

— Je me souviens de celui-là. Le premier soir, j'ai téléchargé un mémoire qu'un de mes étudiants avait écrit sur les programmes de reconnaissance visuelle. Mais je n'ai pas eu le temps de le lire. Peut-être que Hans a ouvert le fichier et glissé des équations dedans.

Le titre de l'article était « Sous-espaces probables en reconnaissance visuelle », et c'était le travail typique d'un étudiant en master : long, laborieux et confus. Alors que Gupta faisait défiler les pages, David espérait voir une soudaine rupture dans le texte, un grand espace blanc suivi d'une séquence organisée d'équations n'ayant rien à voir avec la reconnaissance visuelle. Mais les pages défilèrent, laissant apparaître neuf chapitres, vingt-trois illustrations et soixante-douze références, sans anomalie.

— Ça y est, en voilà un d'examiné, dit Gupta quand il arriva au bout. Encore six.

Il cliqua sur le fichier nommé 322. Le document était très gros et il fallut un peu de temps pour qu'il s'ouvre. Au bout de cinq à six secondes, une longue liste de noms apparut sur l'écran, chacun accompagné d'un numéro de téléphone. Le premier était Paul Aalami et le second Tanya Aalto. Ensuite vinrent au moins une trentaine de Aaron et presque autant de Aaronson. Le professeur Gupta fit défiler alors une interminable liste de Abbott, Abernathy, Ackerman et Adams. Il passa plus vite sur des milliers d'entrées classées par ordre alphabétique qui formaient sur l'écran une espèce de voile.

Monique secoua la tête, étonnée.

— Pourquoi avez-vous téléchargé un annuaire téléphonique ?

— C'est Michael qui a fait cela. (Gupta tourna rapidement la tête en direction de son petit-fils, qui jouait toujours à la balle avec le brontosaure robotisé.) Les enfants autistes ont souvent d'étranges obsessions. Certains mémorisent les horaires de train ou de bus. Il y a quelques années, Michael a traversé une période pendant laquelle il était obsédé par les numéros de téléphone. Il a lu les annuaires, les a mémorisés et copiés. Chacun de ces fichiers correspond à l'annuaire d'une zone.

David avait les yeux fixés sur l'image confuse qui défilait de façon saccadée sur l'écran, beaucoup trop vite pour être lisible.

— Y a-t-il un moyen de savoir si le Dr Kleinman a modifié ces fichiers ?

— Malheureusement, l'option de recherche des modifications du logiciel de traitement de texte a été désactivée, aussi je ne peux pas repérer les changements automatiquement. Je dois donc visualiser les pages pour voir si Hans a ajouté quelque chose.

— Merde ! Si les autres fichiers sont aussi longs que celui-là, on va regarder cet écran pendant des heures, fit remarquer Monique.

Le professeur arrêta brusquement de faire défiler l'annuaire. Il fixa les yeux si intensément sur l'ordinateur que pendant un moment, David pensa que le vieil homme était miraculeusement tombé sur les équations de *Herr Doktor*, brillant comme des aiguilles lumineuses dans une énorme meule de foin de données. Mais l'écran ne montrait rien d'autre qu'une longue liste de Davis.

— J'ai une idée, dit-il en déplaçant le curseur en haut de l'écran. Toute équation doit contenir un signe égal, n'est-ce pas ? Je vais donc chercher ce signe dans chacun des fichiers. (Il cliqua sur le menu Édition et ouvrit la fenêtre Rechercher.) La recherche va prendre deux ou trois minutes, car les fichiers sont volumineux.

David hocha la tête. Ça valait le coup d'essayer.

Les gorges d'Argun sont un des endroits les plus défigurés par la guerre en Tchétchénie, mais dans les rêves de Simon, le canyon était toujours intact. Il planait comme un faucon au-dessus de l'étroite rivière Argun, qui coule entre les versants granitiques des montagnes du Caucase. Il voyait la route sur sa rive est ; une grande route construite pour le passage des tanks russes et des camions transportant des soldats. À ce moment-là, il n'y avait qu'un seul véhicule sur la route et il n'était pas militaire. Simon fondit dans le canyon pour voir de plus près. Au bout de deux secondes, il reconnut le véhicule : c'était sa propre voiture, sa vieille Lada Sedan grise. Sur le siège conducteur, il y avait sa femme, Olenka Ivanovna, ses longs cheveux blonds flottant derrière elle, et à l'arrière ses enfants, Sergei et Larissa. Ils venaient voir Simon, qui était en poste dans la ville de Baskhoï. La grande route était sûre — tous les rebelles tchétchènes du coin avaient été tués ou s'étaient enfoncés plus profondément dans les montagnes — néanmoins, dans ses rêves, Simon planait le long de la route sinueuse au-dessus de la voiture pour la protéger. Puis la Lada prenait un virage et Simon voyait l'hélicoptère noir chargé de missiles Hellfire.

En réalité, Simon n'avait pas vu l'attaque. Il n'en avait entendu parler qu'une heure plus tard, quand son commandant l'avait informé que les forces spéciales américaines avaient de nouveau pénétré en Tchétchénie. Après le 11-Septembre, la Force Delta avait commencé à opérer au sud de la frontière, traquant les combattants d'Al-Qaida qui s'étaient retirés avec les Tchétchènes dans la république de Géorgie. Au début, l'armée russe avait toléré la présence des Américains, mais la cohabitation montrait déjà ses limites. Les hélicoptères Apache de la Delta Force continuaient à survoler le territoire russe, et ils avaient la mauvaise habitude d'envoyer leurs missiles sur des civils. Quand Simon conduisit le camion de transport de troupes sur le site de l'attaque américaine, il s'attendait à voir un massacre de paysans avec un char à bœufs en flammes entouré de *babushkas* mortes. Au lieu de cela, il vit la carcasse noircie de sa Lada, avec le squelette carbonisé de sa femme encore derrière le volant. L'explosion avait éjecté Sergei et Larissa de leur siège et ils étaient tombés dans un fossé boueux entre la route et la rivière.

Simon ne sut jamais ce qui s'était passé, il ne comprenait pas comment une équipe de commandos spécialement entraînés pouvait avoir confondu sa famille avec une bande de terroristes. Comme l'opération de la Delta Force était secrète, les généraux américains et russes passèrent l'affaire sous silence. Quand Simon déposa une plainte, son commandant lui donna un sac en toile rempli de billets de cent dollars. Ils avaient appelé cela un « paiement de condoléances ». Simon avait alors jeté le sac à la figure de son commandant et quitté les Spetsnaz. Il était parti en Amérique, espérant localiser le pilote et le tireur de l'Apache, mais cela s'était révélé être une tâche impossible. Il ne connaissait ni leurs noms ni le numéro d'identification de leur hélicoptère. Il aurait dû abattre tous les soldats des forces spéciales pour être sûr d'avoir eu les bons.

Pourtant, Simon voyait le visage des hommes dans ses rêves. Il voyait le pilote stabiliser l'appareil tandis que le tireur lâchait le Hellfire. Il voyait les flammes jaillir de l'arrière du missile qui filait droit sur la Lada grise. Puis Simon se retrouvait soudain sur le siège arrière de la voiture avec ses enfants, voyant par le pare-brise le missile arriver sur eux. Juste à ce moment-là, il sentit une traction sur le col de sa chemise, celle d'une petite main ferme.

Simon ouvrit les yeux. Il faisait noir. Il était coincé entre le siège conducteur de la Ferrari et l'airbag qui s'était gonflé en sortant du volant. La voiture avait heurté l'arbre au niveau du siège passager, détruisant la moitié droite du véhicule, mais laissant la moitié gauche indemne. Et quelqu'un le tirait vraiment par le col, mais ce n'était pas Sergei ou Larissa. C'était un vieux péquenaud des Appalaches, tout ratatiné, édenté, aux joues creuses, portant une chemise de flanelle élimée, qui le regardait d'un air suspicieux. Il s'était approché de l'épave de la Ferrari et avait posé sa main sur le cou de Simon pour voir si son pouls battait toujours. La camionnette de l'homme était garée au bord de la route, les faisceaux de ses phares pénétrant dans les bois.

Simon libéra sa main gauche de l'airbag et saisit le péquenaud par le poignet. L'homme fit un bond en arrière.

— Seigneur Jésus ! Vous êtes vivant !

Simon continua à serrer l'avant-bras noueux.

— Aidez-moi à sortir de là !

La porte de la Ferrari étant bloquée, le petit vieux dut sortir Simon par la fenêtre. Ce dernier grimaça quand son pied droit toucha le sol — il avait une entorse à la cheville. Le gars des Appalaches l'aida à marcher jusqu'à sa camionnette.

— Je pensais que vous étiez mort. J'vais vous conduire à l'hôpital.

Le vieil homme puait la sueur, le tabac et le feu de bois. Simon attrapa les épaules du péquenaud avec une certaine répulsion et le plaqua contre le flanc de la camionnette. En faisant porter tout son poids sur le pied gauche, il serra à deux mains le cou du pauvre gars.

— As-tu vu une Hyundai grise ? Avec une grosse bosse sur l'aile arrière ?

L'homme ouvrit la bouche avec stupéfaction. Il leva les mains vers sa gorge et essaya de desserrer l'étreinte de Simon, mais ses petits doigts tremblants ne purent rien faire.

— RÉPONDS-MOI ! lui cria Simon en plein visage. AS-TU VU LA VOITURE ?

Il ne pouvait pas répondre avec des mots puisque Simon lui écrasait la trachée, mais il secoua convulsivement la tête.

— Alors tu es inutile.

Simon serra encore plus fort et sentit le larynx s'écraser sous la paume de sa main. Le péquenaud donna des coups de pied et se tordit en tous sens, mais Simon n'éprouva aucune compassion. Cet homme n'était qu'un sac de boyaux. Pourquoi aurait-il le droit de vivre et de respirer alors que Sergei et Larissa pourrissaient dans leurs tombes ? C'était intolérable. Impardonnable.

Simon laissa tomber le corps sans vie dans la boue. Puis il claudiqua jusqu'à la Ferrari et récupéra son Uzi et ses armes de poing, qui par chance n'étaient pas endommagés. Il déposa son artillerie dans la camionnette, puis sortit son téléphone portable et composa un numéro. Il n'était pas sûr d'avoir suffisamment de réseau dans ce coin très reculé, mais au bout de quelques secondes il entendit la tonalité et une voix répondit : « Ici Brock. »

Pendant que le professeur Gupta examinait les volumineux fichiers de son ordinateur, David se dirigea vers la fenêtre au fond de la cabane. Il était trop agité pour continuer à regarder l'écran où Gupta passait au peigne fin les gigas de données. Il avait besoin de souffler une minute.

D'abord il ne vit rien dehors, il faisait trop sombre. Mais en pressant son front contre la vitre et en mettant ses mains en coupe autour de ses yeux, il put distinguer la silhouette des arbres entourant la cabane et une superbe bande de ciel nocturne. Comme tous les New-Yorkais, il était toujours étonné par la multitude d'étoiles qu'on pouvait voir quand on quittait la ville. Il repéra d'abord la Grande Ourse, suspendue verticalement comme un point d'interrogation. Il vit le Triangle d'Été — Deneb, Altaïr et Vega — et le zigzag de Cassiopée. Puis il regarda droit devant lui et contempla la Voie Lactée et ses immenses bras en spirale.

C'était l'observation du ciel qui avait été à la source de son intérêt pour les sciences, presque quarante ans auparavant. Dans la maison de sa grand-mère à Bellows Falls, dans le Vermont, il avait appris à identifier les planètes et les étoiles les plus brillantes. Pendant que sa mère faisait la vaisselle du dîner et que son père partait à la ville pour boire, il s'asseyait dans le jardin et traçait les constellations avec son doigt. En immergeant son esprit dans les lois de la physique — les théories de Kepler et Newton, Faraday et Maxwell — David avait trouvé un moyen de prendre de la distance avec les colères d'ivrogne de son père et le désespoir muet de sa mère. Toute sa jeunesse, il se prépara à devenir scientifique, étudiant avec ténacité la géométrie et le calcul au collège, puis la thermodynamique et la relativité à la fac. Aussi, quand ses démons le rattrapèrent à l'âge de vingt-trois ans, l'excluant du monde de la physique pour le faire entrer dans la sombre salle de bar de la *West End Tavern*, il ressentit beaucoup plus qu'une simple déception professionnelle. Il perdit la grande source de joie de sa vie. Et bien qu'il parvînt plus tard à s'extirper de l'abîme et à faire une carrière couronnée de succès aux frontières de la science en écrivant des livres sur Newton, Maxwell et Einstein, il éprouvait encore un sentiment d'échec. Il savait qu'il n'arriverait jamais à l'épaule de ces géants.

Or, alors que David contemplait le ciel au-dessus de Carnegie's Retreat, il sentit un peu de la joie d'antan revenir dans son cœur. Il se représenta la profusion de planètes et d'étoiles comme d'infimes gouttes dans un océan cosmique. Près de quatorze milliards d'années auparavant, un chaudron quantique avait explosé et s'était dispersé dans l'univers, laissant d'immenses traînées de matière et d'énergie dans son sillage. Aucun scientifique dans le monde ne savait pourquoi ce Big Bang s'était produit, ni ce qui l'avait précédé, ni comment tout cela finirait. Mais les réponses à ces questions se trouvaient sans doute à portée de main, cachées dans les circuits intégrés de l'ordinateur du professeur Gupta. Et David serait l'un des premiers à les découvrir.

Il était si excité que lorsqu'il sentit une petite tape sur son épaule, il faillit perdre l'équilibre. Il se retourna, pensant voir Gupta derrière lui, mais le professeur était toujours courbé au-dessus de la table, les yeux fixés sur l'écran de l'ordinateur. C'était Monique, qui semblait aussi anxieuse que lui.

— Je voudrais te poser une autre question à propos de l'article sur *Flatland*, dit-elle. Sur ton modèle de trou noir à deux dimensions.

Sa requête semblait inopinée, mais au bout d'un moment David comprit. Monique voulait tenter une dernière fois de trouver la Théorie du Tout avant que le professeur Gupta ne dévoile les équations.

— Que veux-tu savoir ?

— Est-ce que ton trou noir contient des CTC[1] ?

David n'avait pas entendu ce mot depuis près de vingt ans, mais il s'en souvenait. Un CTC était une espèce de courbure temporelle fermée. En gros, c'était un chemin qui permettait à une particule de se déplacer instantanément, arrivant exactement au même point que celui d'où elle était partie.

— Oui, nous avons trouvé des CTC dans le modèle, mais ce n'était pas très surprenant dans un espace-temps à deux dimensions. *Flatland* comporte toutes sortes de phénomènes étranges et absurdes qu'on ne verrait pas nécessairement dans un univers à trois dimensions.

— Et l'espace-temps a-t-il une structure de trou de ver ?

David acquiesça en hochant la tête. Un trou de ver était un tunnel traversant les collines et les vallées de l'espace-temps, un raccourci permettant aux objets de passer instantanément

1. Closed Timelike Curve. *(N.d.T.)*

d'une région de l'univers à une autre. Dans le monde à deux dimensions que le Dr Kleinman et lui avaient proposé, les particules plongeant dans le trou noir émergeraient dans un autre univers de l'autre côté.

— Oui, c'est exact. Je suis surpris que tu connaisses tout ça. Je croyais que tu ne te souvenais pas très bien de l'article ?

— C'est vrai. Mais pendant que nous étions sur la route, j'ai commencé à me demander pourquoi Kleinman t'avait dit que ton article approchait de la vérité. Et maintenant je m'interroge sur la possibilité d'une connexion avec des geons.

Ce terme ne lui disait rien. Soit il n'en avait jamais entendu parler, soit il l'avait complètement oublié.

— Geons ?

— C'est l'abréviation de « gravitational electromagnetic entity ». Une vieille théorie des années cinquante. L'idée est que les particules élémentaires ne seraient pas des objets dans l'espace-temps, mais plutôt des nœuds dans le continuum espace-temps lui-même. Comme de petits trous de vers.

Cela rappela vaguement quelque chose à David. Il en avait déjà entendu parler, probablement en master, vingt ans plus tôt.

— Oui, je crois que Kleinman avait mentionné cette théorie lors d'une conférence. Mais j'ai l'impression que les physiciens ont abandonné cette piste.

— C'est parce que personne n'a pu trouver un geon stable. Selon les équations, l'énergie devrait soit imploser, soit se disperser. Pourtant, il y a quelques années, des chercheurs ont repris cette idée, la considérant comme une possible théorie d'unification. Leur travail est encore très sommaire, mais ils ont pu postuler l'existence d'une particule qui ressemblerait à un microscopique trou de ver avec un CTC.

David eut l'air dubitatif.

— Et les gens ont pris ça au sérieux ?

— C'est une idée limite, je l'admets. Seules quelques personnes travaillent dessus. Mais c'est une théorie du champ classique, quelque chose qu'Einstein aurait pu proposer. Et elle possède les éléments requis pour expliquer les incertitudes de la mécanique quantique.

— Comment ?

— Les CTC sont la clé. Sur les plus petites échelles d'espace-temps, le principe de causalité ne s'applique plus de manière stricte. La particule est influencée aussi bien par des événements du futur que du passé. Un observateur extérieur ne peut pas mesurer les événements qui ne se sont pas encore produits, il ne peut donc jamais connaître complètement l'état de la particule. Le mieux qu'il puisse faire est de calculer des probabilités.

David essaya de se représenter une particule qui, d'une certaine façon, connaîtrait son futur. Cela paraissait absurde, mais il commençait à voir les atouts d'une telle idée.

— Ainsi, les événements futurs seraient les variables cachées d'Einstein, c'est ça ? Une description complète de l'univers serait possible, mais pas en un point précis du temps ?

Elle acquiesça.

— Après tout, Dieu ne joue pas aux dés avec l'univers. Seuls les humains ont à le faire, puisqu'ils ne peuvent pas voir le futur.

Ce qui frappa le plus David, c'est l'état d'excitation dans lequel paraissait être Monique. Tout en parlant de la théorie, elle faisait passer le poids de son corps d'une jambe à l'autre et bondissait pratiquement d'enthousiasme. Les physiciens théoriques sont en fait des conservateurs ; bien que leur travail consiste à construire de nouveaux modèles de réalité avec d'obscures équations et quelquefois des géométries fantaisistes, ils soumettent systématiquement ces modèles à une vérification très minutieuse. David suspectait Monique d'avoir déjà analysé de possibles objections à la théorie geon et d'avoir repéré des failles sans conséquences graves.

— Et que sais-tu sur les interactions de particules ? demanda-t-elle. À quoi ressembleraient-elles dans ce modèle ?

— Chaque interaction entraînerait un changement dans la topologie de l'espace-temps local. Imagine deux boucles arrivant ensemble et formant…

Elle fut interrompue par le bruit que fit la main de Gupta frappant la table. Le professeur cria « Bon sang » et lança un regard furieux sur l'écran de l'ordinateur.

Monique se précipita vers lui.

— Qu'est-ce qui se passe ? Qu'avez-vous trouvé ?

Gupta serra les poings en signe de frustration.

— J'ai d'abord cherché le signe égal dans les fichiers. Pas de résultats. Puis le signe de l'intégrale. Toujours rien. Alors il m'est venu à l'esprit que Hans avait peut-être inséré l'information au niveau même du système d'exploitation de l'ordinateur au lieu du dossier « Mes documents ». Mais j'ai fait une comparaison ligne à ligne et n'ai trouvé aucune altération. (Il se tourna vers David, l'air abattu.) J'ai bien peur que vous vous soyez trompé. Vous avez fait tout ce chemin pour rien.

Il semblait profondément déçu. Il était clair que le vieil homme avait très envie aussi de connaître la théorie unifiée, peut-être encore plus que David et Monique. Gupta abandonne trop facilement, pensa David. La solution était tout près. Il en était sûr.

— Peut-être est-elle ailleurs dans la cabane, suggéra David. Il se pourrait que le Dr Kleinman ait écrit la théorie sur un papier et l'ait caché dans un tiroir ou un placard. Ça vaudrait le coup de chercher.

Monique se mit aussitôt à inspecter la pièce, cherchant des yeux d'éventuelles cachettes. Mais Gupta resta sur sa chaise et secoua la tête.

— Hans n'aurait jamais fait ça. Il savait que d'autres professeurs de Carnegie Mellon pourraient venir ici en vacances. Il n'aurait pas aimé que l'un d'eux tombe sur la théorie en allant prendre du sucre dans un placard.

— Peut-être a-t-il très bien dissimulé les papiers, rétorqua David. Dans une fente dans le mur. Ou sous une lame de plancher.

Le professeur continua à afficher son scepticisme.

— S'il a fait cela, alors la théorie est perdue. Cette cabane est infestée de souris. Elles auront grignoté toute la *Einheitliche Feldtheorie* et les équations de *Herr Doktor* sont maintenant éparpillées parmi leurs crottes.

— Eh bien, peut-être que Kleinman a mis les papiers dans un récipient costaud avant de les cacher. Une boîte à biscuits en fer ou une boîte Tupperware. À mon avis, ça ne coûte rien de chercher.

Gupta pencha la tête en arrière et soupira. Ses yeux étaient vitreux de fatigue.

— Il serait plus sage de réviser nos hypothèses. Pourquoi êtes-vous convaincus que Hans a caché la théorie ici ?

— On en a déjà parlé. Kleinman n'aurait pas pu le faire dans votre bureau ou votre maison, ces endroits sont trop évidents. La théorie serait tout de suite tombée entre les mains des agents du gouvernement s'ils étaient venus…

— Doucement, s'il vous plaît. Nous devons réexaminer chaque étape de notre raisonnement. (Il retourna sa chaise afin de faire face à David.) Partons du code que Kleinman vous a donné. Les douze premiers chiffres correspondaient aux coordonnées du Robotics Institute, c'est cela ?

— Oui, latitude et longitude. (David ferma les yeux un moment et vit de nouveau les nombres, flottant sur la partie interne de ses paupières. La séquence était imprimée de façon indélébile dans son cortex. Il se la rappellerait sans doute jusqu'à sa mort.) Et les quatre derniers chiffres correspondaient à la fin de votre numéro de téléphone.

— Ainsi nous savons que Hans voulait que vous me contactiez. Mais cela ne signifie pas nécessairement qu'il a enfoui la théorie dans un de mes ordinateurs, ou sous les lames du plancher d'une cabane où nous sommes venus en vacances il y a quatre ans.

Gupta s'adossa à sa chaise et se caressa le menton. Il avait repris son rôle de professeur, interrogeant David comme s'il s'agissait d'un séminaire de logique booléenne. Monique écoutait attentivement, les yeux fixés sur le vieux physicien, mais David pensait toujours au seize chiffres que le Dr Kleinman lui avait murmurés à l'oreille. Les chiffres flottaient toujours dans son champ de vision, planant derrière le visage mat de Gupta et l'écran de l'ordinateur. Et sur cet écran, complètement par coïncidence, David vit une autre série de chiffres disposée en une colonne bien ordonnée sur le côté droit du dossier « Mes documents ». C'étaient les noms des annuaires téléphoniques que Gupta avait téléchargés pour son petit-fils : 322, 512, 845, 870 et 733.

David avança de quelques pas et montra l'écran.

— Est-ce que ces noms de dossiers correspondent à des indicatifs téléphoniques ? Un pour chaque annuaire ?

Le professeur parut contrarié. David avait brisé le fil de sa pensée.

— Oui, oui. Mais je vous l'ai déjà dit, ces fichiers ne contiennent pas d'équations.

David s'approcha encore de l'écran et tapota du doigt sur le nom du fichier en haut de la colonne, le nombre 322.

— Cela ne peut pas être un indicatif téléphonique, dit-il. (Puis il montra le 733.) Et celui-là non plus.

Gupta se tourna sur sa chaise.

— De quoi parlez-vous ?

— Mon fils m'a demandé l'autre jour combien il y a d'indicatifs téléphoniques. J'ai fait une petite recherche et trouvé qu'il ne pouvait pas y en avoir plus de 720. Un indicatif ne peut commencer ni par 0 ni par 1, et les deux autres chiffres ne peuvent pas être identiques. Les compagnies de téléphone réservent ces numéros pour des usages spéciaux. Comme 911, 411, ce genre de chose.

Gupta regarda les nombres sur l'écran. Il ne semblait pas impressionné.

— Je me suis sans doute trompé en les tapant.

— Mais il se pourrait aussi que le Dr Kleinman ait changé les noms des dossiers. Cela expliquerait pourquoi ces nombres ne correspondent pas aux indicatifs. Quelques secondes lui suffisaient.

— Mais pourquoi aurait-il fait cela ? Vous pensez que Hans a condensé la théorie du champ unifié en une demi-douzaine de nombres à trois chiffres ?

— Non, il s'agit d'une autre clé. Comme celle qu'il m'a donnée à l'hôpital.

Puis Monique s'approcha à son tour. Elle se pencha sur Gupta et regarda l'écran.

— Mais il y a un total de dix-huit chiffres ici, pas seize.

— Concentrons-nous sur les douze premiers, proposa David. Pouvez-vous vérifier ces latitudes et les longitudes sur Internet ?

Monique contourna la chaise de Gupta, attrapa la souris et cliqua sur Internet Explorer. Elle trouva rapidement un site spécialisé et se pencha sur le clavier.

— Voilà, redonne-moi les nombres.

David n'eut même pas à regarder l'écran. Il avait déjà mémorisé la séquence.

— Trois, deux, deux, cinq, un, deux, huit, quatre, cinq, six, quatre, un.

Plusieurs secondes passèrent tandis que le serveur recherchait l'information dans sa base de données. Puis une carte de la Géorgie occidentale apparut sur l'écran, avec la rivière Chattahoochee sur la gauche.

— L'adresse la plus proche est 3617 Victory Drive, annonça Monique. À Columbus, en Géorgie.

Le professeur Gupta se leva d'un bond, repoussant David et Monique du coude. Il regarda l'écran avec colère, comme si l'ordinateur l'avait insulté.

— C'est l'adresse d'Elizabeth !

Ce nom ne dit tout d'abord rien à David.

— Elizabeth ?

— Ma fille ! s'écria Gupta. Cette petite…

Mais avant qu'il ait pu terminer sa phrase, la porte s'ouvrit subitement.

Lucille était assise dans le siège passager d'une des SUV du Bureau, qui filait gyrophare en action sur la Route 52. Pendant que l'agent Crawford doublait toutes les voitures, elle était en liaison par téléphone satellite avec les agents Brock et Santullo, embusqués dans les bois à Jolo, à proximité d'une cabane. La liaison n'était pas bonne, probablement à cause de l'endroit où les agents opéraient. La voix grave de Brock ondulait, puis des rafales de parasites la faisaient parfois disparaître complètement.

— Brock, ici Parker, cria Lucille dans le téléphone. Je n'ai pas pu noter votre dernière transmission. Répétez encore une fois !

— Bien reçu. Nous avons aperçu quatre suspects dans la maison. Gupta, Swift, Reynolds et l'adolescent non-identifié. Nous changeons maintenant de position, afin de mieux voir l'intérieur. Il y a une fenêtre sur l'autre…

Une vague de parasites couvrit ses derniers mots.

— Bien reçu. J'ai presque tout noté. Restez à couvert jusqu'à ce que les renforts arrivent. N'affrontez pas les suspects, sauf s'ils essaient de quitter la maison. Vous m'entendez, Brock ?

— Affirmatif. Nous conservons notre position. Terminé.

Lucille éprouva soudain de l'inquiétude. Il était regrettable que Brock et Santullo soient les premiers sur les lieux. Brock n'était pas son préféré parmi les membres de l'unité spéciale — c'était une tête brûlée arrogante, à la limite de l'insubordination. Il était bien capable d'ouvrir le feu et de tuer l'un des suspects. Ou pire, de se faire tuer. C'est pourquoi elle lui avait donné l'ordre de rester tranquille. Elle ne voulait pas perdre d'autres agents.

Devant eux, un panneau routier émergea de la pénombre : Welch, 8 km. Ils étaient à moins d'une demi-heure de Jolo, et trois voitures de police de l'État de Virginie-Occidentale étaient encore plus près. Si tout se passait comme prévu, ils pourraient rentrer chez eux à minuit.

C'est alors que la voix de Brock retentit.

— Alerte ! Alerte ! Demande permission d'entrer en action immédiatement ! Je répète, demande permission d'entrer en action.

Lucille pressa le téléphone contre son oreille.

— Qu'est-ce qui se passe ? Ils veulent partir ?

— Nous les avons de nouveau aperçus, ils sont regroupés autour de l'ordinateur ! Ils risquent à tout moment d'effacer l'information recherchée. Demande permission d'agir !

Elle respira profondément. Il lui fallait prendre une décision. L'objectif premier était de mettre en sécurité l'information, parce que c'était vital pour la sécurité nationale. Et Brock avait peut-être raison : les suspects pouvaient essayer d'effacer les données. Mais Lucille avait une grande confiance dans les experts informaticiens du Bureau. Elle les avait vus retrouver des données effacées d'une centaine de disques durs.

— Permission refusée. Vos renforts sont à moins de vingt minutes. Tenez votre position jusqu'à ce qu'ils arrivent.

— Bien reçu. Nous entrons en action !

Lucille pensa qu'il l'avait mal entendue à cause des parasites.

— Non, je vous ordonne de garder votre position ! Ne bougez pas ! Je répète, ne bougez pas !

— Bien reçu. Nous coupons la radio jusqu'à la capture des suspects. Terminé.

Un frisson d'inquiétude la parcourut.

— Bon Dieu ! Brock. J'ai dit de garder la position ! Ne...

Puis la liaison fut interrompue.

Deux espèces de brutes hypermusclées portant des blousons bleu nuit avec FBI en lettres dorées apparurent. L'un était un grand blond au faciès de boxeur et l'autre un Méditerranéen basané avec une moustache en guidon de vélo. Tous deux brandissaient des Glock 9 mm vers Gupta, David et Monique.

Le professeur, instinctivement, voulut protéger son petit-fils. Il alla se placer devant Michael, qui était agenouillé près du brontosaure, semblant se désintéresser de tout hormis son animal robotisé. En réponse, l'agent blond pointa son pistolet vers le front de Gupta.

— Bouge encore et je te fais sauter la cervelle ! beugla-t-il. Les mains en l'air, espèce de connard !

Le vieil homme fixa des yeux la gueule du pistolet. Sa joue gauche se crispa et il laissa échapper un petit cri plaintif. Il leva lentement les mains. Puis il se retourna et regarda son petit-fils.

— S'il te plaît... je t'en prie, lève-toi, Michael. (Sa voix était sourde et tremblante.) Et lève tes mains comme ça.

L'agent blond pivota, pointant son fusil vers David. Le nez de l'homme était déformé, sans doute à cause de multiples fractures, et ses joues couvertes de veinules. Il avait l'air trop débauché pour être un homme du FBI et faisait plutôt penser à un mec qui cherche les embrouilles dans les bars.

— Toi aussi, connard, dit-il. Les mains en l'air !

Lorsque David leva les mains, il jeta un œil sur Monique, qui était de l'autre côté de la pièce. Il savait qu'elle avait un revolver. Il savait aussi que si elle faisait un geste pour le prendre, ils étaient tous morts. Il secoua très légèrement la tête pour lui dire : « Ne fais pas ça, ne fais surtout pas ça ». Après une terrifiante seconde d'hésitation, elle leva également les mains.

L'agent blond se tourna vers son coéquipier.

— Surveille-les, Santullo ! Je contrôle s'ils ont des armes.

L'homme se dirigea d'abord vers David et le palpa avec brutalité. Quand il eut fini, il lui enfonça son Glock dans les côtes.

— T'es vraiment qu'un pauvre connard, dit-il.

David resta parfaitement calme. Non, pensa-t-il, ce salaud ne va pas me tirer dessus. Le gouvernement me veut vivant. Cependant, il n'en était pas tout à fait sûr. Il imagina la balle dans la chambre du pistolet et le percuteur prêt à frapper.

Mais l'agent n'appuya pas sur la gâchette. À la place, il se pencha en avant jusqu'à ce que ses lèvres touchent pratiquement le lobe de l'oreille de David.

— Vous auriez dû rester avec votre ex-femme, murmura-t-il. Elle est beaucoup mieux que cette négresse.

Puis l'homme s'éloigna de lui et se dirigea vers le professeur Gupta. David serra les poings, fou de rage, mais l'agent Santullo pointa immédiatement son Glock sur lui.

— Lève tes mains ! brailla-t-il. J'te le répéterai pas !

Pendant que David obéissait, l'agent blond palpait le professeur Gupta. Le vieil homme se forçait à sourire en regardant son petit-fils.

— Michael, cet homme va te toucher dans une minute. Mais ne t'inquiète pas, il ne te fera pas mal. Regarde, il me le fait à moi et cela ne me fait pas mal du tout.

L'agent le regarda d'un air railleur.

— Qu'est-ce qui va pas avec ce gamin ? Il est attardé ?

Gupta gardait les yeux fixés sur Michael.

— Il ne faut pas que tu cries, d'accord ? Il va te toucher quelques secondes et ce sera fini.

Les paroles de réconfort du professeur semblèrent efficaces, car lorsque l'agent du FBI fouilla Michael, l'adolescent gémit un peu mais ne hurla pas. Puis, l'homme se tourna vers Monique et tomba rapidement sur son revolver. Il le sortit de son short et le leva pour le montrer.

— Eh ben voilà, regardez ça, brailla-t-il. On dirait que cette gonzesse a le feu au cul !

Monique lui lança un regard furieux, regrettant visiblement de ne pas l'avoir descendu. L'agent remit son arme dans son holster et ouvrit le barillet du revolver pour voir s'il était chargé.

— C'est de la veine pour moi, dit-il, mais vraiment pas de chance pour vous, madame Reynolds. Je viens de trouver l'arme du crime.

Elle secoua la tête.

— Je n'ai jamais tué personne ! De quel crime parlez-vous ?

Il referma le barillet et se tourna vers son coéquipier.

— De celui-ci, dit-il en tirant dans la tête de Santullo.

Cela se passa si vite que Santullo avait encore les yeux fixés sur Gupta, David et Monique quand la balle lui traversa le crâne. Le sang et la cervelle giclèrent. L'impact le renversa au sol sur le côté et son Glock tomba. L'agent blond le ramassa, puis il tint l'arme de Santullo d'une main et Monique de l'autre.

Michael se mit à hurler dès qu'il entendit le coup de feu. Il tomba sur le tapis et se boucha les oreilles avec ses mains. Le professeur Gupta se pencha vers lui, se détournant ainsi de l'homme mort. David était trop pétrifié pour regarder ailleurs. Le sang coulait de la plaie juste au-dessus de la tempe de l'homme.

Brock contourna le corps, sans même le regarder.

— Parfait, fini de m'emmerder.

Il bascula le cran de sûreté du Glock et le mit dans la poche de son pantalon, mais garda le revolver de Monique braqué sur ses prisonniers.

— On va sortir de là avant que les renforts se pointent. On va faire une petite promenade dans les bois pour rencontrer un ami à moi de l'autre côté de la colline.

David regarda fixement le visage bosselé de l'agent. Avec un frisson, il comprit que les soupçons qu'il avait eus en voyant cet homme étaient justifiés : il n'appartenait pas réellement au FBI. Il travaillait pour les terroristes.

En trois pas, l'agent s'approcha du professeur Gupta et de son petit-fils qui hurlait. Il poussa d'abord Gupta, l'envoyant rouler à terre. Puis il attrapa Michael par le col de son polo et pressa le canon du revolver contre sa tête.

— Vous allez avancer en file devant moi. Si quelqu'un essaie de s'échapper, je bute le gamin. Compris ?

Monique se trouvait maintenant sur le côté gauche de l'agent et David sur sa droite. Elle lui lança un regard pressant et il comprit : l'homme était dans une position vulnérable. Il ne pouvait surveiller tout le monde en même temps. S'ils devaient tenter quelque chose, c'était le moment ou jamais.

Gupta se releva lentement. Quand il regarda de nouveau l'agent, son visage furieux se contracta.

— Arrêtez ça tout de suite, espèce d'imbécile ! s'écria-t-il. Retirez vos mains de mon petit-fils !

David jaugea la distance entre lui et l'agent. Il pouvait bondir sur le salaud et peut-être attraper son arme, mais cela n'empêcherait pas celui-ci d'utiliser le revolver. Il devait faire en sorte qu'il vise autre chose que Michael.

L'agent sourit au professeur, l'air amusé.

— Comment vous m'avez appelé ? Imbécile ?

Monique lança un regard impatienté à David. C'est alors qu'il remarqua le brontosaure robotisé qui balançait sa queue segmentée juste à quelques pas d'elle. Ses yeux fixèrent la fine antenne de la machine.

— Oui, vous êtes un imbécile ! cria Gupta. Est-ce que vous vous rendez compte de ce que vous faites ?

David prononça silencieusement le mot *antenne* en lui montrant celle-ci du doigt. Monique parut d'abord ne pas comprendre. Puis David serra le poing et tourna son poignet. Monique comprit. Elle se pencha sur la machine et brisa l'antenne d'un coup sec.

L'alarme fut encore plus bruyante que celle du robot nettoyeur. L'agent, par réflexe, se détourna de Michael et pointa le revolver vers le bruit. Alors, David saisit sa chance.

Simon gara la camionnette au point de rendez-vous, un grand virage sur une route boueuse à environ un kilomètre au sud de la cabane. Il avait choisi l'endroit à l'aide d'une carte régionale trouvée dans la boîte à gants. Se donner rendez-vous à Carnegie's Retreat n'aurait pas été prudent : la cabane était située dans un cul-de-sac et une douzaine de véhicules de police venant du nord convergeaient vers elle. Alors que la route boueuse s'en allait vers le sud à travers une forêt dense, ce qui était parfait pour s'échapper dans l'État voisin de Virginie.

Il éteignit les phares, puis regarda les aiguilles lumineuses de sa montre : 9 h 21. Brock devait arriver dans neuf minutes. Simon lui avait promis une belle récompense — 250 000 $ — s'il réussissait à lui livrer les quatre proies vivantes. L'agent avait prévu de faire croire que les suspects avaient tué son coéquipier et s'étaient échappés dans les bois. Simon doutait que le FBI croie à cette histoire, mais c'était le problème de Brock, pas le sien.

Il baissa la vitre et sortit la tête pour guetter le bruit de cinq personnes marchant sur les feuilles mortes. Mais il n'entendit que les sons nocturnes de la forêt : la cymbalisation des cigales, le coassement des grenouilles, le vent soufflant dans la cime des arbres. Quelques secondes plus tard, il perçut une sourde détonation venant de l'ouest. Elle provenait sans doute d'un fusil de chasse. Il y eut ensuite un étrange cri aigu, suivi de quatre autres coups de feu qui se succédèrent rapidement. Cela venait du nord, et ce n'étaient pas des coups de fusil. Il était devenu expert pour identifier les sons que font les différents types d'armes. Là, il s'agissait d'une arme de poing, probablement un revolver.

Pas de panique, se dit-il. C'est l'agent Brock qui descend son coéquipier. Mais pourquoi quatre coups ? Une balle dans la tête, c'est suffisant d'habitude. Non, non, ne tire pas de conclusions négatives, Brock est peut-être un mauvais tireur ou il aura tiré trois autres coups sur son coéquipier pour s'assurer que l'homme était bien mort. Mais aucune de ces hypothèses ne calmèrent l'anxiété de Simon. Tous ses instincts lui disaient que quelque chose d'anormal se passait.

Il attrapa son Uzi, ouvrit la porte de la camionnette et sortit. Sa cheville droite était très enflée, mais il n'avait pas le choix.

David se jeta sur l'agent Brock en lui donnant un grand coup d'épaule dans le dos. L'attaque fut si violente et si rapide que l'homme bascula en avant ; ses jambes se dérobèrent sous lui et sa poitrine alla cogner le sol. Le revolver étant cependant resté dans sa main, il appuya sur la gâchette. Le dinosaure robotisé explosa et l'alarme se tut. David se coucha sur Brock et plaqua l'arme au sol. L'agent parvint, malgré tout, à tirer de nouveau. David cogna la tête de l'homme, écrasant les jointures de ses mains contre la protubérance osseuse à la base de son crâne. Il se rappela alors ce que disait son père : « Il n'y a rien de tel qu'un bon combat. Il n'y a qu'un gagnant et un perdant, et si tu veux gagner tu dois continuer à frapper l'autre jusqu'à ce qu'il arrête de bouger. » Le nez de l'agent se brisa une fois de plus quand David lui écrasa le visage sur le sol, mais l'homme continua à tirer avec le revolver. Deux autres coups retentirent. David entendit Monique crier. Déchaîné, il frappa de son genou l'avant-bras de l'agent, qui lâcha enfin l'arme. Mais David ne s'arrêta pas pour autant. Il entendit la voix imbibée de gin de son père : « Bon Dieu ! Empêche-le de se relever ! Écrase-le, cogne-le, démolis-le ! » Et David suivit les instructions de son père, il les suivit à la lettre, jusqu'à ce que la tête du type ne soit plus qu'une boule de chair broyée, avec la bouche grande ouverte et les yeux fermés tellement ils étaient enflés. Il cria dans l'oreille de l'homme : « Espèce de bâtard ! » Mais ce n'était plus à l'agent qu'il pensait. C'était son père, ce salaud d'ivrogne et d'assassin qu'il insultait en frappant du poing la face violacée.

Il aurait continué jusqu'à ce que mort s'ensuive, mais il sentit quelqu'un lui tirer les bras en arrière.

— Arrête ! Il est inconscient !

Il se retourna et vit Monique. À sa grande surprise, elle ne semblait pas blessée. Elle le regarda avec anxiété, puis sortit du holster le semi-automatique de l'agent.

— Retourne-le que je puisse prendre l'autre, ordonna-t-elle.

David leva le corps inerte et Monique récupéra l'arme de Santullo glissée dans la ceinture du pantalon de l'agent.

— Tiens, prends ça, dit-elle en lui tendant le Glock. Surveille-le au cas où il se réveillerait. Je vais m'occuper de Gupta.

— Gupta ? Qu'est-ce qu'il a ?

Il regarda par-dessus son épaule et vit Michael, toujours accroupi sur le tapis et les mains pressées sur ses oreilles. À côté de lui, le professeur Gupta était étendu sur le dos dans une flaque de sang qui provenait d'un trou large de quelques centimètres dans sa cuisse gauche. Dressé sur ses coudes, il regardait la blessure avec horreur.

— Ça coule, ça coule, ça coule !

Monique tendit le doigt vers le T-shirt de David.

— Vite, enlève-le !

Puis elle se précipita vers Gupta et déchira la jambe gauche de son pantalon, qui était déjà imbibée de sang.

— Essayez de vous calmer, professeur, lui dit-elle. Respirez profondément ! Vous devez ralentir vos battements cardiaques.

Elle prit le T-shirt de David — celui de son équipe de softball, avec HITLESS HISTORIANS inscrit dans le dos — et en fit une boule qu'elle plaça sur la blessure de Gupta. Elle noua les manches autour de la cuisse et pressa la paume de sa main contre le pansement de fortune pour arrêter l'hémorragie. Ensuite, elle déplaça son autre main vers l'aine et commença à la palper à gauche de sa braguette.

— Excusez-moi, dit-elle. J'essaie de trouver l'artère fémorale.

Gupta était occupé à respirer profondément et il ne l'entendit probablement pas. David la regarda avec étonnement enfoncer ses doigts dans l'entrejambe du vieil homme. Au bout de quelques secondes, elle trouva le point de compression et enfonça la base de sa main contre ce point, écrasant l'artère contre l'os pelvien. Le professeur gémit de douleur.

Monique lui fit un grand sourire.

— Voilà, c'est beaucoup mieux, dit-elle. L'hémorragie va diminuer maintenant.

Mais son visage était grave quand elle se tourna vers David.

— Nous devons l'emmener à l'hôpital.

Cette fois, Gupta l'entendit. Il secoua violemment la tête et essaya de s'asseoir.

— Non ! cria-t-il. Vous devez vous sauver ! Vous devez aller en Géorgie !

— S'il vous plaît, professeur, allongez-vous, le supplia Monique.

— Non, écoutez-moi ! L'homme a dit que les policiers arrivaient ! S'ils vous prennent, ils auront la *Einheitliche Feldtheorie.*

Monique luttait pour maintenir la pression sur l'artère fémorale de Gupta et sur le bandage de fortune.

— On ne peut pas vous laisser là. Vous vous videriez de votre sang !

— Aussitôt qu'arriveront les autorités, elles me transporteront à l'hôpital. Croyez-moi, ils ne me laisseront pas mourir. Je suis trop important pour eux.

Elle secoua la tête. Elle voulait rester près de lui. David fut impressionné par son dévouement. Il avait eu l'impression que Monique n'aimait pas beaucoup le professeur, et pourtant elle était maintenant prête à tout sacrifier pour lui.

Gupta tendit la main vers elle et lui toucha la joue. Puis il désigna son petit-fils, qui se balançait d'avant en arrière sur ses talons.

— Prenez Michael avec vous, dit-il. Si la police le trouve, il sera placé dans une institution. Faites en sorte que ça n'arrive jamais, Monique. S'il vous plaît, je vous en supplie.

Elle acquiesça d'un mouvement de tête tout en gardant la main sur le bandage. Puis Gupta se tourna vers David et lui montra l'ordinateur sur la table.

— Avant de partir, vous devez détruire le disque dur. Pour que le FBI ne trouve pas le code.

Sans un mot, David souleva l'ordinateur au-dessus de sa tête et le jeta au sol. La boîte en plastique éclata et David arracha le disque dur, qui ressemblait à un tourne-disque miniature. Il prit le Glock par le canon et commença à donner des coups dans le plateau argenté avec le manche du pistolet. Il continua jusqu'à ce qu'il soit réduit en minuscules éclats.

Il avait à peine fini quand il entendit un bruit strident. C'était la sirène d'une voiture de police fonçant sur la route en graviers, peut-être à cinq cents mètres. Il écouta attentivement et perçut, un peu plus lointain, le son de deux autres sirènes. Ensuite, un bruit encore plus inquiétant retentit : c'était le tir rapide d'une mitraillette.

David se leva d'un bond. Monique était toujours penchée sur le professeur Gupta, pressant le bandage, mais le vieil homme murmurait maintenant quelque chose à l'oreille de Michael.

— Viens ! s'écria David. Nous devons partir !

— Allez, dit Gupta en repoussant Michael et Monique. (Il semblait s'affaiblir.) Et n'oubliez pas... la Game Boy de Michael.

Monique se leva en pleurant et se dirigea vers la porte. David trouva la Game Boy et la fourra dans les mains de l'adolescent. Michael appuya sur un bouton et l'écran s'anima de nouveau. Il se remit à jouer à Warfighter au point où il l'avait laissé, comme si rien d'important ne s'était passé dans l'intervalle, et fut suffisamment distrait pour laisser David lui attraper le coude et le guider hors de la cabane.

Simon s'en prit d'abord aux flics. Adossé contre un arbre près de la route, il mitrailla le pare-brise de la voiture qui était en tête, tuant deux policiers à l'intérieur. Le véhicule glissa sur le gravier et alla s'écraser sur un bloc de pierre recouvert de kudzu[1]. Le conducteur du second véhicule ne vit la voiture accidentée qu'en atteignant le virage. Il essaya de s'arrêter au milieu de la route, mais Simon l'abattit avant qu'il ne puisse faire demi-tour. Le troisième conducteur resta prudemment hors de portée. Simon entendit la voix de policiers se mettant à l'abri et criant dans leur radio. Le travail était accompli : désormais les policiers resteraient sur le côté de la route, tapis derrière des rochers et des

---

1. *Pueraria lobata* ou puéraire ou vigne kudzu : plante vivace de la famille des Fabacées originaire d'Extrême-Orient, très invasive. *(N.d.T.)*

troncs d'arbres pendant une bonne demi-heure, permettant à Simon de concentrer son attention ailleurs.

Il boitilla sur la route jusqu'à la cabane. La première chose qui l'inquiéta fut la porte ouverte. La seconde, les trois corps étendus sur le sol à l'intérieur. Seul l'un d'eux était mort — un homme du FBI avec une moustache ridicule, sans doute le coéquipier de Brock. Sa cervelle avait giclé sur le mur. Un petit homme de type indien, l'estimé professeur Gupta, gisait inconscient dans une mare de sang. Quelqu'un avait fait un pansement de fortune autour de sa jambe blessée, mais le bandage était déjà trempé. Et enfin, l'agent Brock, sur le ventre, se tordait et gémissait de douleur, crachant des morceaux de dents.

Simon resta là un moment, réfléchissant à ce qu'il devait faire. Swift et Reynolds, ses principales cibles, n'étaient certainement pas loin, courant à tâtons à travers les bois avec le jeune homme qu'il avait vu l'autre fois. Dans des circonstances ordinaires, Simon les aurait poursuivis, mais sa cheville était de plus en plus enflée et il savait qu'elle ne supporterait pas son poids plus longtemps. Pour le moment, il devrait se contenter d'interroger le Pr Gupta. À supposer que le vieil homme ne succombe pas à sa blessure, il y avait des chances pour qu'il lui révèle où Swift et Reynolds étaient partis.

Brock se leva en titubant. Son visage était défiguré et ensanglanté, mais il n'avait pas l'air gravement blessé. Ensemble, ils pourraient probablement transporter Gupta à travers les bois jusqu'à la camionnette. Simon saisit l'arrière du cou de Brock et le poussa vers le professeur.

— J'ai un nouveau travail pour vous, M. Brock. Si vous voulez rester en vie, je vous conseille de le faire.

CHAPITRE 9

Lucille était agenouillée près du corps de Tony Santullo, un agent de vingt-quatre ans, diplômé de l'académie depuis tout juste six mois. Elle se força à regarder le trou béant dans sa tempe. Puis, respirant profondément, elle tenta de chasser de son esprit toutes les pensées de culpabilité, de colère et de frustration qui l'assaillaient pour se concentrer sur la reconstitution de ce qui avait pu se passer. Elle examina la position du corps de Santullo et les traces de sang. Deux flaques à l'autre bout de la pièce indiquaient d'autres victimes. Ensuite, elle inspecta les débris éparpillés sur le sol : l'ordinateur cassé et les éclats de disque dur, ainsi que les morceaux d'une espèce de robot.

L'agent Crawford se tenait derrière elle, aboyant dans une radio :

— Brock, reviens ! Allez, reviens ! Et d'abord, réponds !

Lucille secoua la tête. À première vue, on pouvait imaginer que l'agent Brock avait poursuivi les suspects dans les bois et que, s'il ne répondait pas à l'appel radio, c'est parce qu'il était étendu mort ou blessé quelque part dans la forêt. Mais Lucille en doutait sérieusement. Depuis vingt-quatre heures, elle avait suspecté la présence d'un traître dans l'unité spéciale et elle connaissait maintenant son identité.

— Reviens Brock, répétait Crawford. Reviens !...

Brusquement, il baissa le son de la radio et pencha la tête pour écouter un bruit provenant de l'extérieur. Une ou deux secondes plus tard, Lucille l'entendit aussi : c'était le battement de rotors d'hélicoptères. Elle se releva et suivit Crawford hors de la cabane. Ils regardèrent en direction du nord-est et virent trois Black Hawk qui survolaient les collines, illuminant le sommet des arbres avec leurs projecteurs. Une garde avancée de la Delta Force arrivait plus tôt que prévu.

Torse nu, David courait dans le noir à perdre haleine. Pour éviter de se perdre, il essayait de suivre le bruit que faisait Monique en écrasant le bois mort. De la main gauche, il tâtonnait les troncs d'arbres et les branches et, de la droite, il tenait Michael par le bras et l'entraînait dans sa course. L'adolescent avait d'abord hurlé, mais après avoir couru près d'un kilomètre, il était désormais trop essoufflé pour pouvoir protester. Ils volaient littéralement dans la forêt obscure, propulsés par une profonde terreur.

Ils atteignirent une clairière et Monique s'arrêta net. David faillit lui rentrer dedans.

— Qu'est-ce que tu fous ? maugréa-t-il. Vas-y, continue !

— Où on va ? Comment tu sais qu'on ne tourne pas en rond ?

Il leva les yeux vers les étoiles. La Petite Ourse était sur leur droite, ce qui signifiait qu'ils se dirigeaient vers l'ouest. Il prit la main de Monique et la pointa vers la gauche.

— Il faut aller par là, vers le sud. Après nous…

— Oh, mon Dieu, qu'est-ce que c'est que ça ?

Trois points lumineux apparurent au-dessus des arbres, juste derrière eux, suspendus dans le ciel comme de nouvelles étoiles. Alors que David regardait dans cette direction, il entendit au loin le bourdonnement de rotors d'hélicoptères. Il attrapa le bras de Michael et poussa Monique en avant.

— Cours ! Sous les arbres !

Ils s'enfoncèrent de nouveau dans la forêt et grimpèrent une pente rocheuse à quatre pattes. Le sol était plus dur, plus accidenté. Monique trébucha et tomba en poussant un cri. David se précipita vers elle, mais quand il se pencha pour lui demander si tout allait bien, il entendit une voix grave dire : « Bouge plus ! » Puis ce fut le bruit de deux fusils que l'on armait.

David se figea. Pendant une fraction de seconde, il pensa continuer à fuir. Mais, quand il se retourna, il vit que la Game Boy dans la main de Michael était encore allumée et que la lumière de l'écran, bien que faible, était suffisante pour les rendre visibles.

La lumière d'une torche apparut et son rayon se dirigea vers eux. Bien qu'ébloui, David essaya de voir l'homme qui tenait la lampe, mais tout ce qu'il put distinguer fut une silhouette massive. Ce n'est sans doute pas le FBI, pensa-t-il. Plutôt un sheriff local ou un flic. Ce qui, à l'heure actuelle, ne faisait guère de différence.

— Qu'est-ce que vous foutez là ? demanda l'homme, l'air intrigué. C'est pas une aire de pique-nique ici.

David regarda dans le rayon de lumière et vit, à son grand soulagement, que l'homme ne portait pas d'uniforme. Il était vêtu d'une salopette et d'une grosse chemise en flanelle, et l'arme qu'il pointait sur eux était un fusil de chasse. À sa gauche, il y avait un autre homme avec un fusil de chasse, un vieux type édenté avec une casquette John Deere, et à sa droite, un petit garçon trapu de huit ou neuf ans. Le garçonnet avait dans les mains une fronde de fabrication artisanale et son visage était étrangement aplati.

— Vous m'entendez ? dit le plus baraqué. (Il avait une épaisse barbe noire et un pansement sale recouvrait son œil gauche.) Je vous ai posé une question.

David hocha la tête. C'étaient des chasseurs comme ceux dont lui avait parlé le professeur Gupta. Trois générations de montagnards de Virginie-Occidentale qui se méfient des étrangers. Sans doute peu enclins à sympathiser avec une physicienne noire et un professeur d'histoire torse nu. Mais probablement n'aimaient-ils pas trop non plus le gouvernement. David pensa utiliser cet argument pour les amadouer.

— Nous avons des problèmes, admit-il. Ils viennent pour nous arrêter.

L'homme fixa son œil valide sur lui.

— C'est qui « ils » ?

— Le FBI. Et les flics. Ils travaillent ensemble.

L'homme renifla.

— Qu'est-ce que vous avez fait ? Un casse dans une banque ?

David savait qu'il lui fallait inventer une histoire que les chasseurs pourraient croire.

— On n'a rien fait de mal. C'est un complot du gouvernement.

— Qu'est-ce que vous voulez dire par…

Il fut interrompu par son fils, qui soudain laissa échapper un cri aigu, comme celui d'un oiseau tropical. Le visage du garçon se fendit d'un sourire bizarre et il se mit à se balancer, comme s'il était ballotté par le vent. David comprit qu'il était mongolien.

L'homme ne prêta pas attention au gamin. Il garda son fusil pointé sur David.

— Bon, vous allez me dire ce qui se passe ici ?

David se dit alors qu'ils avaient quelque chose en commun. Ce pouvait être un bon point de départ. Il désigna Michael, qui était accroupi sur le sol et se balançait d'avant en arrière.

— Ils en ont après notre fils, s'écria-t-il. Ils essaient de nous le retirer !

Monique le regarda, stupéfaite. Mais le mensonge, bien que tiré par les cheveux, n'était pas complètement absurde. Dans le noir, on pouvait facilement croire que l'adolescent au teint mat était leur fils. Et les chasseurs semblèrent admettre cette possibilité. L'homme costaud abaissa son fusil de quelques degrés, le pointant à présent sur leurs pieds.

— Votre garçon, l'est malade ?

David prit un air indigné.

— Les médecins veulent le mettre dans un hôpital psychiatrique ! On a quitté Pittsburgh pour se mettre à l'abri de ces salauds, mais ils nous ont suivis jusqu'ici !

— On a entendu des coups de feu y'a pas bien longtemps. Y tiraient sur vous ?

David hocha de nouveau la tête.

— Et maintenant ils ont fait appel à des renforts. Vous entendez les hélicoptères ?

Le bruit des rotors augmentait. Le petit garçon fixait le ciel. Le vieux type avec sa casquette John Deere échangea alors un regard avec son fils. Puis tous deux baissèrent leurs armes et le type baraqué éteignit sa lampe.

— Suivez-moi ! ordonna-t-il. La piste est par là.

Simon reconnut aussitôt les hélicoptères à leur forme. Des Black Hawk qui volaient bas, juste à quelques mètres au-dessus de la cime des arbres. C'était la tactique de la Delta Force, voler au ras du sol, au-dessous de la couverture radar. Son cœur se mit à battre plus fort — ses ennemis étaient proches. Les soldats qui avaient opéré en Tchétchénie, ceux qui avaient tué sa femme et ses enfants, se trouvaient peut-être parmi eux. Pendant un moment, il envisagea de faire feu avec son Uzi ; avec un peu de chance, il pourrait dégommer l'un des pilotes. « Le problème, c'est que l'autre Black Hawk pourrait alors déterminer ma position et le jeu serait terminé. Non, mieux valait s'en tenir au plan original. On en tuera beaucoup plus de cette façon » se rassura-t-il.

Brock et Simon atteignirent bientôt la camionnette et déposèrent le professeur Gupta sur la banquette arrière. Puis Brock s'effondra sur le siège passager, tandis que Simon s'installait derrière le volant. Il savait qu'il ne pouvait pas allumer les phares — les pilotes des Black Hawk les localiseraient immédiatement — il mit donc ses lunettes infrarouges. Sur l'écran, la route poussiéreuse apparaissait froide et noire, mais les troncs et les branches des arbres, sur le bord de la route, avaient retenu un peu de la chaleur du jour. Le contraste était suffisamment intense pour qu'il puisse conduire assez vite, ce qui était une chance car ils n'avaient pas beaucoup de temps devant eux. Quand Simon regarda par-dessus son épaule, il remarqua que le visage de Gupta était beaucoup plus froid que celui de Brock. Le professeur était en état de choc.

Ils étaient à environ vingt kilomètres au sud de la cabane et franchissaient la frontière avec l'État de Virginie, quand Simon remarqua un bâtiment dans un virage. C'était une banale maison à un étage, avec un porche et un garage attenant. Ce qui retint surtout son attention fut le nom sur la boîte aux lettres. Il était inscrit avec des lettres en plastique qui ressortaient clairement sur le métal froid : Dr Milo Jenkins.

Simon freina brusquement et tourna dans l'allée.

Les chasseurs se déplaçaient comme des fantômes à travers la forêt. Sous la voûte de feuillage, ils suivaient une piste tortueuse qui grimpait le long d'une étroite vallée de montagne. Bien que ne faisant aucun bruit, ils marchaient si vite que David, Monique et Michael pouvaient à peine les suivre. David ne parvenait à les distinguer que grâce à la lueur d'un croissant de lune qui brillait sur les canons de leurs fusils.

Pendant environ une demi-heure, ils firent route vers le haut de la colline, sur une pente escarpée garnie de pins. Michael commença à haleter, mais il continua, tout en gardant un œil sur sa Game Boy. Il avait laissé David le tenir par le bras. Quand ils atteignirent la crête, David se retourna et chercha à percer l'obscurité à travers une trouée dans les arbres à l'est. Il vit les projecteurs des trois hélicoptères fouiller les collines et les vallées, mais ils étaient maintenant si loin que le bruit de leurs rotors n'était plus qu'un grondement étouffé.

Les chasseurs poursuivirent le long de la ligne de crête pendant encore un bon kilomètre, puis commencèrent à redescendre. Au bout de quelques minutes, David aperçut une lumière sur le flanc de la colline. Ils se dirigèrent vers elle, accélérant le pas, et arrivèrent bientôt devant une baraque en contre-plaqué posée sur des parpaings. Elle était longue et étroite, appuyée contre un arbre. On aurait dit une caravane délabrée, abandonnée dans les bois. Deux chiens miteux tournaient autour en jappant et s'arrêtèrent en voyant les hommes approcher. L'un d'eux courut vers le gamin et dansa autour de lui. Le colosse en salopette se tourna vers David.

— C'est chez nous, dit-il en tendant la main. Mon nom est Caleb. Voilà mon père et mon fils, Joshua.

David lui serra la main. Il remarqua alors que Caleb n'avait plus d'annulaire.

— Je m'appelle David. Voici ma femme, Monique. (Il lui fut facile de mentir. Et sans hésitation, il avait créé une famille.) Et voilà mon fils, Michael.

Caleb hocha la tête.

— Vous n'aurez pas d'ennuis chez nous. Noir ou blanc, ça fait pas de différence ici, dans les montagnes. Nous sommes tous frères et sœurs aux yeux de Dieu.

Monique se força à sourire.

— Vous êtes bien gentils, dit-elle poliment.

Caleb se dirigea vers l'entrée de la baraque et ouvrit la porte, un panneau de bois à peine dégrossi fixé de guingois à un cadre.

— Entrez et installez-vous ! Vous feriez bien un petit somme, je parie.

Ils entrèrent les uns après les autres dans la cahute. Elle se composait d'une seule grande pièce, sans fenêtre, et la lumière provenait d'une ampoule suspendue au plafond.

À l'entrée, quelques bols en plastique et un réchaud étaient posés sur une table bordée de deux chaises aux coussins déchirés. Un peu plus loin, une couverture grise de l'armée était étendue sur le sol ; c'était vraisemblablement l'endroit où ils dormaient. Tout au fond, on distinguait un amoncellement informe de boîtes en carton et un tas de vêtements.

Sans un mot, le père de Caleb retira sa casquette John Deere et se dirigea vers la table. Il alluma le réchaud et ouvrit une boîte de ragoût. Pendant ce temps, Joshua s'était précipité vers le fond de la baraque et jouait avec son chien à l'aide d'une corde. Caleb ébouriffa les cheveux noirs de son fils, qui semblaient ne pas avoir été lavés depuis longtemps.

— Joshua, c'est mon cadeau du Seigneur, dit-il. Les services sociaux de Mingo County essaient de me le prendre depuis que sa maman est morte. C'est pour ça que j'ai construit cette baraque dans ce trou paumé. On est à au moins trois kilomètres de la route la plus proche. Assez loin pour que les flics nous laissent tranquilles.

Monique lança un coup d'œil à David. Elle pensait sans doute la même chose que lui : c'était une sacrée coïncidence qu'ils rencontrent ce gars. Mais dans cette partie de la Virginie-Occidentale, il n'était sans doute pas exceptionnel qu'un groupe de fugitifs en rencontre un autre. Toutes les personnes qui vivaient dans cet endroit fuyaient peut-être quelque chose.

Caleb s'avança vers Michael et essaya de retenir l'attention de l'adolescent.

— Tu es un cadeau du Seigneur aussi, dit-il. Comme il est dit dans la Bible, Évangile de Marc, chapitre X : « Laissez venir à moi les petits enfants, ne les en empêchez pas : le royaume de Dieu leur appartient. »

Michael l'ignora, ses pouces appuyant sans trêve sur les touches de la Game Boy. Au bout d'un moment, Caleb se tourna vers le tas de vêtements empilés n'importe comment sur les boîtes en carton. Il en sortit un T-shirt et le tendit à David.

— Voilà, mettez ça ! Vous êtes les bienvenus chez nous pour y passer la nuit.

David jeta un coup d'œil sur la couverture grise au sol. Il était si fatigué qu'il aurait dormi dessus avec plaisir, même si ce n'était pas très confortable. Mais il était toujours préoccupé par les hélicoptères qu'il avait vus de l'autre côté de la crête.

— Merci pour votre hospitalité, Caleb, mais je pense qu'il faut qu'on continue.

— Où tu vas aller, mon frère ? Si c'est pas indiscret.

— À Columbus, en Géorgie. (David montra Monique du doigt.) Ma femme a de la famille là-bas. Ils pourront peut-être nous aider.

— Et comment vous comptez y aller ?

— Nous avons abandonné notre voiture quand les flics ont commencé à nous poursuivre. Mais nous irons à Columbus par tous les moyens. À pied s'il le faut.

Caleb secoua la tête.

— Ce sera p'têt pas nécessaire. J'pense que j'peux vous aider. Y a un homme dans notre église, nommé Graddick. Il est censé aller en Floride demain. P'ête qui peut vous déposer en chemin.

— Est-ce qu'il habite dans le coin ?

— Non, mais y doit venir ici vers minuit chercher les serpents. Je suis sûr qui vous emmènera.

— Les serpents ?

David crut qu'il avait mal entendu.

— J'ai attrapé quelques serpents à sonnettes sur la colline la semaine dernière, et Graddick s'en va les porter à une église de la Sainteté, à Tallahassee. C'est une église où on manipule les serpents, comme dans les nôtres ici, à Rockbridge.

Caleb ouvrit une des boîtes en carton et en sortit une caisse à claire-voie en cèdre. Elle était fermée par un couvercle en Plexiglas muni de petits trous circulaires.

— Nous essayons d'aider nos frères de Floride, vous voyez, mais c'est pas vraiment légal. C'est pour ça qu'on transporte les serpents de nuit.

David essaya de voir à travers le Plexiglas. Un serpent à la peau rousse, gros comme un avant-bras, était lové dans la caisse. Il secoua ses sonnettes et on entendit un sifflement strident.

Caleb posa la caisse sur le sol et en sortit une autre du carton.

— La Bible nous invite à le faire. Évangile de Marc, chapitre XVI : « Ces signes suivront ceux qui croient. Ils pourront chasser les esprits du mal, ils pourront parler des langues nouvelles et ils pourront prendre des serpents dans leurs mains. » (Il sortit une troisième caisse et la posa au-dessus des deux autres. Puis il souleva toute la pile, qu'il appuya contre sa large poitrine.) J'vais emporter ces caisses dehors et les nettoyer avant que Graddick arrive. Vous autres, reposez-vous pendant ce temps-là. Y a un peu de ragoût de bœuf dans le placard si vous avez faim.

Puis il sortit de la baraque, suivi de Joshua et de son chien. Le père de Caleb était toujours à table, mangeant le ragoût à même la boîte, et Michael était accroupi sur la couverture de l'armée. Monique s'allongea à côté de lui, le dos contre la paroi en contre-plaqué. Son visage était grave et marqué par la fatigue.

David s'assit à côté d'elle.

— Hé, ça va ? lui demanda-t-il à voix basse au cas où le vieil homme écouterait.

Elle regarda Michael et secoua la tête.

— Regarde-le ! murmura-t-elle. Maintenant il n'a plus personne. Pas même son grand-père.

— Ne t'inquiète pas pour Gupta, d'accord ? Il va s'en sortir. Le FBI va l'emmener à l'hôpital.

— C'est de ma faute. Tout ce qui m'intéressait c'était la théorie. Je me foutais du reste. (Elle posa les coudes sur ses genoux et se prit la tête à deux mains.) Maman avait raison. Je suis une fille sans cœur.

— Allons, ce n'est pas de ta faute. C'est…

— Et tu n'es pas mieux ! (Elle leva la tête et lui lança un regard de défi.) Que vas-tu faire quand tu auras trouvé la théorie unifiée ? As-tu déjà réfléchi aussi loin que ça ?

Pour être honnête, David n'avait pas pensé à la suite. Pour le moment, il ne faisait que suivre les vagues instructions que le Dr Kleinman lui avait données : « Gardez secrète la théorie. Ne les laissez pas s'en emparer ! »

— Il faudrait sans doute la confier à un organisme neutre. Une organisation internationale, par exemple.

Monique fit la grimace.

— Quoi ? Tu voudrais la remettre à l'ONU pour la sauvegarder ?

— Ce n'est pas une idée aussi stupide que ça. Einstein était un fervent défenseur des Nations Unies.

— Oh, on s'en fout d'Einstein !

Elle éleva légèrement la voix, assez pour attirer l'attention du père de Caleb. Il s'arrêta de manger un moment et regarda par-dessus son épaule. David lui sourit pour le rassurer, puis il se retourna vers Monique.

— Calme-toi, murmura-t-il. Le vieil homme pourrait t'entendre.

Monique se pencha vers lui, approchant ses lèvres de son oreille.

— Einstein aurait dû détruire la théorie quand il a compris à quel point elle pouvait être dangereuse. Mais les équations avaient bien trop d'importance pour lui. C'était un salaud sans cœur, lui aussi.

Elle le regarda durement, prête à en découdre. Mais David ne réagit pas, et pendant un moment il sembla se désintéresser du sujet. Monique bâilla, puis alla s'allonger un peu plus loin sur la couverture.

— Et puis merde, dit-elle. Réveille-moi quand le type aux serpents arrivera.

Trente secondes plus tard, elle dormait, en chien de fusil, les genoux relevés sur la poitrine. Ses mains étaient jointes sous son menton, comme si elle priait. David attrapa un coin de la couverture et la replia sur elle. Puis il s'assit à côté de Michael, l'autre membre de sa nouvelle famille.

L'adolescent était toujours absorbé par Warfighter. David se contenta d'observer l'action sur l'écran de la Game Boy.

Un soldat en uniforme kaki courait le long d'un couloir sombre. Un autre apparut un peu plus loin, mais Michael le descendit aussitôt. Son soldat sauta par-dessus le corps, puis se précipita dans une petite salle où une demi-douzaine de personnes étaient réunies. Michael appuya alors sur une touche, son soldat s'accroupit et tira avec son M-16. Bientôt, les six soldats ennemis furent au sol, du sang s'écoulant de leurs blessures. Le soldat de Michael ouvrit ensuite une porte à l'autre bout de la pièce. L'écran devint noir et un message apparut en lettres lumineuses : FÉLICITATIONS ! VOUS AVEZ ATTEINT LE NIVEAU SVIA/4 ! David imagina que cela devait être un très haut niveau d'expertise pour Warfighter, mais Michael ne manifesta aucune émotion. Son visage resta aussi inexpressif qu'avant.

David ressentit soudain le besoin d'établir un contact avec le garçon. Il se pencha près de lui et tendit le doigt vers l'écran.

— Qu'est-ce qui se passe maintenant ?

— Il retourne au Niveau A1.

La voix de Michael était monocorde et ses yeux restaient fixés sur la Game Boy. Mais il avait répondu, et de façon intelligible. David sourit.

— Alors, tu as gagné. Ouah ! C'est génial !

— Non, je n'ai pas gagné. Il retourne au Niveau A1.

David hocha la tête. D'accord, comme tu veux. Il pointa du doigt l'écran, qui montrait maintenant des soldats en kaki dans un champ.

— Mais de toute façon, c'est un jeu amusant, pas vrai ?

Cette fois, Michael ne répondit pas. Toute son attention était reportée sur Warfighter. David sentit comme une fenêtre qui se serait refermée ; il resta donc assis sans parler à côté de lui et le regarda jouer. En tant que père, il savait que les mots n'étaient pas indispensables pour communiquer. Durant ses après-midi avec Jonah, il s'asseyait toujours près de lui pendant qu'il faisait ses devoirs. La seule proximité était réconfortante.

Au bout de dix minutes, Michael avait déjà atteint le Niveau B3. Le père de Caleb avait fini de dîner et s'était endormi sur sa chaise. David entendit soudain des voix dehors. Inquiet, il se précipita vers la porte de la baraque et l'entrouvrit. Par la fente, il vit Caleb parler avec un autre solide gaillard. Comme Caleb, il avait une épaisse barbe noire et portait un fusil à double canon. Ce doit être Graddick, pensa David avec soulagement. Il ouvrit grand la porte et sortit.

Caleb se retourna.

— Va chercher ta femme et ton fils ! Faut que vous partiez tout de suite !

— Pourquoi ? Qu'est-ce qui se passe ?

Graddick s'avança. Ses yeux, enfoncés dans leurs orbites, étaient d'un bleu surnaturel.

— L'armée de Satan est en mouvement. Y a un convoi de Humvee[1] sur la Route 83. Et les hélicoptères noirs se sont posés sur le pont.

— L'Armageddon est proche, mes frères ! cria Caleb. Vous feriez mieux de partir avant qu'ils barrent les routes !

Le professeur Gupta était étendu sur une table en acajou dans la salle à manger du Dr Milo Jenkins. Plusieurs coussins du canapé de la salle de séjour avaient été disposés sous sa jambe pour la surélever, et une pince chirurgicale avait été posée dans la cuisse blessée pour arrêter l'hémorragie. Simon avait vraiment eu de la chance de tomber sur Jenkins ; c'était un médecin de campagne de la vieille école, qui exerçait aussi en dehors de chez lui et avait une certaine expérience des blessures par balles dont ses voisins étaient souvent victimes. Avec le matériel médical dont il disposait dans son cabinet, il avait habilement confectionné une perfusion, qui pendait à un lustre. Mais Jenkins secoua la tête quand il se pencha sur la table couverte de sang et pressa ses doigts sur le côté du cou de Gupta. Simon, son Uzi pointé sur le médecin, sentit que les choses tournaient mal.

Jenkins se tourna vers lui.

— Je vous le répète, dit-il d'une voix traînante. Si vous voulez sauver cet homme, vous devez l'emmener à l'hôpital. Je ne peux rien faire de plus pour lui à présent.

Simon fronça les sourcils.

1. Véhicule de transport léger de l'armée américaine. *(N.d.T)*

— Et moi je vous répète que je me moque de sauver sa vie. Ce que je veux, c'est qu'il reprenne conscience durant quelques minutes. Juste assez longtemps pour que nous ayons une petite conversation.

— Eh bien, cela ne se fera pas ! Il en est au stade final du choc hypovolémique. S'il n'est pas emmené rapidement à l'hôpital, la seule personne à qui il parlera est à son Créateur.

— C'est quoi le problème ? Vous avez arrêté l'hémorragie et posé une perfusion. Il devrait se remettre, maintenant.

— Il a perdu trop de sang. Il n'a plus assez de globules rouges pour fournir de l'oxygène à ses organes.

— Alors faites-lui une transfusion !

— Vous croyez peut-être que j'ai une banque du sang dans mon réfrigérateur ? Il nous en faudrait au moins un litre et demi !

Tout en gardant le Uzi braqué sur Jenkins, Simon roula la manche de sa chemise sur son bras droit.

— Mon sang est du O négatif. Je suis un donneur universel.

— Vous êtes cinglé ? Si je vous retire autant de sang, vous allez y passer !

— Je ne crois pas. J'ai déjà donné du sang auparavant. Alors allez chercher un autre kit de perfusion.

Mais Jenkins ne bougea pas. Les bras croisés sur la poitrine, il lui lança un regard de campagnard obstiné.

— Non, c'est fini. Je ne ferai rien de plus. Vous pouvez avancer et me tuer, si vous voulez.

Simon laissa échapper un soupir exaspéré. Il se rappelait son travail avec les Spetsnaz en Tchétchénie, et toutes les difficultés qu'il avait eues avec les soldats récalcitrants placés sous son autorité. La menace d'exécution n'était visiblement pas suffisante pour influer sur le comportement du Dr Jenkins. Simon devait lui fournir une motivation plus forte.

— Brock ! appela-t-il. Va me chercher Mme Jenkins !

À cinq heures du matin, alors que le soleil se levait sur Washington, le vice-président sortit de sa limousine et se dirigea vers l'aile ouest de la Maison Blanche. Ce n'était pas un lève-tôt par nature ; il aurait préféré dormir jusqu'à sept heures et aller à son bureau à huit. Mais le président était un fanatique partisan des journées de travail commençant à l'aurore, aussi le vice-président se conformait-il à cet horaire. Il devait être prêt à intervenir à tout moment pour empêcher le commandant en chef de faire quelque chose de stupide.

Aussitôt qu'il entra dans le bâtiment, il vit le secrétaire à la Défense, un stylo à la main et un exemplaire du *New York Times* sur les genoux. Il avait gribouillé quelques notes dans la marge du journal. Cet homme ne dort jamais, pensa le vice-président. Il passe toute la nuit à sillonner les couloirs de la Maison Blanche.

Le SecDef se leva d'un bond dès qu'il aperçut le vice-président. Il leva son journal et le secoua avec colère.

— Vous avez vu ça ? aboya-t-il. Nous avons un problème. Un de nos flics de New York a vendu la mèche.

— Que voulez-vous…

— Tenez, lisez vous-même. !

Il colla le journal dans les mains du vice-président.

L'article se trouvait dans le coin supérieur gauche de la première page.

> LES ALLÉGATIONS DU FBI EN QUESTION
>
> Par Gloria Mitchell
>
> Un inspecteur de police de New York a démenti la déclaration du Bureau Fédéral d'Investigation prétendant qu'un professeur de l'université Columbia était impliqué dans le sauvage assassinat de six agents du FBI jeudi soir.
>
> Le FBI a lancé une recherche à l'échelon national pour retrouver David Swift, accusé de meurtres lors d'une opération antidrogue à Harlem ouest. Le Bureau déclare que ce Swift, un professeur d'histoire connu pour ses biographies de Isaac Newton et Albert Einstein, est le chef d'un réseau de vente de cocaïne et a ordonné le meurtre des agents secrets infiltrés.
>
> Hier cependant, un inspecteur de la police criminelle de Manhattan nord a déclaré que des agents du FBI avaient arrêté Swift jeudi à environ 8 heures du soir, soit trois

heures avant l'heure à laquelle le Bureau a déclaré que les meurtres avaient eu lieu.

L'inspecteur, parlant sous couvert d'anonymat, a dit que les agents avaient arrêté Swift à l'hôpital St Luke, à Morningside Heights. Swift s'était alors rendu au chevet du Dr Hans Kleinman, un lauréat du prix Nobel de physique, qui avait été hospitalisé pour blessures subies lors d'un apparent cambriolage quelques heures plus tôt. Kleinman a succombé à ses blessures peu après l'arrivée de Swift.

Le vice-président était trop exaspéré pour en lire davantage. C'était un véritable fiasco.

— Comment cela a-t-il pu arriver ?

Le SecDef tourna sa tête carrée.

— À cause de la bêtise chronique des flics. L'inspecteur a été vexé que les fédéraux lui retirent l'affaire Kleinman. Alors il a pris sa revanche en vendant la mèche au *Times*.

— Est-ce qu'on peut le faire taire ?

— Oh, on s'en est déjà occupé ! Nous avons retrouvé qui c'était — un type espagnol du nom de Rodriguez — et nous l'avons embarqué pour le questionner. Le plus gros problème, c'est l'ex-femme de Swift. C'est elle qui a mis le *Times* sur la piste.

— Bien, peut-on la faire taire aussi ?

— Nous essayons. Je viens d'avoir au téléphone son amant, Amory Van Cleve, l'avocat qui a levé vingt millions de dollars pour votre dernière campagne. Apparemment, leur histoire d'amour s'est refroidie au cours des dernières vingt-quatre heures. Maintenant, il dit qu'il ne s'opposerait pas à ce qu'on l'embarque.

— Alors allez-y et faites vite !

— Les agents qui l'ont prise en filature ont dit qu'elle et son fils avaient passé la nuit chez la journaliste qui a écrit cet article. L'ex de Swift est une femme intelligente. Elle sait que nous ne pouvons pas l'arrêter tant qu'elle est avec un journaliste. Nous avons déjà assez de problèmes comme ça avec le *Times* en ce moment.

— Un de leurs journalistes lui offre l'asile ? Et ils se disent impartiaux !

— Je sais, je sais. Mais nous finirons bien par l'avoir. Une demi-douzaine d'agents qui surveillent l'appartement. Dès que la journaliste partira au travail, nous interviendrons.

Le vice-président hocha la tête.

— Et en ce qui concerne la Virginie-Occidentale ? Où en est la situation ?

— Pas de problème de ce côté-là. Un escadron de la Delta Force est en place et deux autres sont en route. (Il commença à se diriger vers la Situation Room[1].) Je vais tout de suite faire le point avec les commandants. Ils doivent déjà avoir capturé les fugitifs.

Le vice-président lui lança un regard sévère. Le SecDef avait la mauvaise habitude de crier victoire trop tôt.

— Tenez-moi informé, s'il vous plaît.

— Oui, oui, bien sûr. Je vous appellerai un peu plus tard dans la journée, de Géorgie. Je pars pour Fort Benning ce matin, je dois y faire un discours devant les soldats de l'infanterie.

David se réveilla à l'arrière du break de Graddick et trouva Monique assoupie dans ses bras. Il fut un peu étonné ; quand ils s'étaient endormis, quelques heures auparavant, ils s'étaient soigneusement installés chacun à un bout du coffre. (Par chance, la voiture était un vieux break Ford qui avait survécu à au moins vingt hivers en Virginie-Occidentale.) Mais Monique s'était à l'évidence rapprochée de David pendant son sommeil et à présent, son dos était contre sa poitrine et sa tête sous son menton. Peut-être était-elle venue se nicher contre lui pour se réchauffer. Ou peut-être s'était-elle instinctivement éloignée des caisses contenant les serpents à sonnettes, qui étaient cachées sous une bâche près de la vitre arrière. Quoi qu'il en soit, elle était maintenant dans ses bras, ses côtes se soulevant légèrement à chaque respiration. David fut saisi d'un sentiment de tendresse

1. Salle de conférence et de gestion des renseignements située sur l'aile ouest de la Maison Blanche. *(N.d.T.)*

presque douloureux. Il se souvint de la dernière fois qu'il l'avait tenue ainsi, sur le canapé de sa chambre d'étudiante, près de vingt ans plus tôt.

Faisant de son mieux pour ne pas la réveiller, David leva la tête et regarda par la fenêtre. C'était le petit matin et ils roulaient sur une grande route bordée de chaque côté de pins du Sud. Tout en conduisant, Graddick sifflait un air de gospel qui passait à la radio. Michael était allongé sur le siège arrière, profondément endormi, mais étreignant toujours sa Game Boy. Au bout d'un moment, David vit un panneau « I-185 Sud, Columbus ». Ils étaient en Géorgie, probablement plus très loin de leur destination.

Monique commença à remuer. Puis elle se tourna et ouvrit les yeux. Mais à la grande surprise de David, elle ne chercha pas à se dégager. Elle se contenta de bâiller et d'étirer les bras.

— Quelle heure est-il ?

David regarda sa montre.

— Presque sept heures. (Il admira le naturel avec lequel elle était étendue à côté de lui, comme s'ils étaient réellement un couple marié.) Tu as bien dormi ?

Il parla tout doucement, bien qu'il doutât que Graddick puisse entendre quelque chose avec le bruit de la radio.

— Oui, ça va mieux maintenant. (Elle roula sur le dos et joignit ses mains derrière sa tête.) Désolée pour hier soir. Je me suis un peu énervée, je crois.

— N'en parlons plus. Être poursuivi par l'armée rendrait n'importe qui irritable.

Elle sourit.

— Tu n'es donc pas choqué par ce que j'ai dit sur Einstein ?

Il secoua la tête et répondit à son sourire. C'est agréable, pensa-t-il. Il n'avait pas eu ce genre de conversation avec une femme depuis longtemps.

— Non, pas du tout. En fait, d'une certaine façon, tu avais raison.

— Tu veux dire qu'Einstein était en réalité un salaud sans cœur ?

— Je n'irais pas aussi loin. Mais parfois il pouvait se comporter de façon très dure.

— Ah oui ? Et qu'est-ce qu'il a fait de si terrible ?

— Eh bien, d'abord, il a abandonné ses enfants quand son premier mariage s'est brisé. Il a laissé Mileva et leurs deux fils en Suisse pendant qu'il allait à Berlin travailler sur la relativité. Et il n'a jamais reconnu la fille que Mileva et lui ont eu avant de se marier.

— Ouah, le scoop ! Einstein avait une fille illégitime ?

— Oui, elle s'appelait Lieserl. Elle est née en 1902, quand Einstein était encore un petit professeur sans le sou à Berne. Leurs familles ont étouffé la chose pour éviter le scandale. Mileva est retournée chez elle, en Serbie, pour donner naissance au bébé. Et puis Lieserl est morte, ou bien elle a été adoptée. Personne ne le sait avec certitude.

— Ah ? Comment se fait-il que personne ne sache ?

— Einstein a cessé de parler d'elle dans ses lettres. Puis Mileva est retournée en Suisse, et ils se sont mariés. Et plus personne n'a reparlé de Lieserl.

Monique se détourna brusquement de lui. Sourcils froncés, elle regarda le tissu gris râpé qui recouvrait le sol du coffre. David fut troublé par son soudain changement d'humeur.

— Hé, qu'est-ce qui ne va pas ?

Elle secoua la tête.

— Rien. Tout va bien.

Mis en confiance par leur proximité, il prit son menton dans la paume de sa main et tourna son visage vers lui.

— Allons. Pas de secrets entre collègues.

Elle hésita. Pendant un moment, David pensa qu'elle allait se mettre en colère, mais elle se détourna de nouveau et regarda par la fenêtre.

— J'avais sept ans quand ma mère est tombée enceinte. Le père était certainement un des gars à qui elle achetait de l'héroïne. Le lendemain de l'accouchement, elle a donné l'enfant. Elle m'a juste dit que c'était une fille.

David fit glisser ses doigts le long de la mâchoire de Monique.

— Sais-tu ce qu'elle est devenue ?

Sans le regarder, elle acquiesça d'un signe de tête.

— Oui. C'est une prostituée, maintenant toxico.

Une larme se forma au coin de son œil, puis coula le long de sa joue. Incapable de résister, David se pencha et embrassa la larme. Il eut sur ses lèvres un léger goût de sel. Monique ferma les yeux et il embrassa sa bouche.

Pendant au moins une minute, ils s'embrassèrent silencieusement dans le coffre, comme un couple d'adolescents se cachant des adultes assis à l'avant. Monique noua ses bras autour de sa taille et l'attira vers elle. Le break commença à ralentir, approchant certainement de la sortie pour Columbus, mais David ne leva pas la tête pour regarder par la fenêtre. Il continua à embrasser Monique tandis que la voiture s'engageait sur la rampe de sortie et parcourait une longue descente en spirale. Finalement, il se détacha d'elle et la regarda. Ils restèrent quelques secondes les yeux dans les yeux, sans dire un mot. Le break tourna alors brusquement à droite et s'arrêta.

Quand ils jetèrent un œil par la fenêtre, la voiture était stationnée devant un petit centre commercial délabré bordant une avenue très animée. David devina qu'ils étaient près de l'entrée de Fort Benning, car les noms des enseignes avaient un rapport avec la vie militaire. La plus grande indiquait *Ranger Rags*, un magasin de surplus de l'armée, avec des mannequins en tenue de camouflage en vitrine. La porte d'à côté ouvrait sur une boutique de plats à emporter appelée *Combat Zone Chicken*. Suivait le salon de tatouage *Ike's Inks*. Quelques mètres plus loin, il y avait un bâtiment en parpaings sans fenêtre avec un gros néon sur le toit. Les tubes fluorescents dessinaient une fille aux gros seins allongée sur l'inscription *THE NIGHT MANEUVERS LOUNGE*. Contrairement à ce qu'annonçait son nom, l'endroit ne semblait pas ouvert uniquement la nuit, car au moins une vingtaine de voitures étaient stationnées devant le bar et un videur à l'air patibulaire gardait l'entrée.

Graddick s'extirpa de son siège, contourna le break d'un pas lourd et ouvrit le hayon du coffre. David hésitait à sortir de la voiture. À genoux à côté des caisses de serpents à sonnettes, il observait les deux côtés de la rue, guettant le moindre uniforme suspect. Étant donné les circonstances, c'était un endroit particulièrement risqué pour eux.

— Où sommes-nous ? demanda-t-il.

Graddick posa ses étranges yeux bleus sur eux et montra du doigt le *Night Maneuvers Lounge*.

— Voyez le numéro au-dessus de la porte ? C'est l'adresse que vous m'avez donnée — 3617 Victory Drive.

— Non, cela ne peut pas être ça.

David restait perplexe. C'était censé être l'adresse d'Elizabeth Gupta.

— Je connais cet endroit, dit-il de sa voix traînante. Avant d'être sauvé, j'étais soldat dans l'armée de Satan. J'étais stationné ici, à Benning, et on avait l'habitude d'aller traîner sur Victory Drive à chaque fois qu'on avait un week-end de permission. (Il cracha sur l'asphalte d'un air dégouté.) On l'appelait VD Drive. C'est un repère de prostituées.

David hocha la tête. Maintenant, il commençait à comprendre ce que le professeur Gupta avait dit à propos de l'addiction de sa fille. Prendre contact avec elle allait sans doute être plus difficile qu'il ne l'avait imaginé.

— La femme que nous devons voir doit donc travailler dans ce bar.

Graddick plissa les yeux.

— Vous m'avez pas dit que c'était une parente à vot' femme ?

Acquiesçant de nouveau, David fit un geste en direction de Monique.

— Oui, c'est ça, elles sont cousines.

— Prostitution et fornication, marmonna Graddick en fronçant les sourcils devant le bâtiment en parpaings. Y profanent la terre avec leur prostitution.

Il cracha de nouveau en regardant la provocante enseigne au néon. Il semblait vouloir la détruire de ses propres mains.

David pensa alors que ce solide gaillard des montagnes de Virginie-Occidentale pouvait leur être utile. Tout au moins son break.

— Oui, nous avons le cœur brisé de voir ce qui est arrivé à Elizabeth, dit David. Il va falloir tout faire pour essayer de l'aider.

Comme David l'avait espéré, l'idée sembla plaire à Graddick.

— Vous voulez dire que vous souhaitez la sauver ?

— Absolument. Nous devons la convaincre d'accepter Jésus-Christ comme son sauveur personnel. Sinon, elle ira droit en enfer.

Graddick réfléchit un moment en caressant sa barbe et en regardant l'endroit où étaient cachées les caisses de serpents à sonnettes.

— Bon, j'ai pas besoin d'être à Tallahassee avant 5 heures ce soir. Ça me laisse un peu de temps. (Il sourit et prit David par l'épaule.) Très bien, mon frère, travaillons pour le Seigneur ! Entrons dans cet antre des péchés et chantons Ses louanges ! Alléluia !

— Non, non, je vais y aller tout seul, d'accord ? Garez-vous derrière le bâtiment et attendez que nous sortions par la porte de service. Si elle commence à faire des histoires, vous pourrez m'aider à la transporter dans la voiture.

— Bonne idée, mon frère !

Graddick le frappa allègrement entre les omoplates.

Avant de sortir du break, David serra le bras de Monique.

— Garde un œil sur Michael !

Puis il se dirigea vers le *Night Maneuvers Lounge*.

Il sentit l'odeur de la bière avant même d'avoir atteint la porte. Une sensation de dégoût envahit sa gorge, la même que celle éprouvée dans le bar à Penn Station deux nuits auparavant. Mais il respira profondément et se força à sourire quand il s'acquitta des dix dollars d'entrée.

À l'intérieur, la pièce était totalement enfumée. Les haut-parleurs crachaient une vieille chanson des ZZ Top, « She's Got Legs ». Sur une estrade semi-circulaire, deux danseuses aux seins nus évoluaient devant des GI's totalement bourrés. Une des femmes s'enroula lascivement autour d'une barre argentée. L'autre tourna son dos à l'assistance et se pencha jusqu'à ce que sa tête pende entre ses genoux. Un soldat avança en titubant et tendit un billet de cinq dollars près de la bouche de la fille. Elle lécha ses lèvres, puis attrapa le billet entre ses dents.

La vue de tous ces uniformes rendit d'abord David nerveux, mais il se rendit rapidement compte que ces soldats ne présentaient aucun danger. La plupart d'entre eux buvaient probablement depuis une douzaine d'heures, essayant de profiter de chaque minute de leur week-end de permission. Il s'approcha plus près de l'estrade et fixa son attention sur les danseuses. Malheureusement, aucune ne semblait apparentée au professeur Gupta. La danseuse à la barre était une rousse couverte de taches de rousseur, et la fille qui avait la tête entre ses jambes était une blonde au teint pâle comme le marbre.

David se dirigea vers le bar et commanda une bière. La bouteille à bout de bras, il observa les trois femmes exécutant leur *lap-dance* sur de hauts tabourets. Deux blondes et une autre rousse. Elles étaient très attirantes, avec des seins ronds et fermes et des fesses musclées qu'elles bougeaient en lents cercles pour le plus grand plaisir des soldats, mais David cherchait quelqu'un d'autre. Il commença à se demander si Elizabeth n'était pas déjà rentrée chez elle ; il était sept heures du matin, après tout, et les stripteaseuses travaillaient généralement par roulement. Ou bien elle exerçait maintenant dans un autre club, ou avait carrément quitté Columbus.

David commençait à perdre espoir quand il remarqua une silhouette vêtue d'une veste de l'armée vert olive effondrée sur une table dans un coin reculé de la pièce. Il pensa d'abord que c'était un GI qui s'était évanoui sur sa chaise, mais en s'approchant, il vit un brillant éventail de cheveux noirs entourant la tête immobile. C'était une femme. Elle dormait, le visage pressé sur le plateau de la table, ses fines jambes étendues au-dessous. Elle ne portait rien sous sa veste militaire, ni de pantalon d'ailleurs, juste un string rouge vif et des bottes blanches qui montaient jusqu'aux genoux.

Il essaya de mieux la voir, mais l'endroit était mal éclairé et ses cheveux voilaient son visage. Il n'avait pas le choix : il devait la réveiller. Il s'installa en face d'elle et tapota délicatement des doigts sur la table.

— Euh... excusez-moi ?

N'ayant pas de réponse, David tapota un peu plus fort.

— Excusez-moi ? Est-ce que je pourrais vous parler une seconde ?

La femme leva lentement la tête et écarta le rideau de cheveux noirs. Elle sortit quelques mèches de sa bouche, puis jeta un œil sur David.

— Qu'est-ce que vous me voulez ? maugréa-t-elle.

Son visage était dans un triste état. Une trace de rouge à lèvres cramoisi courait du coin de sa bouche au centre de sa joue gauche. Les poches sous ses yeux étaient boursouflées et grises et un de ses faux-cils, qui s'était partiellement détaché de sa paupière, battait comme une aile de chauve-souris à chaque fois qu'elle clignait des yeux. Mais sa peau était couleur caramel, exactement la même teinte que celle de Michael, et son petit nez de poupée ressemblait à celui du professeur Gupta. L'âge semblait aussi correspondre : la trentaine bien entamée, certainement un peu plus âgée que les autres danseuses du club. David, le cœur battant, se pencha au-dessus de la table.

— Elizabeth ?

Elle le regarda d'un air furieux.

— Qui vous a dit mon nom ?

— Eh bien, c'est une longue…

— Ne m'appelez pas comme ça ! Mon nom est Beth, vous entendez ? Juste Beth.

Sa lèvre supérieure se souleva et David aperçut ses dents. Elles avaient toutes une tache brune près de la gencive à cause de la prise de méthamphétamine qui corrode l'émail. Les toxicos appellent ça une « meth mouth ». David était maintenant certain que cette femme était bien Elizabeth Gupta.

— O.K., Beth. Écoutez, je me demandais…

— Qu'est-ce que tu veux, une pipe ou baiser ?

Le côté gauche de son visage se contracta.

— J'espérais juste que vous accepteriez de parler une minute.

— J'ai pas que ça à foutre ! (Elle se leva soudain et sa veste militaire s'ouvrit, laissant apparaître un médaillon en or qui se balançait entre ses seins au bout d'une chaîne.)

— C'est vingt pour une pipe dans le parking et cinquante pour baiser au motel.

Son visage se crispa de nouveau et elle commença à se gratter le menton avec ses ongles écarlates. Elle devait être en manque, pensa David. Tout son corps réclamait une autre injection de drogue.

Il se leva.

— D'accord, allons sur le parking.

Il essaya de la diriger vers la porte du fond, mais elle lui donna une claque sur la main.

— Faut payer d'abord, tête de nœud !

David sortit un billet de vingt dollars de son portefeuille et le lui tendit. Elle glissa le billet dans la poche intérieure de sa veste et se dirigea vers la sortie de secours. En marchant derrière elle, David remarqua qu'elle boitait un peu, ce qui confirmait son identité. Elizabeth Gupta avait été renversée par une voiture quand elle était enfant, sa jambe gauche avait été brisée en trois endroits.

Arrivée dehors, elle se dirigea vers un renfoncement sale entre le mur en parpaing du club et deux bennes à ordures.

— Baisse ton pantalon ! On va faire ça vite.

Il regarda par-dessus son épaule et aperçut le break. Graddick était déjà sorti de la voiture. Maintenanr, David avait du renfort, au cas où les choses tourneraient mal.

— En fait, je ne suis pas venu pour ça. Je suis un ami de votre père, Beth. Je veux vous aider.

Sa bouche s'ouvrit et elle le regarda d'un air déconcerté pendant un moment. Puis elle serra ses dents abîmées.

— Mon père ? De quoi j'me mêle ?

— Mon nom est David Swift. C'est le professeur Gupta qui m'a dit où je pourrais vous trouver. Nous essayons de...

— Ce salaud ! s'écria-t-elle. Où il est ?

David leva ses deux mains comme un agent de police chargé de la circulation.

— Hé, hé ! Calmez-vous ! Votre père n'est pas là. C'est juste moi et...

— Enculé ! (Elle se rua sur lui, ses longs ongles rouges en direction de ses yeux.) Enculé de fils de pute !

Il rassembla ses forces et essaya de lui attraper les poignets, mais Graddick la saisit par-derrière. Se déplaçant beaucoup plus rapidement que David ne l'aurait cru, le solide montagnard immobilisa Elisabeth en lui mettant les bras derrière le dos.

— Pécheresse ! cria Graddick. Levez vos yeux vers le Seigneur Jésus-Christ ! Repentez-vous avant l'heure du jugement dernier !

Après un instant de surprise, Elizabeth leva son genou droit et écrasa du talon de sa botte les doigts de pied de Graddick. Il la laissa s'échapper en poussant un cri de douleur. Elle se précipita alors sur David.

Il parvint à dévier sa main droite, mais les ongles de la gauche lui raclèrent le côté du cou. Mon Dieu, pensa-t-il, cette femme est rapide ! Il la repoussa, mais elle repartit de nouveau à l'attaque, envoyant un coup de pied qui manqua de justesse son entrejambe. C'était comme se battre avec un animal sauvage, un combat à mort, et David commençait à se demander s'il ne devrait pas l'assommer pour la faire entrer dans le break. Mais soudain, avant qu'elle ait pu lui porter un autre coup, Elizabeth aperçut quelque chose du coin de l'œil. Elle s'arrêta subitement et pivota vers la droite sur un de ses redoutables talons de bottes. Puis elle traversa le parking en courant vers Monique et Michael, qui étaient debout devant la voiture de Graddick.

— Michael ! cria-t-elle en prenant son fils dans ses bras.

La Delta Force avait établi son Q.G. de campagne à Jolo, dans une église pentecôtiste à Jolo. Lucille examina l'édifice en bois — l'Église du Christ Vivant — et secoua la tête. C'était un formidable exemple de stupidité militaire. Si vous voulez que les gens du coin coopèrent, vous ne devez pas occuper leurs lieux de culte. Mais les forces spéciales venaient droit d'Irak, où ils avaient à l'évidence perdu patience envers les sensibilités locales.

Lucille et l'agent Crawford entrèrent dans l'église et commencèrent à chercher le colonel Tarkington, le commandant de l'unité. Ses hommes avaient organisé un poste de commandement à côté de la chaire. Deux soldats utilisaient la radio, deux autres étaient penchés au-dessus d'une carte de la Virginie-Occidentale, et deux autres encore pointaient leurs M-16 vers un groupe de prisonniers aux yeux bandés, assis sur les bancs de l'église. Lucille secoua de nouveau la tête. Les prisonniers étaient des péquenauds têtus comme des mules, qui ne craignaient rien hormis Dieu. Même s'ils savaient de quel côté étaient partis les fugitifs, ils ne le révéleraient jamais aux commandos.

Elle aperçut finalement le colonel Tarkington au fond de l'église. Il mâchonnait le bout humide d'un cigare et criait des ordres dans une radio. Lucille attendit la fin de la transmission avant de s'approcher de lui.

— Colonel, je suis l'agent spécial Lucille Parker, votre contact avec le FBI. Je voudrais vous parler du matériel que vos troupes ont saisi à Carnegie's Retreat la nuit dernière.

Le colonel jeta un coup d'œil sur l'agent Crawford durant quelques secondes, faisant passer son cigare au coin de sa bouche.

— Et alors ?

— Vous devez envoyer tous les débris de l'ordinateur au laboratoire du Bureau de Quantico. Ils seront capables d'extraire les données du disque dur brisé.

Tarkington parvint à sourire malgré son cigare.

— Ne t'inquiète pas pour ça, chérie. On a tout envoyé à la DIA.

Lucille se hérissa en entendant le « chérie » mais parvint à garder une voix calme.

— Sauf votre respect, monsieur, notre équipement de Quantico est bien supérieur à celui de la Defense Intelligence Agency.

— Je suis sûr que nos gars s'en sortiront très bien. De toute façon, nous n'allons pas avoir besoin de ces informations. Nous avons coupé toute la circulation dans cette partie de l'État. Nous aurons trouvé nos fugitifs avant le déjeuner.

Elle en doutait beaucoup. Durant les dernières trente-six heures, elle avait appris à ne pas sous-estimer le talent que possédait David Swift pour s'évader.

— Dans tous les cas, monsieur, le Bureau veut ce disque dur.

Le colonel cessa de sourire.

— Je vous ai dit que c'était la DIA qui l'avait. Allez leur parler ! J'ai une opération à mener.

Puis il marcha vers la chaire pour discuter avec ses hommes.

Lucille resta là un moment, bouillante de colère. Qu'il aille au diable ! pensa-t-elle. S'il ne veut pas de mon aide, à quoi bon lui offrir ? De toute manière, elle était trop âgée pour ces conneries. Elle n'avait plus qu'à retourner dans son bureau à Washington et rester assise sur ses fesses comme tous les autres foutus bureaucrates.

Elle quitta l'église comme un ouragan et retourna à sa voiture. L'agent Crawford se dépêcha de la suivre.

— Où allons-nous maintenant ? demanda-t-il.

Elle était sur le point de répondre « Washington », quand une idée lui vint à l'esprit. C'était une chose simple et évidente, elle était surprise de ne pas y avoir pensé avant.

— Cet ordinateur dans Carnegie's Retreat, il avait une connexion à Internet, pas vrai ?

Crawford acquiesça d'un signe de tête.

— Oui, je crois.

— Téléphonez à leur fournisseur d'accès Internet. Demandez s'ils se sont connectés cette nuit.

Elizabeth Gupta était étendue sur un lit dans la chambre 201 du *Army Mule Motel*, juste en face du *Night Maneuvers Lounge*. C'était la chambre où elle amenait généralement ses clients. Mais à présent, elle était seule dans un grand lit, allongée sous les couvertures dans un peignoir en tissu éponge. Monique, assise au bord du lit, lui caressait les cheveux et lui murmurait des mots d'apaisement ; elle se comportait avec cette fille comme si c'était une gamine de cinq ans qui avait la grippe. Michael était installé sur une des chaises et jouait de nouveau avec sa Game Boy. David, debout près de la fenêtre, regardait à travers les rideaux, guettant toute activité anormale sur Victory Drive. Ils avaient envoyé Graddick chercher un peu de café ; ses exhortations sur la rédemption et le pardon divin avaient fini par être insupportables.

Monique ôta le papier d'une barre de céréales qu'elle avait achetée au distributeur de l'hôtel et l'offrit à Elizabeth.

— Mangez-en un peu !

— Non, j'ai pas faim, répondit-elle d'une voix rauque.

Depuis ses cris dans le parking, elle n'avait pas prononcé plus d'une dizaine de mots.

Monique approcha la barre de son nez.

— Allez, une petite bouchée. Il faut que vous mangiez quelque chose.

Sa voix était douce mais ferme. Elizabeth finit par grignoter un coin de la barre. David était impressionné de voir avec quelle habileté Monique prenait la situation en main. On voyait qu'elle avait de l'expérience avec les droguées.

Elizabeth prit une autre bouchée puis elle s'assit dans le lit et Monique lui fit boire un peu d'eau. Quelques secondes plus tard, elle s'empiffrait, fourrant toute la barre dans sa bouche et récupérant les miettes qui tombaient sur le drap. Pendant ce temps, elle ne quitta pas Michael des yeux. Quand elle eut fini de manger, elle essuya sa bouche avec le revers de sa main et pointa le doigt vers son fils.

— C'est pas croyable ! Qu'est-ce qu'il a grandi !

Monique acquiesça.

— C'est un beau jeune homme.

— La dernière fois que je l'ai vu, il avait treize ans. Il m'arrivait à peine aux épaules.

— Votre père ne l'a donc jamais amené vous voir ?

L'air furieux réapparut sur le visage d'Elizabeth.

— Cet enfoiré ne m'a jamais donné de photos. Je lui ai demandé de m'en envoyer, au moins une fois par an, à l'anniversaire de Michael, mais ce sale trou du cul ne l'a jamais fait.

— Je suis désolée, dit Monique en se mordant la lèvre. (Elle semblait sincèrement triste.) Je ne…

— Alors, est-ce qu'il est mort ? Il m'avait dit que je ne reverrai jamais Michael tant qu'il serait vivant.

Monique lança un coup d'œil à David, ne sachant pas trop quoi répondre. Il s'éloigna de la fenêtre et s'approcha du lit.

— Votre père n'est pas mort, mais il est à l'hôpital. Il nous a demandé d'amener Michael ici car il ne voulait pas qu'on l'envoie dans une institution.

Elizabeth le regarda d'un air dubitatif.

— Ça ressemble pas à mon père. Et pourquoi il est à l'hôpital ?

— Commençons par le commencement, d'accord ? J'ai été l'élève d'un ami de votre père, Hans Kleinman. Vous vous souvenez de lui, sans doute ?

Ce nom sembla faire vibrer une corde sensible car son visage se détendit un peu.

— Bien sûr que je connais Hans. C'est mon parrain. Il est aussi la seule personne au monde que mon père déteste plus que moi.

— Comment ? (David en perdit l'équilibre.) Votre père ne détestait pas Hans Kleinman. Ils étaient de proches collègues. Ils ont travaillé ensemble pendant des années.

Elizabeth secoua la tête.

— Mon père le déteste, non seulement parce que Hans est plus intelligent que lui, mais aussi parce qu'il était amoureux de ma mère.

David étudia son visage, essayant de voir si elle se moquait de lui.

— Je connaissais très bien le Dr Kleinman et j'ai du mal à croire que…

— Je m'en fous que vous me croyiez ou pas. Tout ce que je sais, c'est que j'ai vu Hans aux funérailles de ma mère et qu'il sanglotait comme un bébé. Sa chemise était mouillée de larmes.

David essaya de s'imaginer son vieux professeur pleurant sur la tombe de Hannah Gupta. Cela semblait si improbable. Puis il chassa l'image de son esprit. Ce n'était pas le moment. Il fallait aller droit au but.

— Votre père nous a dit que Hans était venu à Columbus il y a quelques années. Qu'il avait essayé de vous remettre dans le droit chemin, c'est vrai ?

Elle baissa les yeux sur les draps, l'air embarrassé.

— Oui, il m'avait trouvé un travail à Benning : répondre au téléphone pour un général. Et aussi un appartement. J'ai même eu Michael avec moi pendant quelque temps. Mais j'ai tout foiré.

— Eh bien, c'est pour ça que nous sommes là, Beth. Voilà, le Dr Kleinman est mort il y a deux jours, mais il a laissé…

— Hans est mort ? (Elle s'assit droite comme un piquet dans le lit, la bouche béante.) Qu'est-ce qui s'est passé ?

— Je ne peux pas entrer dans tous les détails maintenant, mais il a laissé un message disant qu'il avait…

— Mon Dieu, murmura-t-elle en levant la main à son front. Nom de Dieu !

Elle attrapa une poignée de ses cheveux et tira dessus. Monique se pencha plus près d'elle et lui caressa le dos. David fut assez surpris par la réaction d'Elizabeth ; il avait présumé qu'une putain accro à la métha serait trop endurcie pour éprouver de la peine. Mais le Dr Kleinman était la seule personne dans sa vie qui avait vraiment essayé de l'aider. Il y avait eu à l'évidence une forte relation entre le vieux physicien et sa filleule. C'était peut-être pour ça qu'il avait caché sa Théorie du Tout à Columbus.

David s'assit sur le lit à côté d'Elizabeth et de Monique. Ils se trouvaient très proches les uns des autres, leurs têtes se touchant presque.

— Écoutez, Elizabeth, je vais être honnête avec vous. Nous avons de gros ennuis. Le Dr Kleinman avait un secret, un secret scientifique sur lequel de nombreuses personnes aimeraient mettre la main. Est-ce que Hans vous a laissé des papiers quand il est venu vous voir ici ?

Le visage d'Elizabeth se contracta. Elle ne comprenait pas de quoi il voulait parler.

— Non, il ne m'a rien laissé. Sauf un peu d'argent. Assez pour payer le loyer de mon appartement pendant quelques mois.

— Et un ordinateur ? Vous en a-t-il acheté un ?

— Non, mais il m'a acheté un poste de télévision. Et une belle radio aussi. (Ce souvenir fit naître un sourire sur son visage, mais il disparut vite.) J'ai dû les mettre en gage quand j'ai perdu mon boulot à la base. Tout ce que j'ai maintenant c'est cette boîte de vêtements.

Elle désigna une boîte en carton à côté de la fenêtre, débordant de slips, de soutien-gorge et de bas en nylon. David considéra qu'il y avait peu de chances pour que la théorie du champ unifié s'y trouve.

— Alors, c'est là où vous vivez maintenant ? Dans cette chambre ?

— Parfois celle-là, parfois celle d'à côté. Harlan prend en charge toutes les notes de motel.

— Harlan ?

— Ouais, c'est le gérant du *Night Maneuvers*.

En d'autres termes, son maquereau, pensa David.

— Le message du Dr Kleinman donnait l'adresse du bar. Hans devait donc connaître votre situation.

Elizabeth fit une grimace de douleur. Elle se voûta sur le lit, croisant ses bras sur son ventre.

— Hans m'a appelée quand j'ai été virée. Il a dit qu'il allait revenir et m'inscrire à une cure de désintoxication.

David s'imaginait maintenant le Dr Kleinman au *Night Maneuvers Lounge*, une autre image improbable. Il commença à se demander s'il y avait un ordinateur dans le bureau du club de strip-tease.

— Est-ce que Hans est venu vous voir au club ? Serait-il allé dans le bureau, à tout hasard ?

Elle ferma les yeux et fit un signe négatif de la tête.

— Non, Hans n'est jamais venu. J'étais ivre quand il a appelé, alors je lui ai dit d'aller se faire foutre. C'est la dernière fois que je lui ai parlé.

Elle se courba en avant, son front touchant presque les couvertures. Elle ne fit pas de bruit, mais son corps fut secoué de sanglots qui firent trembler le matelas.

Monique lui tapota de nouveau le dos, mais cela fut cette fois sans effet. Alors, elle alla chercher Michael et le mena près du lit de sa mère. Elizabeth, instinctivement, le prit dans ses bras. Michael aurait hurlé à pleins poumons si quelqu'un d'autre avait fait ce geste, mais il semblait tolérer que sa mère le touche. Cependant, il ne répondit pas à cette marque de tendresse, il ne la regarda même pas. Comme elle entourait sa taille de ses bras, il se tourna un peu sur le côté afin de pouvoir continuer à jouer à Warfighter.

Au bout d'un moment, Elizabeth relâcha son étreinte et tint son fils à bout de bras. Elle essuya ses larmes et le regarda.

— Toujours en train de jouer à ce foutu jeu de guerre, soupira-t-elle en regardant l'écran de la Game Boy. Je pensais que tu aurais fini par en avoir marre.

Michael ne répondit pas, bien sûr. Elizabeth se tourna alors vers David et Monique.

— Michael a commencé à y jouer quand je travaillais à Benning. Hans avait installé le jeu sur un des ordinateurs qui étaient dans mon bureau, Michael pouvait donc y jouer là-bas. (Elle passa sa main dans les cheveux du garçon, formant une raie sur le côté gauche.) Les jours où l'école pour les enfants autistes était fermée, je l'amenais avec moi au travail et il restait assis devant cet ordinateur pendant des heures et des heures.

Elizabeth baissa un peu la main et caressa la joue de Michael. C'était un spectacle touchant, et ordinairement David ne l'aurait pas interrompu. Mais son esprit tournait à cent à l'heure.

— Attendez une seconde ! Le Dr Kleinman est allé dans votre bureau à Benning ?

Elle acquiesça.

— Oui, le premier jour où j'y ai travaillé. Il voulait me présenter au général Garner, mon nouveau patron. Hans le connaissait depuis longtemps. Ils avaient travaillé ensemble sur un projet de l'armée plusieurs années auparavant.

— Et pendant que Hans était dans votre bureau, a-t-il travaillé sur un des ordinateurs qui étaient là ?

— Oui, cet endroit était plein d'ordinateurs. Le bureau s'appelait VCS, Virtual Combat Simulation. Il y avait toutes sortes de trucs bizarres — tapis roulants, lunettes de travail, fusils en plastique. Les militaires ne s'en servaient jamais, ils ont donc laissé Michael jouer avec.

— Pendant combien de temps Hans a-t-il travaillé sur l'ordinateur ?

— Oh, j'en sais rien ! Plusieurs heures. Comme c'était un vieil ami du général, il pouvait circuler librement dans le bâtiment.

Le cœur de David se mit à battre plus fort. Il échangea un regard avec Monique, puis se concentra sur la Game Boy dans les mains de Michael. Le hasard voulut qu'à ce moment apparaisse sur l'écran le même couloir sombre que celui qu'il avait vu la nuit précédente. Une fois de plus, le soldat en uniforme kaki pénétra dans une petite pièce et fit feu avec son M-16 sur une demi-douzaine d'ennemis. Les soldats tombèrent à nouveau au sol, et du sang s'écoula de leurs blessures. Et encore une fois, un message scintillant apparut : FÉLICITATIONS ! VOUS AVEZ ATTEINT LE NIVEAU SVIA/4 !

— Qu'est-ce que c'est que ça ? demanda Monique en désignant l'écran. SVIA/4 ?

David n'en avait aucune idée, mais il savait à qui demander. Il regarda Michael droit dans les yeux. L'adolescent lui avait parlé la nuit précédente. Peut-être le ferait-il à nouveau.

— Écoute-moi, Michael, dis-moi à quoi correspond le niveau SVIA/4 ?

Le garçon rentra le menton, évitant le regard de David.

— Je ne pas peux atteindre ce niveau, dit-il d'une voix monocorde. Ça retourne au Niveau A1.

— Je sais, tu me l'as déjà dit. (David pencha la tête pour que son visage soit en face de celui du garçon.) Mais pourquoi tu ne peux pas aller au Niveau SVIA/4 ?

— La Game Boy n'a pas ce niveau. On peut uniquement y accéder sur l'ordinateur. C'est comme ça que Hans l'a installé.

— Et pourquoi il l'a installé comme ça ?

Michael ouvrit grand la bouche, comme s'il allait se mettre à crier. Mais à la place, pour la première fois, il regarda David dans les yeux.

— Il m'a dit qu'il serait en sûreté ! Que c'était un endroit sûr !

David hocha la tête. Le Dr Kleinman avait apparemment modifié le logiciel Warfighter. Comme la Game Boy pouvait tomber entre toutes les mains, elle ne contenait qu'une version raccourcie du programme. La version complète, contenant toutes les informations que Kleinman avait ajoutées, était dans un endroit plus sûr.

— Où est le serveur ?

Avant que Michael ait pu répondre, la Game Boy laissa échapper un « ping » pour annoncer que le jeu était revenu au Niveau 1. L'adolescent se détourna rapidement de David et quitta le bord du lit de sa mère. Il se réfugia à l'autre bout de la pièce, face au mur, et se remit à jouer à Warfighter.

Elizabeth regarda David.

— Hé, arrêtez de lui poser des questions ! Vous le perturbez !

— D'accord.

Il s'éloigna du lit. En réalité, il n'avait plus besoin de lui poser de questions. Il savait où était le serveur. Le Dr Kleinman avait choisi la plus audacieuse des cachettes. Il avait mis la théorie du champ unifié d'Einstein sur un ordinateur à Fort Benning.

Le Dr Milo Jenkins et sa femme étaient étendus face contre terre sur le tapis de leur salle à manger. Sans les trous de balles dans leurs têtes, on aurait pu penser qu'ils faisaient un petit somme. Simon les avait tués à 9 heures du matin, peu après que le médecin lui eut annoncé que le professeur Gupta était hors de danger et dormait tranquillement sur la table. Les coups de feu avaient réveillé l'agent Brock, qui était vautré sur le canapé de la salle de séjour, mais quelques secondes plus tard, il se tournait et se rendormait.

Simon aurait bien aimé se reposer un peu aussi. Il avait très peu dormi ces dernières trente-six heures, et il n'avait pas imaginé que la transfusion sanguine l'affaiblirait à ce point. Mais son client, l'énigmatique Henri Cobb, allait donner son appel quotidien à 9 h 30 pour lui demander où en était la mission, et Simon se sentait soumis à l'obligation professionnelle de lui fournir quelques bonnes nouvelles. Aussi, avec un grognement de fatigue, il se rendit dans la salle à manger et s'approcha de la table couverte de sang où était étendu le professeur Gupta.

Le goutte-à-goutte suspendu au lustre était encore fixé au bras de Gupta, mais la poche de perfusion était vide. Le petit professeur dormait sur le dos d'un sommeil agité, sa jambe blessée surélevée par un coussin. Les calmants que le Dr Jenkins lui avait administrés ne faisaient sans doute plus d'effet et il serait de nouveau dans un grand état d'angoisse dès qu'il reprendrait conscience. C'est exactement ce que voulait Simon.

Il commença par secouer violemment le vieil homme qui émit un long gémissement ; puis ses paupières frémirent.

Simon se pencha sur la table.

— Réveillez-vous, professeur ! C'est l'heure de l'école.

Cette fois, Gupta ouvrit les yeux et poussa un cri aigu. Il essaya de s'asseoir, mais Simon lui cloua les épaules sur la table.

— Du calme ! Tout va bien se passer. Vous devez juste répondre à une question. Une toute petite question. Et ce sera fini.

Gupta ouvrit et referma la bouche, mais aucun mot ne sortit. Il lui fallut plusieurs secondes pour retrouver sa voix.

— Quoi ? Qui êtes-vous ?

— Peu importe. La chose la plus importante pour le moment c'est de retrouver vos amis. David Swift et Monique Reynolds, vous vous rappelez ? Vous étiez avec eux la nuit dernière dans la cabane. Et puis ils vous ont abandonné. Ce n'était pas très gentil de leur part, vous ne trouvez pas ?

Gupta plissa le front. Simon pensa que c'était un bon signe, que la mémoire lui revenait et il resserra son étreinte sur les épaules du vieil homme.

— Oui, vous vous souvenez. Et je pense que vous vous souvenez aussi de là où ils sont partis. Vous seriez avec eux si on ne vous avait pas tiré dessus, pas vrai ?

Au bout de quelques secondes, le professeur plissa les yeux et fronça les sourcils.

— Qui êtes-vous ? répéta-t-il.

— Je vous ai dit que ce n'était pas important. J'ai juste besoin de savoir où Swift et Reynolds sont allés. Dites-le-moi maintenant, sinon les choses vont devenir très déplaisantes pour vous, professeur.

Les yeux du professeur se tournèrent vers la gauche et, pour la première fois, il découvrit ce qui l'entourait : la table en acajou, le lustre, le papier peint rouge et jaune de la salle à manger de Jenkins… Il respira péniblement.

— Vous n'êtes pas du FBI, murmura-t-il.

— Non, j'ai plus de liberté d'action, heureusement. Les Américains ont quelques petites techniques, bien sûr — la torture par l'eau, la privation de sommeil, les bergers allemands. Mais je ne perds pas mon temps avec ces demi-mesures.

— Imbécile ! souffla Gupta les yeux pleins de fureur. Vous êtes aussi stupide que cet agent.

— Ça suffit. Où sont Swift et Reynolds ?

— Espèce de porc russe sans cervelle ! Je suis Henry Cobb !

CHAPITRE 10

David et Monique étaient de nouveau dans le break, mais au lieu de s'embrasser, ils étaient à présent en pleine discussion. La voiture était arrêtée à une station essence sur Victory Drive et Elizabeth Gupta passait un coup de téléphone d'une cabine. Graddick montait la garde à côté, une tasse de café à la main.

Monique regarda David d'un air effondré.

— C'est complètement fou. Nous perdons notre temps.

— Ce n'est pas fou, insista David. C'est même parfaitement sensé.

Monique avait l'air dubitatif.

— Si Kleinman voulait garder la théorie à l'abri du gouvernement, pourquoi l'aurait-il mise dans un ordinateur appartenant à l'armée américaine ?

— Les ordinateurs militaires sont les systèmes les plus sécurisés du monde. Et il a placé les équations dans un logiciel que plus personne n'utilise.

— Mais l'armée y a toujours accès ! Imagine qu'un jour un capitaine ou un colonel se trouve dans le bureau de simulation de combat et décide de jouer à Warfighter pour passer le temps ?

— Primo, on ne peut pas accéder à la théorie sans avoir atteint le dernier niveau. Ce qui n'est sans doute pas facile, sauf si on y joue tout le temps comme Michael. (David montra du doigt l'adolescent, assis sur le siège arrière et courbé sur sa Game Boy.) Secundo, même si quelqu'un maîtrisait le jeu et trouvait les équations, il ne pourrait comprendre ce qu'elles signifient sans être physicien. Il penserait qu'elles n'ont pas de sens et ne s'y intéresserait pas.

Monique ne paraissait pas convaincue.

— Je ne sais pas, David. Admets que c'est une hypothèse extravagante. Tu es sûr que tu…

Elle n'eut pas le temps de terminer sa phrase. Elizabeth sortit de la cabine téléphonique et revint à grands pas vers le break. Elle portait maintenant un pantalon moulant et un T-shirt.

— Ça ne répond pas, dit-elle à David par la vitre de la voiture. Sheila est certainement partie pour le week-end.

David fronça les sourcils. Il avait espéré que Sheila — une amie d'Elizabeth qui travaillait encore au bureau Virtual Combat Simulation — pourrait les aider à entrer à Fort Benning.

— Connaissez-vous quelqu'un d'autre qui travaille encore là-bas ?

— Non, personne, répondit Elizabeth. La plupart des gars dans ce bureau étaient des *geeks*. Tout le temps que j'ai été là-bas, ils ne m'ont pas dit une fois bonjour.

Merde ! pensa David. Impossible de franchir la barrière de sécurité de Benning et encore moins de pénétrer dans le bureau VCS, sans l'aide d'une personne travaillant à la base.

— C'est drôle, poursuivit Elizabeth, je n'ai jamais vu aucun de ces *geeks* au club non plus. Ils doivent aller sur les sites Internet pornos.

David eut alors une idée.

— Beth, avez-vous des clients réguliers qui travaillent à la base ?

— Évidemment. (Sa voix avait pris un ton défensif, comme s'il l'avait insultée.) J'ai des types qui viennent toutes les semaines. Beaucoup sont de la base.

— Est-ce qu'il y en a de la police militaire ?

Elle réfléchit quelques secondes.

— Oui, j'en connais un, le sergent Mannheimer. Je le connais depuis des années, avant même que je commence à travailler au club.

— Vous avez son numéro de téléphone ?

Au lieu de répondre, elle entra dans la voiture et claqua des doigts devant le nez de Michael. La tête de l'adolescent se détourna de sa Game Boy. Sa mère le regarda gravement.

— Annuaire de Columbus, dit-elle. Mannheimer, Richard.

— 706-555-1329, récita Michael.

Puis il baissa la tête et reprit son jeu.

Elizabeth sourit.

— C'est pas formidable ? Il a mémorisé l'annuaire de Columbus quand il vivait avec moi. Et aussi celui de Macon.

David écrivit le numéro sur un bout de papier. Il n'était pas particulièrement surpris par l'exploit de Michael ; non seulement il savait que beaucoup d'enfants autistes avaient des capacités de mémorisation étonnantes, mais il se souvenait aussi des annuaires stockés dans l'ordinateur de Carnegie's Retreat. Ce qui le troubla, c'est la façon dont Elizabeth avait utilisé le don de son fils. Cela avait dû être un moyen commode pour conserver les coordonnées de ses clients.

Il tendit à Elizabeth le bout de papier.

— Appelez le sergent et demandez-lui de vous rendre un service. Dites-lui que vous avez des amis dans la ville qui ont besoin de laisser-passer pour entrer dans la base. Dites-lui que nous voulons nous rendre à la caserne pour voir notre petit frère, mais que nous avons bêtement oublié nos papiers d'identité chez nous.

Elle regarda le numéro de téléphone, puis secoua la tête.

— Mannheimer n'acceptera jamais sans contrepartie. Il va exiger que je lui fasse un cadeau. Peut-être deux.

David avait tout prévu. Il sortit donc son portefeuille de sa poche et retira de la liasse cinq billets de vingt.

— Ne vous tracassez pas, je vais payer. Cent maintenant, deux cents quand on aura fini. Ça marche ?

Elizabeth regarda les billets de vingt dollars. Elle ouvrit la bouche et se lécha les lèvres, comme si elle sentait déjà le goût des cristaux de méthamphétamine. Puis elle arracha les billets des mains de David et se dirigea vers la cabine.

David regarda Monique, qui détourna la tête. Elle manifestait une colère muette, ce qui était pire que n'importe quel reproche. Ils observèrent donc en silence Elizabeth composer le numéro et commencer à parler. Finalement, David tendit le bras et toucha l'épaule de Monique.

— Hé, qu'est-ce qui ne va pas ?

Elle repoussa sa main.

— Tu le sais très bien. Tu te comportes avec elle comme un proxénète.

— Non, pas du tout. Je veux juste…

— Qu'est-ce que tu crois qu'elle va faire avec cet argent ? Elle va tout dépenser en méth. et en alcool. Et ensuite, retour au club de strip-tease et à la chambre de motel.

— Écoute, nous avons besoin de son aide pour trouver la théorie. Si tu as une meilleure idée, pourquoi ne pas…

Monique saisit soudain le bras de David.

— Il se passe quelque chose, dit-elle en désignant la cabine téléphonique.

Graddick était près d'Elizabeth et lui criait quelque chose. Elle l'ignora et continua à parler. L'instant d'après, il l'attrapait par la taille et l'entraînait vers le break. David fut surpris, jusqu'à ce qu'il regarde vers Victory Drive et voie une demi-douzaine de SUV noires s'arrêter devant le *Night Maneuvers Lounge*. Un essaim d'hommes en costumes gris bondirent des voitures et entourèrent le club de strip-tease.

Graddick ouvrit la porte arrière du break et poussa Elizabeth à l'intérieur.

— Démarre, frère ! Satan est à nos trousses !

Karen était dans la salle de séjour de l'appartement de Gloria Mitchell et regardait la circulation sur la 27e rue Est à travers les stores. Deux hommes baraqués en sweat-shirt faisaient les cent pas sur le trottoir près d'une camionnette de livraison qui n'avait pas bougé depuis une douzaine d'heures. Toutes les cinq minutes, l'un d'eux mettait sa main devant sa bouche et faisait semblant de tousser alors qu'il parlait en réalité dans un micro installé sur sa manche.

Jonah, assis sur le canapé, feuilletait un livre d'astronomie qu'il avait trouvé dans la bibliothèque. Quant à Gloria, elle était à l'autre bout de la pièce, téléphonant au rédacteur en chef du *New York Times*. C'était une petite femme énergique, aux cheveux d'ébène, avec des jambes maigres, un menton pointu et des yeux noirs en perpétuel mouvement. Quand elle eut fini son appel, elle vint vers Karen.

— Il faut que j'y aille, annonça-t-elle. Un double homicide à Brooklyn. Reste-là jusqu'à ce que je revienne.

L'estomac de Karen se serra. Elle montra du doigt la fenêtre.

— Les agents sont toujours là. (Elle parlait à voix basse pour que Jonah n'entende pas.) Dès qu'ils te verront quitter l'immeuble, ils vont venir ici et nous embarquer.

Gloria secoua la tête.

— Une entrée par effraction dans l'appartement d'une journaliste ? Ils n'oseront pas.

— Ils vont faire sauter la porte et la remettre en place avant que tu reviennes. On pourra croire que Jonah et moi avons décidé de sortir. C'est ce que les hommes du FBI te diront quand tu leur demanderas ce qui s'est passé.

— Tu penses vraiment que...

— Tu ne peux pas demander à ton rédacteur en chef d'envoyer quelqu'un d'autre à ta place ?

Elle laissa échapper un bruyant soupir.

— Oublie ça ! Ce type est un véritable emmerdeur.

Karen regarda son fils, qui semblait fasciné par l'image de la ceinture d'astéroïdes. Pas question qu'elle laisse ces salauds le toucher.

— Alors, nous venons avec toi. Ils ne nous arrêterons pas si tu es là pour témoigner.

Gloria haussa les épaules.

— D'accord, comme tu voudras.

Si cela avait été un boulot ordinaire, Simon aurait descendu son client sur-le-champ. Le professeur Amil Gupta, alias Henry Cobb, était le plus arrogant, le plus exaspérant des clients avec lequel il ait jamais travaillé. Dès que le professeur eut révélé son identité, il commença à faire des reproches à Simon dans les termes les plus méprisants. Bien que Gupta ait de légitimes raisons d'être mécontent, c'était finalement de sa faute : il n'y aurait pas eu ce malentendu s'il n'avait pas insisté pour utiliser ces absurdes noms d'emprunt. Simon essaya de le lui expliquer en refaisant son pansement, mais Gupta continua à l'insulter. Ensuite, dès que le professeur fut capable de marcher, il commença à lui hurler des ordres. Il ébaucha un nouveau plan : Simon et lui se rendraient avec le pick-up en Géorgie pour suivre les cibles, pendant que l'agent Brock irait à New Yorkavec le Dodge du Dr Jenkins. Quand Simon demanda pourquoi Brock retournait à New York, Gupta lui dit d'un ton cassant de la boucler et de chercher les clés du Dodge. La main de Simon se porta instinctivement sur son Uzi, mais il se retint néanmoins d'exploser la cervelle de Gupta. « Sois patient, se rappela-t-il. Concentre-toi sur le but ! »

Comme la maison de Jenkins était en dehors du périmètre de sécurité que les forces spéciales avaient établi, Simon ne rencontra aucun obstacle sur les petites routes du sud-ouest de la Virginie. Vers 11 heures du matin, ils atteignirent la ville de Meadowview. Là, Brock prit la I-81 vers le nord, tandis que Simon et Gupta se dirigeaient vers le sud. Le professeur inclina le dossier du siège passager et appuya sa jambe blessée sur le tableau de bord ; malheureusement, il ne s'assoupit pas. Au lieu de cela, il regardait sa montre toutes les cinq minutes et fulminait sur l'immensité de la bêtise humaine. Après avoir franchi la frontière de l'État du Tennessee, il se pencha brusquement vers Simon et montra du doigt un panneau indiquant SORTIE 69 BLOUNTVILLE.

— Quittez la grande route !

— Pourquoi ? La route est dégagée. Pas de militaires ni de police.

Gupta le regarda d'un air menaçant.

— Nous n'avons pas assez de temps pour aller en Géorgie. À cause de votre incompétence, Swift et Reynolds ont dix heures d'avance sur nous. Ils ont probablement déjà pris contact avec ma fille.

— Raison de plus pour prendre l'autoroute. Les petites routes vont nous ralentir.

— Il y a une autre solution. J'ai travaillé avec une société de Blountville, un fournisseur de la Défense appelé Mid-South Robotics. J'ai construit quelques prototypes pour eux. Ils sont donc reliés à mon réseau de surveillance.

— Surveillance ?

— Oui. Si je ne me trompe pas concernant l'endroit où Swift et Reynolds sont allés, nous devrions pouvoir les observer de là.

Simon quitta l'autoroute et suivit la Route 394 pendant deux kilomètres. Mid-South Robotics se trouvait dans un grand bâtiment de plain-pied, sur un vaste terrain s'étendant dans la campagne du Tennessee. Étant donné qu'on était samedi matin, il n'y avait qu'une seule voiture sur le parking. Simon s'arrêta à côté d'elle, puis se dirigea avec le professeur Gupta vers la cabine du gardien. Un homme maigre, aux cheveux blancs et en uniforme bleu, était assis à l'intérieur, lisant le journal local. Gupta tapa à la vitre pour attirer l'attention de l'homme.

— Excusez-moi ? dit-il. Je suis le Dr Amil Gupta, du Robotics Institute. Vous vous souvenez de moi ? Je suis venu en avril.

Le garde posa le journal et les regarda un moment. Puis il sourit.

— Oh oui, Dr Gupta ! De Pittsburgh ! J'étais là quand vous êtes venu pour votre visite de l'installation ! (Il se leva et ouvrit la porte afin de serrer la main du professeur.) C'est un plaisir de vous revoir !

Gupta se força à sourire.

— Oui, pour moi aussi. Dites-moi, est-ce que M. Compton est dans son bureau en ce moment ? Il m'a demandé de m'arrêter et de jeter un œil sur l'un de ses prototypes.

— Je suis vraiment désolé, mais M. Compton n'est pas là. Il ne m'a pas dit que vous deviez venir.

— Il va arriver plus tard, je suppose. En attendant, pouvez-vous me laisser avec mon assistant dans le laboratoire d'essais ? Je ne peux rester que deux heures, aussi faut-il que je me mette au travail tout de suite.

Le gardien jeta un coup d'œil sur Simon, puis de nouveau sur Gupta. Il commençait à se méfier.

— Je dois d'abord appeler M. Compton. Laissez-moi seulement lui dire que vous êtes là.

— Je vous en prie, ce n'est pas nécessaire. Je ne veux pas interrompre son week-end.

— Je vais quand même l'appeler.

Il retournait dans sa cabine quand le professeur fit un signe de tête. Simon avança de quelques pas et visa le garde entre les deux yeux. L'homme était mort avant que son corps heurte le sol. Simon fouilla dans ses poches.

Gupta baissa les yeux sur le cadavre.

— Fascinant. J'ai vécu soixante-seize ans sans être témoin d'un meurtre, et j'en ai vu deux ces douze dernières heures.

— On s'y habitue, déclara Simon, qui avait sorti les clés de la poche du garde et commençait à déconnecter le système d'alarme du bâtiment.

Le professeur secoua la tête.

— C'est comme l'effondrement d'un petit univers. Un ensemble infini de probabilités réduit à néant.

— Si c'est une telle tragédie, pourquoi m'avez-vous demandé de le tuer ?

— Je n'ai jamais dit que c'était une tragédie. Des univers doivent mourir pour que d'autres puissent naître. (Gupta leva son regard vers le ciel, portant la main à son front pour protéger ses yeux du soleil.) L'humanité fera un grand bond en avant une fois que nous aurons présenté la *Einheitliche Feldtheorie* au monde. Nous serons les accoucheurs d'une nouvelle ère, un âge d'or des lumières.

Simon plissa le front. Il était soldat, pas accoucheur. Sa mission était la mort, pas la naissance.

Le sergent Mannheimer, un des clients réguliers d'Elizabeth, était dégingandé, le crâne dégarni, le nez crochu et fort en gueule. Installé sur le siège arrière du break, un bras passé autour de la taille d'Elizabeth, il gardait les yeux fixés sur la naissance de ses seins. Mais il envoyait aussi des coups d'œil lubriques à Monique, qui était assise dans le coffre avec Michael. Graddick râlait en conduisant la voiture vers l'entrée de Fort Benning ; il détestait manifestement le sergent et n'était pas content non plus de se rendre à la base. Mais David avait insisté en disant que c'était nécessaire pour pouvoir sauver Elizabeth, et ce fut suffisant pour le calmer, du moins momentanément.

Alors qu'ils approchaient de la barrière de sécurité, David remarqua une longue file de voitures devant eux. Il y avait beaucoup de trafic pour un samedi matin. Montrant la barrière, il se tourna vers Mannheimer.

— Qu'est-ce qui se passe ?

Le sergent jouait avec la chaîne en or qui pendait au cou d'Elizabeth, essayant de déloger le médaillon niché entre ses seins.

— Tout le monde est venu voir Dark Vador. Il fait un discours à la base aujourd'hui.

— Dark Vador ?

— Oui, le secrétaire à la Défense. L'homme qui dirige le Benning-Bagdad Express.

David regarda de nouveau la barrière de sécurité et vit une demi-douzaine de policiers militaires inspecter les voitures. Les soldats ouvraient les coffres et s'agenouillaient à côté des ailes pour voir s'il n'y avait pas de bombe sur le châssis.

— Merde ! Ils ont renforcé la sécurité.

— Calme-toi, mec ! (Mannheimer avait réussi à sortir le médaillon du T-shirt et le faisait maintenant osciller devant les yeux d'Elizabeth.) C'est mes hommes. Ils ne feront pas d'histoires.

Elizabeth ricana quand le sergent prétendit l'hypnotiser. Elle était de bonne humeur maintenant qu'elle avait cent dollars en poche. Pendant ce temps, David devenait de plus en plus nerveux au fur et à mesure que la voiture avançait. Au bout de cinq minutes, ils atteignirent la barrière et un jeune caporal bien bâti, avec un pistolet M-9 dans son holster, s'approcha du break. Il se pencha et passa la tête par la fenêtre du conducteur.

— Permis et carte grise, ordonna-t-il. Et les pièces d'identité de tous les passagers.

Avant que Graddick puisse répondre, Mannheimer s'était penché en avant pour attirer l'attention du caporal.

— Hé ! Murph ! l'appela-t-il gaiement. Nous allons juste faire un peu de shopping.

Murph salua le sergent sans enthousiasme. À l'expression de son visage, David comprit qu'il ne l'appréciait pas beaucoup.

— Nous avons reçu de nouveaux ordres du commandant, monsieur. Tous les visiteurs doivent montrer leurs papiers d'identité.

— Te fais pas de bile, mon pote. Ils sont avec moi.

— Pas d'exception, monsieur. C'est ce que le commandant a dit.

Un second policier militaire approcha de la voiture côté passager. Celui-là portait un casque et avait un M-16. David tendit la main vers la poignée de la porte, pensant que c'était foutu. Dans trois minutes, ils auraient tous les menottes aux poignets.

Le sergent Mannheimer glissa sur le bord de son siège et s'approcha du discipliné caporal.

— O.K. Murph, dit-il à voix plus basse. Voilà l'affaire. Tu vois Beth, là ? (Il pointa son pouce vers Elizabeth.) Elle et la fille noire sont censées donner un petit spectacle privé pour le SecDef quand il aura fini son discours.

Le caporal regarda Elizabeth, qui se lécha les lèvres et mit en avant sa poitrine. Il ouvrit la bouche.

— Vous avez des stripteaseuses pour le SecDef ?

Mannheimer acquiesça d'un signe de tête.

— Hé, l'homme travaille dur ! Il a besoin de repos de temps en temps.

— Sacré veinard. (Murph regarda son supérieur avec un respect soudain.) Est-ce que le commandant est au courant ?

— Non, les ordres viennent droit du Pentagone.

Le caporal sourit.

— Putain, c'est trop fort ! Le SecDef va avoir une belle surprise.

Puis il recula et leur fit signe de passer.

Aussitôt que Lucille vit les enregistrements de l'activité Internet de Gupta — en particulier la page Web montrant l'emplacement du 3617 Victory Drive — elle donna de nouveaux ordres pour le Learjet du Bureau. Deux heures plus tard, elle et l'agent Crawford pénétraient dans le night club, qui avait déjà été sécurisé par une équipe d'agents du bureau d'Atlanta. Environ une trentaine de clients — surtout des soldats ivres en permission — tournaient en rond autour des tables du club, pendant que les employés — cinq danseuses, un barman et un portier — étaient assis au bar. Le portier et le barman avaient reconnu David Swift quand les agents avaient montré sa photo. Le barman, un type répugnant nommé Harlan Woods, qui était aussi le gérant du club, avait ensuite expliqué que le suspect avait quitté la boîte avec une autre danseuse qui venait juste de finir son travail. Il s'avéra que cette danseuse était Beth Gupta, la fille du professeur. Malheureusement, les agents d'Atlanta ne la trouvèrent pas quand ils se rendirent au motel de l'autre côté de la rue. Woods avait dit aux agents qu'il ne savait pas où Beth pouvait être, mais Lucille ne lui faisait pas confiance.

Elle remarqua Woods tout de suite, un homme trapu et barbu portant un T-shirt sur lequel il était écrit « SEX, DRUGS & ROCK'N'ROLL ». Elle se dirigea vers le bar et croisa les bras sur sa poitrine.

— Alors vous êtes le patron de ce charmant établissement ?

Il acquiesça d'un rapide hochement de tête. Perché sur sa chaise près du bar, il ressemblait à un gnome débauché sur un champignon vénéneux.

— Je ne demande qu'à vous aider. Mais comme je l'ai déjà dit, je ne sais pas où est Beth. Elle travaille ici, c'est tout. Je n'ai pas la moindre idée d'où elle va pendant son temps libre.

Woods était à l'évidence sous l'effet d'une drogue. Il parlait à toute vitesse et sentait terriblement mauvais. Lucille fronça les sourcils. Elle détestait les toxicos.

— Calme-toi, mon gars. Est-ce que Beth a des amis dans la ville ?

Il désigna du doigt les danseuses alignées au bar, tremblantes dans leur string.

— Bien sûr, les filles sont toutes amies. Parlez donc à Amber et Britney. Peut-être qu'elles savent où est Beth.

— Pas d'autres amis ? Autres que les filles que vous prostituez, je veux dire ?

— Arrêtez, je suis pas un maquereau ! Je suis juste…

— Te fous pas de ma gueule, Woods ! Tu ferais mieux de réfléchir un peu plus vite, sinon…

— O.K., O.K. ! (De nouvelles perles de sueur coulèrent le long de son front. Comme tous les drogués, il cédait rapidement.) Il y a une fille nommée Sheila, une vraie salope. Elle est venue une fois ici pour me faire chier. Elle et Beth ont travaillé ensemble à la base.

Lucille ignorait cet élément. La seule chose que les agents d'Atlanta lui avaient donnée était un ancien procès-verbal d'arrestation.

— Beth avait un job civil à Fort Benning ?

— Oui, avant de venir ici. Elle a dit qu'elle travaillait sur un ordinateur. Un parent à elle lui avait trouvé le boulot, mais ça n'a pas duré.

Lucille pensait à l'ordinateur brisé qu'elle avait vu dans la cabane en Virginie-Occidentale. Les suspects suivaient une piste et elle pouvait deviner leur destination suivante.

Elle se tourna vers l'agent Crawford, qui se tenait derrière elle, comme toujours.

— Emmenez-moi auprès du commandant à Benning et de ce crétin de colonel Tarkington, ordonna-t-elle.

La première chose que vit David, ce furent les tours de saut, trois hautes flèches surgissant au-dessus des bâtiments abritant la caserne et l'administration de Fort Benning. Les parachutistes sautaient des bras des flèches et voltigeaient jusqu'au sol comme les pétales d'une énorme fleur d'acier.

Le sergent Mannheimer guida Graddick pour qu'il gare la voiture derrière un immense bâtiment jaune appelé Infantry Hall. Le bureau Virtual Combat Simulation était situé dans l'aile ouest. David avait inventé une histoire pour justifier leur venue — Monique avait un jeune frère qui faisait ses classes ; il souffrait de crises d'anxiété et avait besoin de se confier à quelqu'un. Il était clair que Mannheimer n'en croyait pas un mot, mais par chance, cela ne semblait pas l'intéresser. Impatient de recevoir son cadeau, il ne se souciait que de trouver un coin tranquille où il pourrait sauter Elizabeth. Il la fit sortir de la voiture et l'emmena vers l'entrée se trouvant à l'arrière du bâtiment.

Monique, David et Michael descendirent à leur tour de la voiture. Graddick, qui restait derrière son volant, les regarda avec inquiétude.

— Qu'est-ce qui se passe, frère ?

David lui pressa l'épaule pour le rassurer.

— Attends-nous là ! Nous n'en avons que pour quelques minutes. Ensuite nous nous occuperons de l'âme d'Elizabeth, d'accord ?

Graddick hocha la tête. Monique et David encadrèrent Michael, chacun tenant un bras de l'adolescent, et ils se dépêchèrent pour rattraper Elizabeth et Mannheimer. David aurait aimé que le garçon puisse rester dans la voiture ; il était gênant qu'il voie sa mère se prostituer sous ses yeux. Mais Michael était le seul qui savait jouer à Warfighter.

Ils se précipitèrent dans l'entrée et grimpèrent les escaliers jusqu'au troisième étage. Elizabeth et le sergent s'arrêtèrent devant une porte où il n'y avait rien d'inscrit, au bout d'un couloir désert. Mannheimer commença à fouiller dans les poches de son treillis.

— Tu es sûr qu'il y a un canapé ?

— Oui, il y en a un dans le bureau du directeur, répondit Elizabeth. Je m'en souviens, un grand canapé marron.

— Mais c'était il y a quatre ans. Ils l'ont peut-être viré depuis.

— Nom de Dieu ! Tais-toi et ouvre la porte !

Le sergent finit par trouver son passe-partout, mais avant qu'il l'ait introduit dans la serrure, David entendit quelque chose qui avançait dans le couloir. C'était un bruit mécanique, étrangement familier. Il se retourna et vit un Dragon Runner, le robot de surveillance en forme de boîte argentée que le professeur Gupta avait mis au point pour l'armée. Avançant sur des chenilles comme un tank miniature, la machine pointa son détecteur en forme de boule vers eux. David se figea.

— Merde ! Ils nous ont retrouvés.

Mannheimer ricana.

— Rassure-toi, soldat ! Ces engins ne sont pas opérationnels en ce moment.

— Comment ça ?

Le cœur de David cogna dans sa poitrine quand le robot les dépassa.

— Ils continuent à utiliser les bons vieux micros cachés. C'est toujours comme ça dans l'armée. Ils vont tester une nouvelle technologie pendant dix ans, puis décider qu'elle coûte trop cher. (Ricanant de nouveau, Mannheimer ouvrit la porte et poussa Elizabeth à l'intérieur.) O.K., ma poule, où est le bureau du directeur ?

David les suivit dans la pièce. Elle était longue d'environ une dizaine de mètres. À une extrémité, plusieurs colonnes de serveurs informatiques bourdonnaient et clignotaient sur trois étagères en acier. De l'autre côté se trouvait un ordinateur de bureau avec un écran plat extra large. Et au centre, deux énormes sphères creuses et transparentes, mesurant chacune au moins 2,50 m de haut et reposant sur des plates-formes munies de roulettes en métal.

Monique se tenait dans l'encadrement de la porte et regardait les sphères avec autant de perplexité que David. Michael se précipita à l'intérieur et alla droit vers un placard situé tout au fond de la pièce. Pendant que sa mère et le sergent disparaissaient dans le bureau d'à côté, il ouvrit le placard et sortit un gros appareil noir qui ressemblait à une visionneuse stéréoscopique. David reconnut l'objet : c'était une paire de lunettes de réalité virtuelle. Une fois fixées sur les yeux, elles affichaient un environnement virtuel ; en tournant la tête à gauche ou à droite, on pouvait en voir les différentes parties. Michael rayonna de joie en ajustant les lunettes, puis il se précipita vers l'ordinateur et commença à tapoter sur le clavier.

David et Monique se dirigèrent vers le terminal et regardèrent par-dessus l'épaule de l'ado. Quelques secondes plus tard, ils virent apparaître sur l'écran l'image d'un soldat debout au milieu d'un grand champ vert. Le soldat portait un uniforme kaki et un casque où était inscrit en rouge le chiffre 1.

— C'est Warfighter, murmura David. Il charge le programme.

Puis les mots READY TO START s'affichèrent sur l'écran. Michael retourna aussitôt au placard et en sortit un fusil en plastique qui ressemblait à un M-16. Ensuite, il s'approcha d'une des sphères géantes, ouvrit une porte sur le côté et entra à l'intérieur.

— Nom de Dieu ! cria Monique. Qu'est-ce qu'il fout là-dedans ?

Michael referma la porte de l'intérieur et mit les lunettes. Tenant le fusil en plastique comme un vrai soldat d'infanterie, il commença à marcher, mais au lieu qu'il avance, c'est la sphère qui tourna, pivotant sur elle-même comme une planète. Au bout d'un moment, Michael accéléra le pas et la sphère tourna plus vite. Peu après, l'adolescent galopait comme un hamster dans sa roue. Quand David regarda sur l'écran de l'ordinateur, il vit que le soldat en uniforme kaki courait à travers le champ.

— C'est incroyable ! (Il posa la main sur le dos de Monique et lui montra la plate-forme sous la sphère.) Tu vois ces roulettes sous la boule ? Elles mesurent la direction et la vitesse de rotation de la sphère. Ensuite elles envoient les données à l'ordinateur, qui fait alors bouger le soldat aussi vite que Michael. Et Michael peut voir toute la simulation sur ses lunettes. Il court dans un monde virtuel.

— C'est super, mais où va-t-il ?

— Il semble tout simplement s'amuser. Je parie qu'il va facilement passer tous les niveaux, comme il le fait toujours.

— Et qu'est-ce qui va se passer quand il va atteindre le niveau SVIA/4 ?

— Je ne sais pas. Il se peut qu'il y ait un moyen de télécharger la théorie à partir du serveur. Mais il faut sans doute utiliser l'interface virtuelle pour y accéder.

David observa les icônes au bas de l'écran de l'ordinateur jusqu'à ce qu'il trouve celle qu'il cherchait : TWO-PLAYER GAME. Il cliqua dessus et les mots READY TO START apparurent à nouveau sur l'écran. Pendant que Monique le regardait bouche bée, il alla au placard et trouva une autre paire de lunettes ainsi qu'un fusil en plastique.

— Je vais dedans.

Il se dirigea alors vers la seconde sphère et ouvrit la porte.

Simon montait la garde dans le laboratoire d'essais de Mid-South Robotics pendant que le professeur Gupta regardait les vidéos de surveillance sur un ordinateur. L'écran était divisé en une douzaine de carrés, chacun montrant une image d'un des Dragon Runners déployés à Fort Benning. Juste avant midi, l'ordinateur émit un signal d'alerte — le programme de reconnaissance des visages avait identifié un individu sur une de ses vidéos. Gupta localisa le robot et agrandit l'image jusqu'à ce qu'elle remplisse l'écran. Simon regarda de plus près et vit un grand soldat, très laid, avec un bras autour de la taille d'une femme maigre et débraillée. Puis il vit les cibles : Swift, Reynolds et le petit-fils de Gupta.

— Intéressant, murmura le professeur. Ils sont au bureau VCS.

— VCS ?

— Virtual Combat Simulation. J'ai un peu travaillé pour eux, j'ai développé l'interface virtuelle pour Warfighter. (Il s'arrêta et réfléchit un moment.) C'est où Elizabeth travaillait. Le job que Hans Kleinman lui avait trouvé.

Sur l'écran, les cibles entrèrent dans la pièce et fermèrent la porte derrière eux, mettant ainsi fin à la surveillance. Gupta sortit rapidement du programme en martelant les touches du clavier.

— Kleinman ! cria-t-il. Ce vieux fou !

— Qu'est-ce qui se passe ?

Le professeur secoua la tête.

— Il se croyait malin, en cachant son secret juste sous mon nez !

— Vous voulez dire la *Einheitliche Feldtheorie* ?

Une nouvelle fenêtre surgit sur l'écran et Gupta tapa son nom d'utilisateur et son mot de passe. Il essayait d'entrer dans une espèce de réseau.

— Heureusement, il n'est pas trop tard. Tous les programmes VCS sont conçus pour un accès à distance. L'armée voulait que des soldats de différentes bases se mesurent les uns contre les autres dans des batailles virtuelles.

Après plusieurs secondes d'attente, l'écran afficha une longue liste de serveurs militaires et leurs rapports d'activité.

— Exactement ce que je pensais, dit Gupta. Ils utilisent Warfighter.

Simon, qui regardait toujours par-dessus l'épaule du professeur, ressentit une pointe d'anxiété.

— Peuvent-ils télécharger la théorie ou l'effacer ?

Gupta cliqua sur l'un des serveurs. Pendant que le réseau établissait la connexion, il se retourna et regarda Simon.

— Allez dans le local de service ! Il n'y a pas d'équipement virtuel ici, mais il y a peut-être un joystick.

David se trouvait dans un grand champ bordé de pins du sud. En se tournant vers la droite, il vit un paysage de collines boisées s'étendant jusqu'à l'horizon. Sur sa gauche, l'écran affichait une trouée dans les arbres et un ensemble de petits bâtiments. Les graphismes étaient étonnamment réalistes. Du casque, qui était muni de haut-parleurs et de micros pour communiquer avec les autres joueurs, sortaient des chants d'oiseaux. Quelque chose d'étrangement familier, dans ce paysage virtuel, intrigua David, et au bout de deux ou trois secondes, il comprit qu'il avait été conçu pour ressembler aux terrains d'entraînement boisés de Fort Benning. Au-dessus de la cime des arbres, il voyait les tours de saut, qui semblaient être à plusieurs kilomètres.

— Qu'est-ce que tu attends ?

David leva son fusil aussitôt qu'il entendit la voix dans les écouteurs. Il vit le canon de son M-16 sur l'écran, mais personne dans le champ ou les bois.

— Hé ! appela-t-il. Qui est là ?

— C'est moi, idiot.

Il reconnut la voix de Monique.

— Je suis devant le terminal et je te vois sur l'écran. Tu ressembles au soldat de Michael, sauf que tu as un grand 2 rouge sur le casque.

— Qu'est-ce que tu fais ?

— Tu semblais un peu perdu, alors j'ai trouvé un micro pour te dire quel chemin prendre. Michael est dans le village.

— Le village ? (Il pointa son fusil vers le groupe de bâtiments.) Tu veux dire là-bas ?

— Oui, et il a déjà atteint le Niveau B2, alors bouge-toi un peu les fesses. Je te conseille de rattraper Michael avant qu'il ait atteint le Niveau SVIA/4. Sinon, tu ne pourras pas accéder au niveau final et télécharger la théorie.

David fit un pas hésitant en avant. La sphère tourna sous ses pieds. Il en fit un autre vers la gauche et la sphère tourna latéralement. Il commença à marcher vers la trouée entre les arbres, d'abord lentement, puis avec plus d'assurance.

— C'est pas si mal. Au bout d'un moment, ça semble presque normal.

— Essaie de courir. Tu as un long chemin à parcourir.

Il commença à trottiner. Le paysage se déroula sur l'écran tandis que David fonçait à travers le champ. Les immeubles devant lui grandissaient et il commença à voir des silhouettes sombres, couchées face contre terre dans l'herbe. C'étaient des soldats ennemis générés par l'ordinateur — habillés comme des terroristes, en vestes noires et cagoulés — que David avait déjà vus sur la Game Boy.

— On dirait que Michael s'est occupé de ces types.

— Garde les yeux ouverts, l'avertit Monique. Il ne les a pas tous tués.

— Qu'est-ce qui se passe s'ils me tirent dessus ? Combien de vies a-t-on dans ce jeu ?

— Attends que je regarde la règle. (Il y eut un silence.) O.K., si on te tire dans le corps, tu ne peux plus bouger, mais tu peux encore tirer avec ton fusil. Par contre, si on te tire dans la tête, tu retournes automatiquement au départ.

— Et ce n'est pas bon, c'est ça ?

— Pas si tu veux rattraper Michael. Il vient juste d'atteindre le Niveau B3.

David accéléra le rythme, en zigzaguant entre les soldats morts. Quelques secondes plus tard, il atteignait l'orée du village, qui semblait morne et dépeuplé. Sur un côté de la rue principale se trouvaient deux bâtiments à un étage avec des toits en pente ; sur l'autre, une modeste église blanche avec un clocher. La rue était déserte à l'exception des soldats abattus, qui indiquaient le chemin pris par Michael. David courut jusqu'au milieu de la rue et s'arrêta près d'un entrepôt jaune de forme carrée. Une demi-douzaine de cadavres gisaient juste devant l'entrée du bâtiment. Luttant pour garder son équilibre à l'intérieur de la sphère tournante, il ralentit et regarda par l'encadrement de la porte. C'était sombre, mais il put distinguer les silhouettes d'autres cadavres sur le sol.

Il allait pénétrer à l'intérieur quand une fusillade qui semblait venir de derrière lui l'obligea à se retourner brusquement. Un soldat ennemi descendait la rue en courant, tirant avec son AK-47. Pendant un moment, David oublia qu'il s'agissait d'une simulation et, pris de panique, il s'accroupit et appuya sur la gâchette du fusil en plastique, visant le soldat en veste noire. Les coups de feu résonnèrent dans ses écouteurs et David tomba à la renverse. Il atterrit sur les fesses au fond de la sphère, qui se balança alors d'avant en arrière. Son écran n'afficha plus rien que du ciel bleu et le mur jaune de l'entrepôt. En se relevant, il vit le soldat ennemi à quatre pattes, grimaçant de douleur mais tenant toujours son fusil.

— Tire-lui dans la tête ! cria Monique. Vite, dans la tête !

David visa le crâne du soldat et celui-ci s'affaissa sur le sol.

— Nom de Dieu ! s'écria-t-il en balayant l'horizon avec son M-16 pour repérer d'autres ennemis dans la rue.

Sa respiration était rapide. Il entendit d'autres détonations, mais ne put dire d'où elles venaient.

— Entre dans le bâtiment ! Michael est au premier étage.

Il franchit le seuil de la porte et enjamba les cadavres. L'écran s'assombrit au fur et à mesure qu'il avançait dans le couloir long et étroit. Ses jambes tremblaient et il commençait à avoir mal au cœur. Des gouttes de sueur perlaient sur son front et se rassemblaient au-dessus de ses lunettes.

— Merde, j'y vois plus rien !

— Va à gauche, à gauche ! Il y a un escalier !

Il tourna à gauche, titubant comme un homme ivre. Une fusillade éclata dans le couloir, mais il ne vit que des éclairs blancs. La simulation saturait son cerveau et le rendait nauséeux. Il avait envie d'arracher le casque.

— Attends, j'en peux plus ! Il y a quelque chose derrière moi ?

— Non, continue ! Michael est au Niveau C3. Il a presque fini !

David trouva enfin l'escalier. L'écran s'éclaira quand il monta, laissant apparaître un autre couloir en haut des marches. Il s'y élança, passant devant plusieurs pièces vides où étaient allongés des corps ensanglantés.

— Tourne à droite quand tu seras au bout du couloir, lui indiqua Monique. Puis tu…

Un soldat sortit comme un bolide de l'une des pièces, à quelques mètres devant. David fut si effrayé que son M-16 lui échappa des mains. Il recula et leva instinctivement les bras, se préparant à une mort certaine. Mais le soldat ne fit que le contourner et continua à courir. David remarqua alors qu'il ne portait pas de veste noire ; il était vêtu d'un uniforme kaki et son casque était marqué d'un 1 rouge brillant. C'était Michael.

Soulagé, David ramassa son fusil et le suivit. Au bout du couloir, le soldat de Michael tourna sur la droite et David entendit alors une avalanche de tirs. Le temps qu'il le rattrape, les six ennemis étaient étendus face contre terre.

— Ça y est ! cria Monique. Tu as atteint le niveau final !

Le soldat de Michael se dirigea vers la porte qui se trouvait à l'autre bout de la pièce. David retint sa respiration, espérant voir apparaître enfin les équations de *Herr Doktor*. Mais à la place, ils entrèrent dans une espèce de vestiaire. Les quatre murs étaient couverts de dizaines de casiers en métal gris. Le soldat de Michael s'approcha du casier le plus proche et le toucha avec son M-16. Un fusil équipé d'une espèce de gros barillet sous le canon apparu soudain dans ses mains. Un lance-grenades.

Le cœur de David se serra. Ce n'était pas le niveau final. Mais plutôt un poste de ravitaillement intermédiaire, un endroit où se procurer des armes avant d'entamer une nouvelle phase de la bataille.

— Merde ! Combien de temps ça va durer ?

— Attends une seconde, répondit Monique. Regarde les lettres sur les casiers !

Sur la porte de chaque casier figurait une série de lettres majuscules. Elles correspondaient visiblement aux grades militaires : le premier casier indiquait PVT pour *private*, le second CPL pour caporal, le troisième LT pour lieutenant et ainsi de suite. David reconnut les douze premiers, mais les abréviations suivantes étaient de moins en moins évidentes : WO/I, CWO/5, CMSAF, MGYSGT.

— Examine la rangée sur le mur du fond, dit Monique. L'avant-dernier casier.

David regarda les initiales : SVIA/4.

— Nom de Dieu ! Les mêmes lettres que sur la Game Boy.

Il se précipita vers le casier et tapa dessus avec son M-16. Sur l'écran David vit son fusil se transformer en lance-grenades. Au même moment, les lettres figurant sur la porte s'assemblèrent d'elles-mêmes différemment. Le S se déplaça un tout petit peu plus loin sur la gauche et le A/4 sur la droite. Le VI tourna ensuite de quatre-vingt-dix degrés dans le sens des aiguilles d'une montre. Le résultat donnait l'équation suivante :

$S \leq A/4$

David ne la reconnut pas. Mais ce n'était pas lui le physicien.

— Monique, tu as vu ça ? demanda-t-il dans le micro. Est-ce que…

— REGARDE !

Une nouvelle détonation se fit entendre. Il se retourna juste à temps pour voir le soldat de Michael tomber au sol. L'écran devint alors rouge, comme s'il était éclaboussé de sang.

« C'est une pâle imitation de la guerre, pensa Simon en regardant l'écran de l'ordinateur par-dessus l'épaule de Gupta. Même pour une simulation, le programme est totalement irréaliste. Quand les soldats sont atteints par une balle, ils ne se contorsionnent pas sur le sol et n'appellent pas leurs mères. Ils s'affaissent simplement. C'est un jeu d'enfant, un jouet. » Gupta n'avait même pas besoin de l'aide de Simon, puisqu'il lui suffisait de descendre deux soldats en leur tirant dans le dos.

Après avoir éliminé ses adversaires, Gupta avança vers le casier où figuraient les étranges symboles. En actionnant le joystick, il toucha la porte avec son fusil. Un lance-grenades apparut à la place du fusil, puis, quelques secondes plus tard, un message lumineux clignota sur l'écran : READY TO DOWNLOAD ? YES OR NOT ?[1]

---

1. « Prêt à télécharger ? Oui ou non ? » *(N.d.T.)*

Gupta cliqua sur YES. Le message suivant fut DOWNLOAD COMPLETE IN 0:46 SECONDS. Le professeur regarda attentivement le compte à rebours sur l'écran. Il avait l'air en extase, comme s'il entrevoyait soudain quelque chose qui se cachait au plus profond de l'ordinateur.

— Je suis désolé, *Herr Doktor*, murmura-t-il. Mais vous n'auriez pas dû me laisser sur la touche.

— David ? Où es-tu ? Mon écran est totalement brouillé !

Il pouvait entendre la voix de Monique, mais ne voyait plus rien. L'écran n'affichait désormais qu'une épaisse brume rouge, comme un rideau de sang qui obstruerait la vue. La dernière chose dont il se souvenait était d'avoir vu le soldat de Michael tomber, et en se remémorant cette image, il se rappela avoir aperçu autre chose en arrière-plan. Il y avait un autre soldat derrière celui de Michael. Il n'était pas en veste noire, mais en uniforme kaki, avec le chiffre 3 sur son casque.

David arracha les lunettes devenues inutiles. De l'autre côté de la sphère transparente, Monique était penchée sur l'écran et tapait frénétiquement sur le clavier.

— Merde ! cria-t-elle. Quelqu'un d'autre a accès au serveur ! Il y a un téléchargement en cours !

À sa gauche, dans l'autre sphère, Michael réajustait ses lunettes. Il ne semblait ni surpris ni déçu par la défaite. Il leva bientôt son fusil et se remit à courir. Il recommençait le jeu.

— Il faut retourner au début, dit David. On fera juste…

— Tu n'as pas le temps ! (Monique s'arrachait les cheveux.) Il n'y a plus que vingt secondes !

Incapable d'envisager une autre solution, David remit les lunettes. La brume rouge diminuait progressivement et il s'attendait à se retrouver dans le grand champ à l'extérieur du village. Mais une fois que les dernières traînées rouges eurent disparu, il vit une rangée de casiers où des lettres majuscules étaient inscrites. Il était toujours dans le vestiaire, mais cette fois à quatre pattes. Il avait reçu une balle dans le corps, pas dans la tête.

Il lui était impossible de se déplacer, mais il pouvait pointer son arme. Le soldat avec le numéro 3 sur le casque se tenait devant le casier, sur la porte duquel on pouvait voir défiler un compte à rebours à la place de l'équation. Quand il arriva à 0:09, David appuya sur la gâchette.

Simon remarqua un déplacement sur l'écran de l'ordinateur. Quelque chose de petit et rond rebondit contre la rangée de casiers et sortit de son champ de vision.

— Qu'est-ce que c'était ? demanda-t-il en pointant le doigt vers l'ordinateur.

Gupta ne répondit pas. Il était trop fasciné par le compte à rebours.

— Quelque chose a bougé sur la gauche de l'écran !

Fronçant les sourcils, le professeur poussa son joystick vers la gauche pour avoir une vue d'ensemble du vestiaire. Il y avait sur le sol un objet vert de la forme d'un œuf. Simon le reconnut tout de suite. C'était une grenade M406 de l'armée américaine.

David eut du mal à se maintenir sur ses jambes quand il sortit de la sphère. Il s'était trouvé à l'intérieur du monde virtuel pendant moins de quinze minutes, mais il se sentait comme s'il venait de prendre d'assaut Iwo Jima[1]. Il laissa tomber par terre les lunettes et le fusil en plastique et tituba vers Monique.

— Qu'est-ce qui s'est passé ? demanda-t-il. Nous l'avons arrêté ?

Elle ne leva pas la tête. Elle garda les yeux fixés sur l'écran.

— Pourquoi tu as utilisé la grenade ? Il te suffisait de tirer sur l'ennemi pour rompre sa connexion.

— Mais nous avons stoppé le téléchargement ? Il n'a pas eu la théorie ?

— Ah oui, tu as arrêté le téléchargement ! Tu as aussi détruit Warfighter et effacé tous les fichiers du programme.

Il s'agrippa au bord du bureau.

— Et le fichier contenant la théorie ?

1. Nom d'une célèbre bataille remportée par les Américains sur les Japonais en février-mars 1945. *(N.d.T.)*

— Disparu. Réduit à néant. Comme le fichier était incorporé dans le logiciel de jeu, la destruction du programme l'a définitivement détérioré. Même si quelqu'un essayait de récupérer les données sur le serveur, il obtiendrait quelque chose d'incohérent.

L'estomac de David se contracta. C'était comme s'il était retourné dans la sphère, mais cette fois-ci, c'est l'univers entier qui tournoyait autour de lui. Les plans du cosmos, le dessin caché de la réalité — tout avait disparu en un instant à cause de son erreur.

Monique leva finalement les yeux de l'écran. À la grande surprise de David, elle souriait.

— Par chance, le Dr Kleinman avait pris certaines précautions. Il avait intégré une copie de sauvegarde pour le dossier. Juste avant que le programme ne soit effacé, les données ont été enregistrées sur une clé USB.

— Quoi ?

Dans la paume de sa main, elle tenait un petit rectangle argenté, d'environ sept centimètres de long et deux et demi de large.

— La théorie est là. Ou du moins je l'espère. Il faudrait que je trouve un ordinateur portable pour vérifier.

David se détendit. Il respira profondément en regardant la clé. Jusque-là, il n'avait pas mesuré à quel point la théorie était importante pour lui.

Pendant que Monique cherchait un ordinateur portable dans le bureau, Michael émergea de sa sphère. Il rangea ses lunettes et son fusil dans le placard, puis se remit à sa Game Boy. Il devait éprouver une terrible déception de laisser le champ de bataille en réalité virtuelle et de retourner à un appareil avec des commandes par les pouces et un écran de sept centimètres et demi de large. Mais le visage de Michael était aussi inexpressif que d'habitude.

Peu après, sa mère sortit du bureau d'à côté. Avec un air blasé, Elizabeth lissa un pli sur son pantalon et ajusta la lanière d'un de ses escarpins sur sa cheville. Puis elle se dirigea droit vers David.

— Voilà. Où est le reste de mon argent ?

— Où est Mannheimer ?

— Endormi sur le canapé. C'est un homme d'un seul coup. Vous me devez quand même deux cents dollars.

— D'accord, d'accord. (David sortit son portefeuille et retira les billets.) Écoutez, il faut quitter la base avant d'attirer les soupçons. Vous feriez mieux de venir avec nous.

Elle saisit le rouleau de billets de vingt et le glissa dans sa ceinture.

— Parfait. Laissez-moi au motel !

Monique venait de trouver un ordinateur portable. Avant qu'elle ait eu le temps de l'allumer, David était allé à la fenêtre et avait remarqué deux choses préoccupantes. Premièrement, la voiture de Graddick n'était plus stationnée devant l'entrée arrière de l'Infantry Hall. Deuxièmement, un escadron de policiers militaires se dirigeait en courant vers le bâtiment. De loin, ils ressemblaient beaucoup aux soldats virtuels de Warfighter, mais les M-16 qu'ils avaient dans leurs mains n'étaient pas en plastique.

Lucille se trouvait sur un terrain de parade à Fort Benning, discutant avec un des larbins du SecDef. Le secrétaire, installé sur un podium devant Infantry Hall, prononçait un discours. Une foule d'au moins trois mille soldats et civils lui faisait face et plusieurs centaines d'autres personnes circulaient derrière le podium, bloquant l'entrée principale du bâtiment. C'était un cauchemar pour la sécurité — la présence de tous ces gens empêchait de mener une vraie recherche des suspects, qui avaient apparemment réussi à pénétrer dans la base moins d'une heure avant. Lucille avait demandé que le SecDef raccourcisse son discours, mais son assistant du Pentagone avait refusé. C'était un gamin trapu d'une vingtaine d'années, bête comme ses pieds.

— Nous avons programmé cet événement depuis des mois. Les troupes l'attendaient vraiment avec impatience.

— Écoutez, c'est une affaire de sécurité nationale. Vous savez ce que ça veut dire, la sécurité nationale ? Ça veut dire que c'est plus important que votre putain de fête !

L'assistant eut l'air déconcerté.

— Sécurité ? Je pensais que les policiers militaires s'occupaient de la sécurité.

— Nom de Dieu ! (Exaspérée, elle glissa la main sous sa veste et sortit son Glock de son holster.) Est-ce que je vais devoir vous tirer dessus pour que vous prêtiez attention à ce que je vous dis ?

Mais même sous la menace qu'une balle transperce son crâne, il répondit :

— S'il vous plaît, madame, calmez-vous ! Le secrétaire termine. Il se prépare à raconter sa blague des poulets à trois pattes.

Les policiers militaires franchirent en trombe l'entrée arrière de l'Infantry Hall et s'engagèrent dans les escaliers. David se détourna de la fenêtre.

— Tirons-nous ! cria-t-il aux autres. Par là !

Il entraîna Michael dans le couloir, pendant que Monique et Elizabeth les suivaient en courant. Il se dirigea instinctivement vers l'avant du bâtiment, loin des soldats qui les poursuivaient, tout en sachant qu'un autre escadron arriverait très probablement par là aussi. Quand David atteignit la cage d'escalier au-dessus de l'entrée principale, il entendit des voix provenant du rez-de-chaussée. Il pensa d'abord qu'il s'agissait des policiers militaires montant à toute vitesse les marches. Mais il entendit des rires et une grande salve d'applaudissements. Cela ressemblait plus à une fête qu'à une chasse à l'homme.

Ils dévalèrent les escaliers et émergèrent dans un hall d'entrée bondé de soldats accompagnés de leurs familles. Des hommes et des femmes en vêtements civils circulaient devant une table garnie entre autres de saladiers de chips et de bouteilles de sodas. Une réception était en cours. Les gens se serraient la main, se racontaient des blagues et s'empiffraient. David se faufila à travers la foule, terrifié à l'idée que quelqu'un donne l'alerte, mais personne ne leur prêta attention, à lui et à Michael. Quelques soldats reluquèrent Elizabeth et Monique, mais ce fut tout. Un instant plus tard, ils sortaient et se joignaient au flot de personnes qui se dirigeaient vers les parkings. Alors qu'ils s'éloignaient du bâtiment, David vit un vieil homme avec un visage familier, qui serrait la main de plusieurs généraux. Mon Dieu ! pensa-t-il, c'est le secrétaire à la Défense. David pressa le pas en tenant plus fermement le bras de Michael.

Ils se déplacèrent avec la foule sur environ huit cents mètres, passant devant une série de parkings. Des groupes se séparaient pour récupérer leurs voitures et, au bout d'une dizaine de minutes, ils commençaient à être moins nombreux. Mais tous quatre continuèrent à marcher dans la même direction, suivant les panneaux qui indiquaient WEST GATE, EDDY BRIDGE. Ils passèrent devant un court de tennis et un terrain de football. David ne vit ni de policiers militaires ni d'autres signes de poursuite.

Dix minutes plus tard, ils arrivèrent devant un cours d'eau, ou plutôt un serpentin d'eau boueuse bordé de rives boisées. C'était la rivière Chattahoochie, la limite ouest de Fort Benning. Un pont l'enjambait, mais il était fermé par une barrière de sécurité. Une file de voitures s'était formée, attendant de pouvoir quitter la base. Les conducteurs avaient beau klaxonner, les deux policiers postés à la barrière restaient figés comme des statues. Merde ! pensa David, ils ont bloqué les sorties. Il envisagea de faire demi-tour, mais les flics les avaient déjà sans doute repérés. Leur seul espoir était d'y aller au culot.

Ils avancèrent tranquillement vers la barrière comme une gentille petite famille en promenade. David fit bonjour de la main.

— Hé, les gars ! dit-il. C'est par là le terrain de camping ?

— Vous voulez dire le camping Uchee Creek, monsieur ? répondit l'un d'eux.

— Oui, oui, c'est ça.

— Vous traversez le pont et vous allez à trois kilomètres au sud. Mais vous ne pouvez pas passer maintenant, monsieur.

— Pourquoi ?

— Une alerte à la sécurité. Nous attendons d'autres ordres.

— Je suis sûr que l'alerte ne concerne que les voitures. Les piétons peuvent passer, non ?

Le policier réfléchit un moment, puis fit un signe négatif de la tête.

— Attendez ici, monsieur. Espérons que ce ne sera pas trop long.

Tandis que David et Monique échangeaient des regards inquiets, un Humvee arriva à toute allure près de la barrière. Le conducteur sauta du véhicule et courut vers les policiers. Il tenait deux feuilles à la main ; David ne pouvait voir, mais il était prêt à parier que sa photo y figurait. Les policiers leur ayant tourné le dos, David entraîna discrètement Michael, Monique et Elizabeth de l'autre côté de la barrière. Ils se dirigèrent vers le pont, qui était à environ trente mètres.

— Halte ! (Un des policiers s'était retourné.) Où croyez-vous aller comme ça ?

David jeta un coup d'œil par-dessus son épaule mais ne s'arrêta pas.

— Désolé, on est pressés !

Les autres policiers, qui avaient déjà vu les portraits, pointèrent leurs pistolets sur eux.

— Bougez plus, bande d'enculés !

En quelques secondes, les trois soldats avaient dégainé leurs M-9. Les conducteurs des voitures derrière la barrière avaient cessé de klaxonner, trop occupés à observer la scène. Mais comme tous les yeux étaient fixés sur les soldats et les fugitifs, personne ne vit le serpent à sonnettes jusqu'à ce qu'il atterrisse aux pieds des policiers. Un gros serpent couleur rouille rebondit sur l'asphalte et se contorsionna. Puis il enfonça ses crochets dans la première chose qu'il vit bouger et qui se trouva être le mollet d'un militaire. Le soldat hurla. Un second serpent vola dans l'air. David regarda devant lui et vit Graddick accroupi derrière son break, stationné près du bord de la rivière, non loin du pont. En déployant un gros effort, Graddick lança son troisième serpent en direction des policiers, qui fuyaient désormais dans les bois. Puis il fit signe à David.

— Allez, les pécheurs ! En voiture !

Karen et Jonah étaient à Bronsville, l'un des quartiers les plus pauvres de Brooklyn. Ils suivaient Gloria Mitchell à travers le sol jonché de verre d'un lotissement d'habitat social. Gloria était une reporter infatigable ; elle avait passé la journée entière à rassembler des détails sur le double homicide, allant d'abord parler aux flics au poste de police du quartier, puis interrogeant les amis et les parents des victimes. Elle était encore au boulot à 9 heures du soir, essayant de découvrir un témoin de la fusillade. Normalement, Karen n'aurait jamais osé s'aventurer dans Bronsville la nuit, mais à ce moment-là l'endroit ne l'effrayait pas. Les bandes d'adolescents au coin des rues ne lui faisaient pas peur du tout. Ce qu'elle craignait, c'était le lent déplacement d'une grosse voiture noire qui semblait les suivre partout où ils allaient.

Alors qu'ils se hâtaient pour traverser un jardin public désert, un homme baraqué sortit soudainement de l'ombre. La lumière était si faible que Karen ne vit qu'une silhouette. Elle ne pouvait distinguer son visage, mais elle remarqua qu'il portait un costume, et qu'un câble en spirale serpentait derrière son oreille gauche.

Karen s'arrêta brusquement et serra la main de Jonah. Mais Gloria, qui n'avait peur de rien, marcha droit vers l'agent.

— Hé ! Vous êtes perdu ? demanda-t-elle.

— Non, répondit-il.

— Les services du FBI sont à Federal Plaza, au cas où vous l'auriez oublié. C'est par là, dit-elle en montrant du doigt la direction de Manhattan.

— Qu'est-ce qui vous fait croire que je suis du FBI ?

— Primo, votre costume bon marché. Secundo, le fait que vos copains m'ont suivie toute la journée.

— Ce n'est pas vous qui m'intéressez. C'est votre amie.

— Eh bien, oubliez ça ! Si vous l'arrêtez, ce sera en première page du *New York Times* demain matin.

L'agent glissa la main dans sa veste et en sortit un pistolet.

— Rien à foutre du *Times*. Je lis le *Post*.

Puis il visa la tête de Gloria et tira.

Karen attrapa Jonah et pressa son visage contre sa poitrine pour qu'il ne voie pas. Ses jambes tremblaient quand l'agent avança vers elle et un faisceau de lumière venant de la rue éclaira le visage de l'homme. Son nez était enflé et des bleus marbraient son front, mais elle le reconnut néanmoins. C'était l'agent Brock.

CHAPITRE 11

Simon s'enfila un autre verre de Stoli. Il était assis dans la salle de séjour d'une modeste maison de Knoxville appartenant à Richard Chan et Scott Krinsky, deux anciens élèves du professeur Gupta. Pendant que celui-ci utilisait leur téléphone dans la cuisine, Richard versait avec angoisse de la vodka dans le verre de Simon et Scott lui offrait un répugnant sandwich au thon. Simon avait d'abord pensé que les deux hommes étaient amants, mais après son second verre, il avait compris que quelque chose de plus inhabituel se passait ici. Richard et Scott étaient physiciens au Laboratoire National d'Oak Ridge, où ils construisaient une machine pour générer des faisceaux de protons de haute intensité. Ils avaient des allures de gamins, pâles, dégingandés, portaient des lunettes et traitaient le professeur avec une déférence frisant le fanatisme. Ils n'avaient pas du tout été surpris quand Simon et Gupta avaient débarqué chez eux. Les deux jeunes physiciens étaient manifestement des complices recrutés de longue date par Gupta. Ils n'inspiraient aucune crainte, mais Simon détecta en eux la qualité essentielle des bons soldats : ils étaient prêts à exécuter tout ce que leur chef leur demanderait. Leur dévotion à la cause était aussi forte que celle des djihadistes.

Dès que Simon posa son verre vide sur la table basse, Richard bondit du canapé et le remplit à nouveau. Pas mal, pensa Simon en se carrant dans son fauteuil. « Je pourrais facilement m'habituer à ce genre de chose. »

— Ainsi, les gars, vous travaillez sur les lignes de faisceaux, c'est ça ? Vous guidez les protons pour qu'ils tournent dans l'accélérateur.

Tous deux acquiescèrent en hochant la tête, sans dire un mot. Ils étaient visiblement mal à l'aise de bavarder avec un mercenaire russe.

— Ce doit être un travail compliqué, poursuivit Simon. S'assurer que toutes les particules sont correctement orientées. Déterminer les conditions idéales pour l'impact. Certaines choses étranges peuvent arriver quand les protons s'entre-choquent, pas vrai ?

Richard et Scott arrêtèrent de hocher la tête et échangèrent un regard. De la surprise, ainsi qu'un peu de trouble, apparut sur leur visage. Ils se demandaient probablement comment un type comme lui pouvait connaître tant de choses sur la physique des particules.

— Oui, très étranges, reprit Simon. Et peut-être très utiles. Si vous disposiez d'une théorie unifiée expliquant avec précision comment combiner les collisions de particules, vous pourriez produire quelques effets intéressants, non ?

Leurs yeux exprimaient désormais de l'inquiétude et Richard faillit faire tomber la bouteille de Stolichnaya.

— Je suis... je suis désolé, balbutia-t-il. Je ne vois pas de quoi vous voulez parler...

— Ne vous inquiétez pas, ricana Simon. Votre professeur m'a mis dans la confidence. Dès le début de ma mission, il m'a tout dit concernant les applications possibles de la *Einheitliche Feldtheorie.* Sinon, je n'aurais pas su quelles informations je devais obtenir des collègues de *Herr Doktor.*

Ces révélations ne semblèrent pas rassurer les physiciens. Richard serra plus fort les doigts autour de la bouteille et Scott frotta les paumes de ses mains l'une contre l'autre. Peut-être ne voulaient-ils pas trop en apprendre sur les méthodes de leur maître vénéré.

Gupta entra alors dans la salle de séjour. Richard et Scott tournèrent la tête en même temps, comme deux fidèles setters irlandais obéissant à leur maître. Le professeur les récompensa d'un gentil sourire, puis tendit le doigt vers Simon.

— Venez avec moi ! Il nous faut discuter de quelque chose.

Simon attendit quelques instants, pour bien montrer qu'il n'était le larbin de personne. Puis il se leva et suivit Gupta dans la cuisine. C'était un coin très laid et étriqué, avec des meubles de guingois.

— C'était Brock au téléphone ? demanda Simon.

Le professeur acquiesça d'un signe de tête.

— Il s'est emparé de la femme et du fils de Swift. À l'heure qu'il est, ils font route vers le sud aussi vite que possible. Cela pourrait se révéler être une monnaie d'échange très précieuse.

— À condition que Swift ait la théorie unifiée. Nous n'en sommes pas sûrs.

— Évidemment qu'il l'a. Ne soyez pas stupide.

Une fois de plus, Simon eut envie de décapiter le vieil homme.

— Swift n'a pas seulement arrêté notre téléchargement, il a effacé tout ce qu'il y avait sur l'ordinateur. Peut-être avait-il l'intention de détruire la théorie depuis le début. Peut-être que Kleinman le lui avait demandé.

Gupta secoua la tête.

— Non, c'est impossible. C'est la dernière chose que Kleinman aurait voulue. Je suis sûr qu'il l'a au contraire supplié de la préserver.

— Bon, mais peut-être qu'il a décidé de ne pas suivre ses instructions après avoir vu les équations.

Le professeur continua à secouer la tête. Il semblait sûr de lui.

— Croyez-moi, il l'a. Et il ne pourrait pas l'effacer, même s'il le voulait. La prochaine étape dans le progrès de l'humanité est inévitable. Personne ne pourra nous empêcher de faire notre démonstration.

Simon soupira. Il commençait à en avoir marre des déclarations messianiques de Gupta.

— D'accord, supposons donc que Swift possède la théorie. Il nous faut encore mettre la main dessus avant les soldats.

Gupta fit un signe de la main pour balayer cette idée, faisant fi de toutes les difficultés.

— Nous y parviendrons. Dans quelques heures, nous saurons où sont Swift et ses compagnons.

— Et par quel moyen ?

Le vieil homme sourit.

— Ma fille est avec eux. Elle est accro à la méthamphétamine. Et je suis sûre qu'à l'heure actuelle, elle est en manque.

Dans une clairière reculée de la forêt nationale de Cherokee, Graddick rassemblait des feuilles mortes et des branches pour faire un feu de camp. Cet homme des montagnes s'était révélé un allié de poids pour des fugitifs ; toutes ses années de contrebande de serpents à travers les États des Appalaches en avaient fait un expert pour éviter les forces de l'ordre. Après leur fuite de Fort Benning, David avait voulu prendre la direction du Mexique ou du Canada, mais Graddick lui avait rétorqué que trop de suppôts de Satan étaient déployés entre eux et la frontière. À la place, il s'était dirigé vers le nord de l'Alabama, conduisant son break sur les routes sinueuses de Sand Mountain. À la tombée de la nuit, ils étaient arrivés dans le Tennessee et avaient atteint les Great Smokies.

Graddick semblait connaître chaque colline et chaque vallée de la région. À un croisement appelé Coker Creek, il s'engagea sur un chemin en terre et gara le break derrière un bosquet tapissé de kudzu. Puis, en chantant « Amazing Grace », il commença à ramasser du bois pour faire un feu. David était émerveillé par la générosité de cet homme. Ils l'avaient rencontré la nuit dernière, et maintenant il risquait sa vie pour eux. Bien que David ne lui ait rien dit concernant Einstein et la théorie du champ unifié, Graddick avait visiblement compris que quelque chose de très important était en jeu. Il envisageait leur situation dans un contexte religieux : ils étaient engagés dans un combat apocalyptique, une bataille contre une armée démoniaque qui essayait de vaincre le Royaume de Dieu. Et cette interprétation, pensa David, n'était pas très loin de la vérité.

Le croissant de lune, légèrement plus gros que la nuit précédente, éclairait d'une pâle lueur les collines environnantes. David s'assit dans la clairière avec Michael, qui avait posé sa Game Boy sur un tronc d'arbre. Sa mère était endormie dans le break ; elle s'était montrée de plus en plus agitée durant le long voyage dans les montagnes, jurant, tremblant et demandant qu'ils la laissent sortir de la voiture, mais elle avait fini par se calmer et s'assoupir. Monique avait passé la moitié de son temps à réconforter Elizabeth, et l'autre à étudier ce qu'elle avait enregistré sur l'ordinateur portable dérobé au laboratoire VCS.

La bonne nouvelle était que la clé USB contenait un article scientifique écrit par Albert Einstein plus de cinquante ans auparavant. La mauvaise, c'était qu'il était rédigé en allemand. Le titre était « *Neue Untersuchung über die Einheitliche Feldtheorie* », que David put traduire à peu près par : « Une nouvelle compréhension de la théorie du champ unifié ». Mais il ne pouvait guère aller plus loin. L'article contenait des dizaines de pages d'équations ainsi que des symboles, nombres et signes aussi incompréhensibles pour lui que les mots allemands qui les accompagnaient. Ces équations ne ressemblaient en rien à celles qu'il avait vues dans d'autres articles d'Einstein. *Herr Doktor* s'était à l'évidence aventuré dans une direction totalement nouvelle, employant un type de mathématiques très différent. C'était terriblement frustrant : ils avaient la théorie dans leurs mains, mais ne pouvaient la décrypter.

Assise seule dans un coin de la clairière, Monique était toujours penchée sur l'écran de l'ordinateur. Elle avait reproché à David, qui regardait par-dessus son épaule, de perturber sa concentration, aussi s'était-il éloigné. Si seulement j'avais appris l'allemand ! pensa-t-il. Mais même si cela avait été sa langue maternelle, il aurait eu des problèmes avec les formules mathématiques. Elle était donc mieux placée que lui pour étudier cet article : experte en de nombreuses branches des mathématiques, elle avait affirmé que plusieurs de ces équations lui paraissaient familières.

Après avoir craqué une allumette, Graddick mit le feu au papier journal qu'il avait glissé sous le tas de bois. Il se dirigea ensuite vers la voiture et revint avec cinq boîtes de ragoût de bœuf, qu'il ouvrit et disposa autour du feu. Puis il s'assit sur l'herbe près de David et de Michael.

— On a de la chance, dit-il en montrant le ciel étoilé. Y va pas pleuvoir cette nuit.

David acquiesça tandis que Michael continuait à jouer à Warfighter. Graddick indiqua alors du doigt la lune, qui était juste au-dessus de l'horizon, à l'est.

— Demain, on ira dans cette direction. Vers Haw Knob. On va faire en voiture toute la Smithfield Road. Au bout, on escaladera la montagne.

— Pourquoi ? demanda David.

— C'est un excellent endroit pour se cacher. Y a des cavernes en calcaire et un torrent de montagne. Et on peut voir à des kilomètres à la ronde. Vous pourrez surveiller si quelqu'un vous poursuit.

— Mais qu'allons-nous manger... je veux dire, quand nous n'aurons plus de ragoût de bœuf ?

— T'inquiète pas, frère, j'fournirai des provisions. Les hommes de Satan ne me recherchent pas ; je peux aller et venir comme je veux. Vous pouvez vous terrer à Haw Knob jusqu'à la fin de l'été. Ensuite, les païens abandonneront leur poursuite et vous pourrez plus facilement vous rendre au Canada ou au Mexique, là où vous voulez.

David essaya de s'imaginer passant l'été dans une caverne en calcaire avec Monique, Michael et Elizabeth. Le plan était plus qu'improbable, il était irréalisable. Quel que soit le temps qu'ils resteraient cachés dans les montagnes, l'armée et le FBI n'abandonneraient jamais leurs recherches. Et même si, par miracle, ils parvenaient à leur échapper et franchir la frontière, ils ne seraient pas pour autant en sûreté. Tôt ou tard, le Pentagone les traquerait, qu'ils soient au Canada, au Mexique ou en Antarctique.

Quelques minutes plus tard, Graddick se leva et alla vers le feu, d'où s'élevait maintenant de belles flammes. Il enveloppa sa main d'un mouchoir, prit les boîtes et les distribua au reste du groupe. Il tendit aussi des cuillères en plastique qu'il avait trouvées dans la boîte à gants de sa voiture. Le ragoût était à peine chaud, mais David commença à manger, espérant oublier un moment ses soucis. Avant de prendre une seconde bouchée, il leva les yeux et vit Monique se précipiter vers lui, l'ordinateur sous le bras. Malgré l'obscurité, il se rendit compte qu'elle était très agitée. Elle avait la bouche ouverte et respirait vite.

— J'ai trouvé quelque chose. Mais ça risque de ne pas te plaire.

David posa sa boîte et se leva. Ils se dirigèrent vers un pin couché au bord de la clairière, éloigné de Michael et de Graddick. Ce moment aurait dû être joyeux, mais David était envahi de sombres pressentiments.

— Est-ce qu'elle est là… la théorie unifiée ?

— Au début, j'ai cru que non. À vrai dire, les équations me paraissaient être du charabia. Puis je me suis souvenue de ce dont nous avions parlé la nuit précédente. La théorie géon.

— Tu veux dire qu'il y a un rapport entre les deux théories ?

— J'ai mis du temps à voir la relation. Mais plus je regardais les équations, plus elles me rappelaient les formules qu'on rencontre en topologie. Tu sais, les mathématiques des surfaces, formes et nœuds. Et ça m'a fait penser aux géons, les nœuds dans l'espace-temps. Attends, je vais te montrer.

Monique ouvrit l'ordinateur et s'approcha de David afin qu'il puisse voir l'écran. Il découvrit une page contenant une douzaine d'équations, chacune composée d'une longue série de lettres grecques et d'étranges signes : fourches, symboles de la livre sterling, cercles avec des croix encastrées. Effectivement, cela semblait être du charabia.

— Qu'est-ce que c'est que ces trucs ?

Elle pointa du doigt le haut de la page.

— C'est l'équation du champ unifié, exprimée dans le langage de la topologie différentielle. Elle est similaire aux équations classiques de la relativité, mais elle englobe aussi la physique des particules. Einstein a découvert que toutes les particules sont des géons. Chaque particule est une espèce différente de déformation de l'espace-temps, et les forces sont des ondulations dans le tissu !

Monique éleva la voix et s'agrippa à la manche de David. Elle l'attira plus près d'elle afin qu'il puisse examiner les équations, mais celles-ci continuaient à n'avoir aucun sens pour lui.

— Attends ! Attends ! Tu es sûre que cela est réel ?

— Regarde, regarde là ! (Elle déplaça son doigt vers le bas de la page.) C'est une des solutions de l'équation du champ ; elle décrit une particule fondamentale avec une charge négative.

C'est un géon, un minuscule trou de ver avec des CTC. La solution précise même la masse de la particule. Reconnais-tu le nombre ?

M=0.511 MeV/c2

— Mon Dieu ! murmura David. La masse d'un électron.

Ses études de mathématiques avaient beau être lointaines, il savait que l'une des caractéristiques de la Théorie du Tout était qu'elle devrait prédire les masses de toutes les particules fondamentales.

— Et ce n'est que le début. Il a obtenu au moins vingt autres solutions pour des particules avec des charges et des spins différents. La plupart de ces particules ne furent découvertes que longtemps après la mort d'Einstein. Il a prédit l'existence des quarks et des tauons. Et il a trouvé des solutions pour des particules qui n'ont même pas encore été découvertes. Mais tu peux être sûr qu'elles existent.

Monique fit défiler le fichier, révélant page après page des équations topologiques. Tandis que David regardait l'écran de l'ordinateur, une joie soudaine l'envahit. Il ne pouvait la comparer qu'à celle ressentie à la naissance de Jonah. C'était l'ultime triomphe de la physique, une théorie classique qui incorporait la mécanique quantique, une simple série d'équations qui pouvait décrire tout, du fonctionnement interne d'un proton à la structure de la galaxie. Il se détourna de l'écran et sourit à Monique.

— Tu sais quoi ? Ce n'est pas très différent de ce que les théoriciens des cordes essaient de faire. Sauf que les particules sont des boucles d'espace-temps au lieu de cordes d'énergie.

— Il y a une autre similitude. Jette un œil là-dessus !

Elle fit défiler plusieurs pages et tapota du doigt sur une équation qui se distinguait des autres.

$S \leq A/4$

— C'est l'équation que j'ai vue dans Warfighter !

Monique acquiesça.

— Elle est appelée principe holographique. Le *S* est pour la quantité maximum d'information qui peut être contenue dans une région d'espace, et le *A* est pour l'aire de cette région. Au fond, le principe dit que toute l'information dans un espace à trois dimensions — la position de chaque particule, l'intensité de chaque force — peut être contenue dans une surface d'espace à deux dimensions. Ainsi, on peut imaginer l'univers entier comme un hologramme, semblable à celui qui figure sur nos cartes de crédit.

— Attends une seconde, ça me fait penser à quelque chose !

— Les théoriciens des cordes ont parlé de ce principe pendant des années, parce qu'il offrait un moyen de simplifier la physique. Mais il s'avère qu'Einstein avait trouvé l'idée un demi-siècle auparavant. Sa théorie unifiée est construite autour. Il utilise le principe holographique pour tracer toute la foutue histoire de l'univers. C'est dans la seconde section de l'article, juste là.

Elle pointa du doigt une autre équation bizarre. En dessous, il y avait une série de d'images de synthèse ; le Dr Kleinman avait apparemment reproduit trois schémas qu'Einstein aurait tracés à la main. La première image montrait une paire de feuilles plates se déplaçant l'une vers l'autre. Sur la deuxième, elles se courbaient et ondulaient jusqu'à entrer en collision et dans la troisième, elles se séparaient l'une de l'autre, désormais criblées de nouvelles galaxies : Schéma de la page 277.

— Qu'est-ce que c'est ? demanda David. On dirait des feuilles de papier aluminium.

— En théorie des cordes, on appelle ça des branes. Elles semblent à deux dimensions dans les diagrammes, mais en fait chacune représente un univers à trois dimensions. Chaque galaxie, étoile et planète de notre univers est contenue dans une de ces branes. C'est plutôt comparable à du papier tue-mouches qu'à du papier aluminium, parce que presque toutes les particules subatomiques collent dessus. L'autre brane est un univers complètement séparé, et toutes deux se déplacent à travers un espace plus grand appelé le bulk, qui a dix dimensions en tout.

— Pourquoi entrent-elles en collision ?

— Une des seules choses qui peut quitter une brane et voyager à travers le bulk est la gravité. Une brane peut gravitationnellement en attirer une autre, et quand elles se heurtent, elles se déforment et génèrent de grandes quantités d'énergie. J'ai moi-même travaillé sur cette idée, c'est pourquoi j'ai tout de suite reconnu ces diagrammes, mais rien de ce que j'ai fait ne ressemble à cela. Einstein a établi les équations exactes pour notre brane ainsi que pour son évolution. Sa théorie unifiée explique comment tout a commencé.

— Le Big Bang, tu veux dire ?

— C'est ce que montrent ces diagrammes. Deux branes vides se heurtent et l'énergie du choc emplit notre univers, se transformant par la suite en atomes, étoiles et galaxies, toutes déferlant à l'extérieur en une gigantesque vague. (Elle agrippa de nouveau la manche de David et le regarda dans les yeux.) C'est ça, David. La réponse au mystère de la création.

Il étudia les schémas, l'air perplexe.

— Où est la preuve ? C'est une histoire intéressante, mais...

— La preuve est là ! (Monique tapa du doigt sur les formules figurant sous les diagrammes.) Einstein a prédit toutes les observations que les astronomes ont faites ces cinquante dernières années. Le taux d'expansion de l'univers, l'effondrement gravitationnel, tout est là !

David regardait les équations topologiques, l'air dépassé. Il aurait aimé pouvoir les lire aussi aisément que Monique.

— Et alors, quel est le problème ? Pourquoi as-tu dit que ça n'allait pas me plaire ?

Elle respira profondément et fit défiler le fichier jusqu'à une autre page de symboles ésotériques.

— Il y a quelque chose d'autre qui peut traverser une brane et les dimensions multiples du bulk. Tu te souviens de ce qu'est un neutrino ?

— Bien sûr. C'est comme le petit frère de l'électron. Une particule sans charge électrique et de très petite masse.

— Bien, certains physiciens ont émis l'hypothèse qu'il y existerait peut-être une particule appelée « neutrino stérile ». Ils l'appellent ainsi parce qu'elle n'interagirait avec aucune autre particule de notre univers. Les neutrinos stériles voleraient entre les dimensions et traverseraient notre brane comme les molécules d'eau dans une passoire.

— Laisse-moi deviner. La théorie unifiée donne aussi l'équation concernant cette particule ?

— Oui, c'est dans l'article. Et l'équation prédit que la déformation de l'espace-temps de notre brane peut générer des explosions de particules. Si une brane est suffisamment déformée, les neutrinos stériles peuvent jaillir d'une partie de notre univers et traverser vers une autre partie en prenant un raccourci à travers le bulk. Regarde ça !

Elle montra la reproduction d'un autre schéma tracé par Einstein : Schéma de la page 279.

David reconnut le dessin.

— C'est un trou de ver, n'est-ce pas ? Un pont qui connecte des régions éloignées de l'espace-temps ?

— Oui, mais seuls les neutrinos stériles ont la possibilité prendre ce genre de raccourci. Et selon la théorie unifiée, les particules peuvent gagner de l'énergie quand elles se déplacent à travers les multiples dimensions. Une quantité incroyable d'énergie si le faisceau de neutrinos est orienté dans la bonne direction.

David secoua la tête. Cela commençait à prendre une mauvaise tournure.

— Qu'est-ce qui se passe quand les particules qui ont reçu de l'énergie reviennent dans notre univers ? Est-ce que la théorie dit quelque chose là-dessus ?

Monique éteignit l'ordinateur et le ferma. Elle n'allait pas laisser David voir les équations finales de l'article.

— Les particules qui reviennent peuvent provoquer une violente déformation de l'espace-temps local. La quantité d'énergie relâchée dépend de la manière dont est menée l'expérience. Dans de bonnes conditions, on peut utiliser ce processus pour générer de la chaleur ou de l'électricité. Mais on peut aussi l'utiliser comme une arme.

Une soudaine brise fit frémir les aiguilles de pin autour d'eux. Bien que l'air fût encore très doux, David frissonna.

— Et on peut choisir le point où les particules rentrent dans notre univers ? Lancer le faisceau de neutrinos stériles de Washington et le faire ricocher à travers les dimensions multiples afin qu'il frappe un bunker à Téhéran ?

Elle acquiesça de nouveau.

— Il faudrait régler très précisément les coordonnées de la cible et l'intensité de la charge explosive. Une simple explosion de particules stériles pourrait éliminer un laboratoire nucléaire en Iran ou en Corée du Nord, même s'il est enterré à plus d'un kilomètre sous terre.

David comprenait maintenant pourquoi le FBI les avait pourchassés à travers la moitié du pays. Une arme dotée d'une telle technologie serait parfaite pour la guerre. Le Pentagone pourrait éliminer ses ennemis sans déployer de commandos ou de missiles de croisière. Étant donné que le faisceau de particules traverserait les dimensions multiples, il éviterait les radars, les tirs de D.C.A. et toutes les autres défenses.

— Combien d'énergie peut libérer un faisceau ? Où se situe la limite ?

— C'est ça le problème. Il n'y a pas de limite. On peut utiliser cette technologie pour rayer de la carte un continent entier. (Elle tenait l'ordinateur portable à bout de bras comme s'il pouvait exploser à tout moment.) Mais le pire, c'est qu'il est beaucoup plus facile de construire ce genre d'arme que de fabriquer une bombe nucléaire. On n'a pas besoin d'enrichir de l'uranium pour une ogive ou d'envoyer un missile balistique. Tout ce qu'il faut, ce sont les équations et une équipe d'ingénieurs. Les Iraniens et les Nord-Coréens pourraient le faire sans beaucoup de problèmes. Sans parler d'Al-Qaïda.

David se détourna d'elle et fixa son regard sur le feu de camp.

— Merde, murmura-t-il. Pas étonnant qu'Einstein n'ait pas voulu publier sa théorie.

— Oui, il est clair qu'il avait conscience des implications. Dans la dernière partie de l'article, il donne les formules pour générer les faisceaux multidimensionnels. Il suffirait de déformer une petite portion d'espace-temps en une figure parfaitement sphérique. On pourrait probablement y parvenir en comprimant des protons ensemble dans un collisionneur.

Le cœur de David se mit à battre plus fort.

— Tu veux dire qu'il serait possible de construire cette arme en utilisant un accélérateur de particules ?

— Les accélérateurs des laboratoires nationaux sont déjà conçus pour maximiser le nombre de collisions de particules. Tu connais le Tevatron, le collisionneur du Fermilab ? Les physiciens peuvent y concentrer des billions de protons dans un faisceau de particules plus étroit qu'un cheveu humain. Bien sûr, il faudrait ajuster le collisionneur exactement dans la bonne direction pour déformer l'espace-temps et ainsi générer les neutrinos stériles. Mais les équations d'Einstein permettent de calculer les ajustements nécessaires.

Ces derniers mots semblèrent résonner à travers la clairière obscure. David regarda nerveusement par-dessus son épaule et vit Graddick jeter une boîte de conserve vide dans le feu. Puis l'homme des montagnes en prit une autre, une pleine, et se dirigea vers le bosquet où il avait garé son break. Il s'en allait réveiller Elizabeth pour voir si elle voulait manger quelque chose.

David se tourna de nouveau vers Monique.

— O.K., nous avons deux possibilités. Nous pouvons tenter de passer la frontière clandestinement, puis prendre contact avec l'ONU ou la Cour Internationale de Justice, une organisation à laquelle nous pourrons confier la théorie en toute sécurité. Ou bien nous pouvons la cacher nous-mêmes. Peut-être trouverons-nous une meilleure place que...

— Non, on ne peut pas la cacher. (Monique retira la clé de la prise USB de l'ordinateur. Le petit rectangle d'argent étincela dans la paume de sa main.) On doit la détruire.

Les muscles de David se raidirent. Il éprouva la terrible envie d'arracher la clé de la main de Monique.

— Tu es folle ! C'est la Théorie du Tout !

Elle fronça les sourcils.

— Je sais de quoi il s'agit. J'ai passé les vingt dernières années de ma vie à travailler sur ce sujet.

— Alors tu sais très bien qu'on ne peut pas la jeter ! On doit la sauver, pas la détruire !

Monique serra la clé entre ses doigts.

— C'est trop risqué, David. Si Einstein lui-même n'a pas pu trouver un endroit sûr où cacher la théorie, qu'est-ce qui te fait croire que tu en es capable ?

Il secoua la tête, submergé par la frustration.

— Le Dr Kleinman m'a demandé de la sauver ! Ce sont ses derniers mots : « Sauvez-la ! »

— Crois-moi, je ne souhaite pas la détruire. Mais nous devons penser à la sécurité de tous. Les terroristes veulent cette théorie tout autant que le gouvernement, et ils ont déjà failli l'obtenir. Rappelle-toi le soldat dans le programme Warfighter, celui qui avait un casque où figurait le chiffre 3.

Elle serra la clé encore plus fort entre ses doigts. Tout en regardant Monique, l'image des équations d'Einstein revint soudain à l'esprit de David. C'était toujours du charabia pour lui, mais il se rappelait plusieurs formules.

— C'est trop tard, dit-il. Nous l'avons vue. Elle est dans nos têtes.

— Je ne t'ai pas montré toutes les équations. Et ma mémoire n'est pas aussi bonne que la tienne. Quand nous aurons détruit la clé, nous devrons nous rendre au FBI. Ils nous interrogeront, mais ils ne pourront pas nous forcer à dire quelque chose. Je préfère négocier avec eux que d'avoir affaire aux terroristes.

David grimaça, se rappelant son interrogatoire dans les bâtiments du FBI de Liberty Street.

— Cela ne sera pas facile. Écoute, pourquoi nous ne…

Un cri au loin les interrompit. C'était la voix de Graddick. Il revenait en courant dans la clairière, en sueur et les yeux hagards.

— Elle n'est plus dans la voiture, cria-t-il. Elizabeth a disparu !

Nom de Dieu ! pensa Beth, il n'y a que des arbres ici ! Elle avançait pieds nus, sur le chemin en terre, essayant de retrouver la grande route. La forêt était si dense qu'elle ne voyait rien du tout et ne cessait de trébucher sur les racines et les pierres. Ses chaussures se trouvaient dans le coffre du break et la plante de ses pieds était à présent entaillée. Mais elle s'en foutait, tout ce qu'elle voulait, c'était une bonne injection de meth. Le problème, c'est que même avec 300 $ en poche, elle était sûre de ne pas trouver de dealers dans cette foutue forêt.

Elle aperçut enfin une lumière à travers les feuilles. Elle courut dans sa direction et arriva sur la Route 68. « Bon, pensa-t-elle, me voilà de retour dans le business. Tôt ou tard, un vieux type en manque de sexe va bien passer par là. » Elle essuya ses pieds pour en ôter la terre, repoussa ses cheveux de sa figure et enfonça son T-shirt dans son pantalon pour faire ressortir sa poitrine. Mais la route était désespérément vide. Pas la moindre bagnole. Au bout de dix minutes, elle se mit à marcher, espérant trouver une station service. Il ne faisait pas très froid, mais elle commença à claquer des dents. « Merde ! cria-t-elle aux arbres. J'ai besoin d'une putain d'injection ! »

Beth était sur le point de s'effondrer quand, après un virage, apparut un bâtiment long et bas. C'était un petit groupe de magasins — une boutique de cadeaux, un bureau de poste, un vendeur de bouteilles de gaz. « Alléluia, la civilisation, enfin ! » Il ne manquait plus qu'un chauffeur de camion pour l'emmener à la ville la plus proche. En courant vers le bâtiment, elle remarqua, à sa grande consternation, que tous les magasins étaient fermés et que le parking était vide. La nausée la submergea. Et puis elle vit une cabine téléphonique face au bureau de poste.

Plantée devant, comme paralysée, elle ne pouvait se décider à appeler le numéro qu'elle connaissait par cœur. De toutes les personnes au monde, c'était la dernière à qui elle avait envie de parler ! Mais il lui avait dit qu'elle pourrait toujours l'appeler en cas d'urgence.

Beth se dirigea finalement vers le téléphone. Ses doigts tremblèrent quand elle composa le numéro en PCV. Après un petit temps d'attente, une voix résonna.

— Allô, ma chère Elizabeth ! Quelle agréable surprise !

Jonah, heureusement, s'était finalement endormi. Pendant les trois dernières heures, Karen l'avait vu se débattre malgré les cordes qui lui liaient les chevilles et les poignets. Ce monstre de Brock l'avait aussi bâillonné pour étouffer ses cris, et bien sûr cela l'avait encore plus terrifié. Karen était également ligotée et bâillonnée, mais elle pouvait sentir son fils trembler car il était couché contre elle sur le sol de la camionnette. Le pire, c'est qu'elle ne pouvait pas le réconforter — elle ne pouvait ni le prendre dans ses bras ni murmurer à son oreille : « Ne t'inquiète pas. Tout va bien se passer. » La seule chose qu'elle pouvait faire, c'était toucher son front avec le sien et essayer d'émettre un son apaisant à travers le bâillon.

Enfin, vers minuit, après avoir voyagé pendant au moins trois cents kilomètres, Jonah s'arrêta de crier. Son épuisement surpassa sa terreur. Il se laissa aller, son visage ruisselant de larmes pressé contre le cou de sa mère. Une fois qu'il fut endormi, Karen se tortilla sur le côté afin de jeter un coup d'œil par le pare-brise de la camionnette. Elle aperçut un panneau EXIT 315, WINCHESTER. Ils étaient en Virginie, se dirigeant vers le sud sur la I-81. Elle n'avait aucune idée de leur destination, mais elle aurait pu parier une fortune que ce n'était pas le quartier général du FBI.

Tout en conduisant, Brock piochait des chips dans un grand sac et écoutait une rediffusion du *Rush Limbaugh Show*[1]. Même l'arrière de sa tête était horrible, avec des taches roses au bord des cheveux et derrière les oreilles. Elle ferma les yeux un moment et revit le sourire froid qui était apparu sur le visage de l'agent après avoir tiré sur Gloria Mitchell et pointé son arme sur Jonah et elle. Puis elle les rouvrit et dirigea toute sa fureur silencieuse sur l'horrible fils de pute. « Tu es mort, murmura-t-elle dans son bâillon. Je vais te tuer. »

Lucille frappa du poing avec dégoût sur les énormes sphères transparentes du laboratoire Virtual Combat Simulation. Après avoir passé seize heures à analyser serveurs et terminaux, une équipe d'experts en informatique du ministère de la Défense avaient déclaré irrémédiablement perdues les données stockées dans le logiciel Warfighter. Il était maintenant 8 heures du matin et Lucille devenait plus folle qu'un lion en cage. L'armée avait lamentablement échoué dans la traque des suspects ; après les avoir laissé s'échapper de la base, le commandant avait attendu

1. Célèbre émission de radio américaine qui présente l'actualité d'un point de vue plutôt conservateur. *(N.d.T.)*

deux heures avant d'alerter la police en Géorgie et en Alabama. La Delta Force avait établi des contrôles sur certaines grandes routes partant de Columbus, mais au moins la moitié étaient restées sans surveillance. En réalité, ils n'avaient pas assez de troupes. L'armée avait envoyé trop de soldats en Irak, et maintenant, elle ne pouvait même plus défendre son propre territoire !

Lucille s'éloigna des sphères et s'effondra sur une chaise. Alors que les *geeks* du Pentagone rangeaient leur équipement, elle fouilla dans la poche de son pantalon et trouva un paquet de Malboro. Par chance, il restait deux cigarettes. Elle s'en ficha une entre les lèvres et chercha son Zippo. Elle ne le trouva pas, ni dans les poches de son pantalon ni dans celles de sa veste. « Mon Dieu, pensa-t-elle, qu'est-ce que j'en ai fait ? » C'était son briquet préféré, celui orné de l'étoile solitaire du Texas. « Bon Dieu ! », s'écria-t-elle, faisant sursauter les types près d'elle.

Elle était en train de s'excuser quand l'agent Crawford entra dans la pièce, l'air sûr de lui, comme toujours. Il se dirigea vers Lucille et se pencha pour lui murmurer quelque chose à l'oreille.

— Je suis désolé de vous interrompre, madame, mais j'ai un message venant de Washington.

Lucille fronça les sourcils.

— Quoi encore ? Est-ce que le SecDef veut refiler l'affaire aux Marines ?

Crawford tenait un enregistreur numérique de la taille d'une main.

— Quelqu'un a laissé un message sur votre boîte vocale au quartier général. Un assistant administratif me l'a fait suivre.

Elle se redressa sur sa chaise.

— C'est un autre signalement ? Est-ce que quelqu'un a reconnu l'un des suspects ?

— Non, c'est encore mieux. (Souriant, il tendit le doigt vers un bureau privé attenant.) Allons dans cette pièce, je pourrai vous le faire entendre.

Lucille se leva d'un bond et suivit Crawford dans le bureau. Une énergie soudaine envahit ses membres fatigués, comme à chaque fois qu'une bonne nouvelle arrivait. Crawford referma la porte derrière eux.

— Je pense que vous allez reconnaître la voix.

Il appuya sur le bouton de l'enregistreur numérique et quelques secondes plus tard, elle entendait :

> « Bonjour, Lucy. C'est David Swift. J'ai lu dans les journaux que vous me recherchiez. Je suppose que vous voulez que nous poursuivions la conversation commencée dans votre bureau à New York. J'ai été assez occupé ces deux derniers jours, mais je pense pouvoir vous consacrer un peu de temps ce matin. J'ai allumé mon téléphone portable, vous pouvez donc me trouver. J'ai juste une condition : n'amenez pas de soldats avec vous. Si je vois ne serait-ce qu'un hélicoptère ou un Humvee, je pulvériserai les données que j'ai récupérées à Fort Benning. Je veux bien coopérer, mais je ne veux pas de commandos pointant leurs armes sur moi. Est-ce que c'est clair ? »

Cette chaîne de montagnes, les Great Smokies, devait son nom à toute la vapeur d'eau qui s'élevait de ses pentes boisées. En se mélangeant aux essences qui émanaient de la forêt de pins, la brume s'épaississait souvent en une fumée bleue qui enveloppait le paysage accidenté. Mais ce matin-là, une forte brise avait dissipé le brouillard. David pouvait distinguer à perte de vue les collines et les vallées éclairées par le soleil, qui s'étendaient jusqu'à l'horizon comme une grande couverture froissée.

Il se tenait au sommet du Haw Knob et observait la route qui serpentait le long de l'abrupte versant est, deux cents mètres plus bas. Il n'avait pas encore vu arriver de SUV noire, mais il était encore tôt. Le FBI avait eu sans doute besoin d'un peu de temps pour retrouver les coordonnées GPS de son téléphone portable, qui avaient été transmises à la plus proche antenne relais quand il l'avait allumé. Ensuite, bien sûr, les agents avaient dû établir leur plan d'assaut et rassembler leurs équipes d'intervention. Du sommet, David avait une excellente vue sur le sentier que les agents emprunteraient probablement, un chemin qui partait de la grande route à environ huit cents mètres au sud. Il les verrait bien avant qu'ils arrivent.

Graddick avait laissé son break sur le chemin en terre à quelques kilomètres à l'ouest. Il les avait conduits à Haw Knob et avait prévu de retourner ensuite à sa voiture avant l'arrivée des agents. Mais maintenant que le moment approchait, il semblait hésiter. Il se tenait devant Michael, ses grandes mains posées sur la tête du garçon, et murmurait des mots inintelligibles, probablement une bénédiction. Les piles de la Game Boy avaient rendu l'âme quelques heures auparavant, mais l'adolescent avait accepté cet événement avec indifférence. Il semblait même s'en porter d'autant mieux : il était plus alerte que d'habitude, déambulant tranquillement, pas du tout inquiet par l'absence de sa mère. Pendant ce temps, Monique regardait David avec angoisse, attendant qu'il donne le signal. Bien qu'ils se soient déjà débarrassés de l'ordinateur, le brisant et en jetant les débris dans la rivière Tellico, elle tenait encore la clé USB dans son poing.

Devoir prendre cette décision avait tourmenté David une grande partie de la nuit. La *Einheitliche Feldtheorie* était sans doute une des plus grandes réalisations scientifiques. Effacer ces équations semblait être un acte insensé, un crime contre l'humanité. Cependant, avec la disparition d'Elizabeth, il était clair qu'ils ne pourraient pas se cacher éternellement. Tôt ou tard, un autre incident se produirait et les soldats les trouveraient. Le Pentagone posséderait alors la théorie unifiée et rien n'empêcherait l'armée de l'utiliser. Dans quelques d'années, des machines pourraient lancer des particules stériles dans les dimensions multiples et détruire tous les terroristes cachés au Moyen-Orient. Les généraux réussiraient sans doute à dissimuler quelques temps la théorie et leur nouvelle arme de destruction massive. Mais aucune arme ne peut rester secrète longtemps. Cette technologie parviendrait finalement à Pékin, Moscou ou Islamabad, et les graines de l'annihilation du monde seraient semées. Non ! C'était impossible ! David devait rompre la promesse qu'il avait faite au Dr Kleinman. Il devait éliminer les dernières traces de la théorie. Maintenant !

Il se dirigea vers un éperon rocheux gris et déchiqueté. Arrivé près du rebord, il choisit un gros morceau de quartzite. Un outil en pierre, pensa-t-il, comme celui qu'un homme des cavernes aurait pu utiliser. Il se tourna vers Monique.

— Voilà, je suis prêt.

Elle s'approcha de lui et, sans un mot, posa la clé USB sur la roche. Son visage était tendu. Elle pinça les lèvres fortement comme si elle se retenait de hurler. Il était atroce de sacrifier ce qu'elle avait passé toute sa vie à rechercher. Et pourtant, c'était sa décision. Si Einstein avait pu se projeter cinquante ans en avant et voir le terrible début du XIIe siècle, il aurait sans doute fait la même chose.

David leva la lourde pierre et la fit retomber de toutes ses forces sur le rectangle argenté.

Le boîtier en plastique vola en éclats et le circuit intégré à l'intérieur fut brisé en une dizaine de morceaux. David dirigea son second coup directement sur la partie contenant la mémoire. Le silicone se désintégra en des centaines de tessons noirs, de la taille d'une pointe de crayon. Il continua à le marteler jusqu'à la réduction en poudre du boîtier et jusqu'à ce que toutes les broches, circuits et interrupteurs qui l'entouraient ne soient plus qu'un fin hachis de métal. Puis il rassembla les débris dans la paume de sa main et les jeta. Le vent emporta la poussière et la dispersa au-dessus de la forêt de pins.

Monique se força à sourire.

— Voilà, c'est fait. Retour à la case départ.

David lança avec violence le morceau de quartzite et prit la main de Monique. Il se sentit submergé par un étrange mélange d'émotions : tristesse, compassion, gratitude et soulagement. Il voulait remercier Monique pour tout ce qu'elle avait fait, pour les mille cinq cents kilomètres qu'elle avait parcourus à ses côtés, pour son aide, ses conseils, ses informations… Mais au lieu de prononcer des mots, il porta la main de Monique à ses lèvres et l'embrassa. Elle le regarda bizarrement, surprise mais pas mécontente. Puis son regard passa par-dessus l'épaule de David et son visage se crispa de nouveau. Il se retourna et vit un convoi de SUV noires serpentant le long de la route venant du sud-est.

Il recula du bord de la falaise et entraîna Monique à l'arrière de l'éperon rocheux.

— Passons par là ! cria-t-il à Graddick, qui tira immédiatement Michael dans l'ombre. Graddick s'accroupit, regarda vers le bas et son visage se ferma.

— La bête rouge ! murmura-t-il. Le comble du mal !

Les voitures ralentirent en approchant du bout de la route. Les agents avaient manifestement étudié les cartes topographiques et calculé le chemin le plus rapide pour accéder au sommet de la montagne. Le plan de David était de rester caché pendant que l'équipe d'assaut gravirait le sentier pour que les hommes du FBI ne soient pas tentés de tirer sur eux. Une fois les agents à proximité, il pousserait un cri pour révéler leur position. Ensuite, le chef de l'équipe leur ordonnerait sans doute de sortir de leur cachette, les bras levés. Cela lui semblait la manière la plus sûre de se rendre. Évidemment, les agents seraient furieux quand ils découvriraient ce qu'il était advenu de la théorie unifiée. Mais cela ne changerait rien.

Alors que les SUV s'arrêtaient sur le bas-côté de la route, David se tourna vers Graddick. Il prit soudain conscience qu'il ne connaissait pas son prénom.

— Euh... frère ? Il est temps pour toi de partir.

Les poings serrés, Graddick regarda les SUV. Les portes des voitures s'ouvrirent et les hommes en costume gris apparurent.

— Oui, ils sont aussi nombreux que des grains de sable. Mais le feu tombera du ciel et les dévorera !

David commença à s'inquiéter. Il n'y avait pas de raison que Graddick reste là. Le FBI ne connaissait pas son nom. S'il partait maintenant, il pourrait s'en tirer sans histoire.

— Écoute, frère ! Il faut rendre à César ce qui appartient à César. Ta place est dans les bois. Tu dois donc partir vite d'ici.

Graddick fit la moue. Il aurait probablement aimé avoir d'autres serpents à sonnette à lancer aux agents. Au bout d'un moment, il donna une tape sur l'épaule de David.

— Je m'en vais, mais pas loin. Si y a un problème, je reviendrai.

Avant de partir, il posa sa main sur le front de David et récita de nouveau une obscure bénédiction. Puis il fit demi-tour et commença à détaler et disparut bientôt sous l'ombre dense des branches de pin.

Les agents fédéraux montaient maintenant en file indienne vers le sommet. Le sentier était raide et rocailleux, forçant certains hommes à marcher à quatre pattes. David estima qu'ils n'étaient plus qu'à dix minutes d'eux. Il s'accroupit sous l'éperon et chercha des yeux Michael, qui étudiait calmement la roche, inconscient du danger qui approchait. En réalité, David était surtout inquiet pour Monique. Puisque c'était elle l'experte en physique théorique, les agents l'interrogeraient plus durement. Il lui prit la main et la serra fort.

— Ils vont nous séparer pour les interrogatoires. Il se peut que je ne te voie pas pendant un moment.

Elle sourit et le regarda d'un air espiègle.

— Oh, ça, c'est pas sûr ! Peut-être qu'on va se retrouver à Guantanamo. J'ai entendu dire que les plages étaient belles là-bas.

— N'aie pas peur d'eux, Monique. Ils ne font que suivre des ordres. Ils ne...

Elle se pencha vers lui et posa un doigt sur ses lèvres.

— Chut, arrête de t'inquiéter, d'accord ? Ils ne peuvent rien me faire puisque je n'ai rien à dire. J'ai déjà oublié les équations.

David ne la croyait pas.

— Tu plaisantes ?

— C'est la vérité. J'ai toujours été très douée pour oublier les choses. (Son visage devint grave.) J'ai grandi dans un des endroits les plus pourris d'Amérique, un endroit qui normalement vous blesse pour la vie. Mais j'ai tout oublié et maintenant je suis professeur à Princeton. L'oubli peut se révéler être un don très précieux.

— Mais la nuit dernière, tu...

— Je ne me rappelle même pas le titre de l'article. *Untersu* quelque chose ? Je me souviens juste que c'était de l'allemand.

Michael s'arrêta d'examiner la roche et se tourna vers Monique.

— *Neue Untersuchung über die Einheitliche Feldtheorie*, dit-il dans un allemand parfait.

David regarda le garçon. Comment connaissait-il le titre de l'article d'Einstein ?

— Qu'est-ce que tu as dit ?

— *Neue Untersuchung über die Einheitliche Feldtheorie*, répéta-t-il avant de reprendre son examen de la roche.

Monique leva la main à sa bouche et regarda David. Ils pensaient tous les deux la même chose. Michael n'avait pas regardé l'ordinateur la nuit dernière, il devait donc avoir vu le titre autre part.

David saisit les épaules de l'adolescent. Il essaya d'avoir des gestes doux, mais ses mains tremblaient.

— Michael, où as-tu vu ces mots ?

Le garçon dut percevoir de la peur dans la voix de David. Il détourna son regard vers la gauche. David se rappela les exploits mentaux de l'adolescent, comment il avait appris par cœur des annuaires téléphoniques entiers. « Mon Dieu, pensa-t-il, que connaît le gamin ? »

— S'il te plaît, Michael, c'est très important. As-tu lu le fichier quand tu jouais à Warfighter ?

Les joues de Michael devinrent rouges, mais il ne répondit pas. David serra plus fort les épaules du garçon.

— Écoute-moi ! As-tu déjà téléchargé le fichier à partir du serveur ? Il y a longtemps peut-être, quand tu vivais encore avec ta mère ?

Il acquiesça, secouant la tête en rapides saccades, comme s'il tremblait.

— C'était un endroit sûr ! Hans m'a dit que c'était un endroit sûr !

— Est-ce que tu as tout lu ? Réponds, Michael !

— Je ne l'ai pas lu ! cria-t-il. J'ai tout écrit ! Et puis je l'ai enregistré dans le serveur ! Hans m'avait dit que c'était un endroit sûr !

— Comment ? Je pensais que c'était Kleinman qui avait caché la théorie dans cet endroit-là.

— D'abord, il me l'a fait mémoriser ! Maintenant laisse-moi !

Le garçon essaya de se libérer, mais David le tenait fermement.

— Qu'est-ce que tu dis ? Tu as mémorisé toute la théorie ?

— Laisse-moi tranquille ! Je ne peux rien te dire tant que tu n'as pas la clé !

Par un violent mouvement de torsion, il parvint à se libérer un bras et à envoyer un grand coup dans l'estomac de David.

C'était un vrai coup de poing, suffisamment fort pour couper le souffle. David perdit l'équilibre et tomba sur le dos. Le vaste ciel bleu sembla tournoyer au-dessus de lui. Alors qu'il était étendu là, dans la poussière, reprenant sa respiration, une suite de nombres passa lentement devant ses yeux. C'étaient les seize chiffres que le Dr Kleinman avait murmurés sur son lit de mort, la séquence qu'il avait appelée « la clé ». Les douze premiers étaient les coordonnées du Robotics Institute à Carnegie Mellon et les quatre suivants les derniers chiffres du numéro de téléphone du bureau de Gupta. Mais David se souvint maintenant qu'ils ne correspondaient pas à la ligne téléphonique directe de Gupta — c'était le numéro de la réception, le bureau où Michael était assis. La vérité frappa David en même temps que l'air revenait dans ses poumons.

La séquence de Kleinman ne désignait pas Amil Gupta. Elle désignait Michael.

David resta étendu là sans bouger plusieurs secondes. Monique se pencha et lui secoua le bras.

— Hé ? Ça va ?

Il acquiesça. Luttant contre le vertige, il rampa jusqu'à l'éperon rocheux et regarda ce qui se passait plus bas. Les agents n'étaient plus qu'à quelques centaines de mètres, entamant la dernière partie du sentier. Ils avaient probablement entendu le cri de Michael et se ruaient vers eux.

L'adolescent était assis contre la roche et regardait le sol. David ne le toucha pas. À la place, il employa la technique qu'avait utilisée Elizabeth pour qu'il lui donne le numéro de téléphone du sergent Mannheimer : il claqua des doigts sous le nez de Michael. Puis David récita les nombres que le Dr Kleinman lui avait donnés : « Quatre, zéro… deux, six… trois, six… sept, neuf… cinq, six… quatre, quatre… sept, huit… zéro, zéro. »

Michael leva les yeux. Il avait encore les joues rouges, mais son regard était apaisé.

— *Neue Untersuchung über die Einheitliche Feldtheorie*, commença-t-il. *Die allgemeine Relativitatstheorie war bisher in erster Linie eine rationelle Theorie der Gravitation und der metrischen Eigenschaften des Raumes...*

C'était le texte de l'article d'Einstein, récité avec exactement le même accent allemand que celui du Dr Kleinman. Le vieux physicien avait trouvé une cachette incroyablement astucieuse. Michael pouvait aisément mémoriser toute la théorie, mais contrairement à un scientifique, il n'avait jamais été tenté d'analyser les formules ou de les partager avec des collègues, parce qu'il n'en comprenait pas un seul mot. Et, dans des circonstances normales, personne ne penserait à chercher les équations dans l'esprit d'un adolescent autiste. Mais les circonstances actuelles étaient tout sauf normales.

David attrapa le bras de Monique.

— Tu entends ça ? Il connaît toute cette putain de théorie ! Si le FBI nous attrape, ils vont l'interroger, et je te parie qu'ils vont découvrir qu'il cache quelque chose !

Tandis que Michael continuait à débiter la théorie, David entendit un bruit familier. Il jeta de nouveau un coup d'œil par-delà le rebord rocheux et vit deux hélicoptères Blackhawk en vol stationnaire au-dessus de la grande route. Pris de panique, il sortit son téléphone de sa poche et le jeta par terre. Puis il fit lever Monique et Michael.

— Venez ! Foutons le camp d'ici !

Maudit soit le colonel Tarkington ! pensa Lucille en gravissant le sentier. Le commandant de la Delta Force avait promis de garder ses hommes en réserve, mais deux de ses hélicoptères venaient de surgir à l'horizon, à la vue de tous ceux qui se trouvaient dans un rayon de huit kilomètres. Son équipe devait absolument accéder au sommet avant que les suspects ne prennent peur. La dernière partie de la piste était raide et glissante, toutefois Lucille s'en sortit très bien et parvint rapidement à un gros éperon rocheux, au milieu d'une clairière.

Une douzaine de ses agents se déployèrent à gauche et à droite, pointant leurs Glock dans toutes les directions. Lucille s'avança vers le bord, tenant son semi-automatique à deux mains. Personne ne se cachait ici. Puis elle observa le flanc ouest de la montagne et vit trois silhouettes qui couraient sous les pins.

— Arrêtez ! beugla-t-elle.

Mais personne ne s'arrêta. Elle se tourna alors vers les agents et pointa le bras vers les bois.

— Ils sont juste devant ! Rattrapez-les !

Les agents s'élancèrent dans la descente, se déplaçant deux fois plus vite que Lucille. Elle éprouva une sensation de soulagement : d'une façon ou d'une autre, cette mission serait bientôt terminée. Mais alors que l'équipe d'intervention atteignait l'orée de la forêt, l'agent Jaworsky laissa échapper un cri et s'effondra sur le sol. Les autres s'arrêtèrent dans leur course, pétrifiés. Puis Lucille vit une pierre grosse comme le poing voler dans les airs et atteindre l'agent Keller au front.

— Regardez ! cria-t-elle. Il y a quelqu'un dans les arbres !

Les agents s'accroupirent dans l'herbe et commencèrent à tirer dans tous les sens. Il n'y avait ni ordre ni objectif déterminé. Les coups de feu résonnèrent contre le flanc des montagnes et des amas d'aiguilles de pins tombèrent des branches. Mais Lucille ne vit rien d'autre bouger dans les bois. « Merde, pensa-t-elle, c'est ridicule ! Toute l'équipe est clouée au sol parce que quelqu'un a jeté deux pierres ! » « Cessez le feu ! » hurla-t-elle. Personne ne pouvant l'entendre dans ce vacarme, elle traversa alors la clairière en courant. Avant qu'elle ait rejoint ses hommes, les hélicoptères de la Delta Force arrivèrent au-dessus de la colline.

Les Blackhawks volaient bas, à seulement six mètres au-dessus de la clairière. Les deux hélicoptères se mirent en position au-dessus des agents accroupis. Puis les portes s'ouvrirent et des mitrailleuses M-240 crépitèrent.

Le déluge de feu dura presque une minute, sectionnant les branches des pins et écorçant les troncs. Les agents dans la clairière se jetèrent à plat ventre et se bouchèrent les oreilles. Lucille chercha à l'aveuglette sa radio, mais elle savait que c'était inutile : on ne pouvait pas les arrêter. Puis elle vit quelque chose tomber d'un arbre, rebondir contre une branche basse et atterrir avec un bruit sourd sur le sol de la forêt. La mitrailleuse ayant enfin cessé, les agents se précipitèrent vers un homme fort et barbu dont la poitrine avait été criblée de trous de huit millimètres.

Lucille secoua la tête, l'air perplexe. Qui pouvait être cet homme ?

Monique perdit David et Michael de vue peu après le début de leur cavale. Comme les coups de feu retentissaient derrière elle et que les balles sifflaient au-dessus de sa tête, elle dévala en courant la pente boisée, sautant par-dessus les bosses, les racines et les tas de pierres. Sa seule préoccupation : mettre autant de distance que possible entre elle et l'escadron d'agents du FBI. Elle courba le dos pour passer sous des branches de pin et dérapa sur des tapis d'aiguilles mortes. Puis elle traversa un petit cours d'eau peu profond au bas de la pente et se précipita sur l'autre rive. Elle continua à courir aussi longtemps qu'elle entendit les détonations, propulsée par une force insoupçonnée, qui lui venait d'une leçon que sa mère lui avait enseignée quand elle était petite fille à Anacostia : « Si tu entends des coups de feu, chérie, tu te casses au plus vite ».

Après ce qui lui sembla une éternité, les tirs cessèrent. Monique s'aperçut alors qu'elle était seule. La forêt était vide. Elle monta en courant sur la crête suivante, pensant ainsi pouvoir retrouver David et Michael ; mais quand elle l'atteignit enfin, elle ne vit qu'un chemin de terre et les deux hélicoptères qui tournaient au-dessus des bois. Ils étaient au moins à un kilomètre, mais le rapide battement des pales était encore très bruyant. Elle se dirigea rapidement vers les arbres, et comme elle descendait une nouvelle colline elle entendit un autre bruit sur sa droite, un hurlement lointain mais familier. C'était Michael.

Monique se précipita vers les cris retentissants, espérant de tout son cœur qu'il n'était pas blessé. Impossible de dire à quelle distance il se trouvait, mais étant donné le laps de temps écoulé, elle calcula qu'il devait être à moins de huit cents mètres. Elle sauta par-dessus un autre petit cours d'eau et traversa un bosquet.

Puis, elle ressentit un choc à l'arrière de la tête. Sa vue se voila et elle tomba sur le sol.

Juste avant de s'évanouir, elle vit deux hommes qui se penchaient au-dessus d'elle. L'un était un gros baraqué au crâne rasé, portant un pantalon de camouflage et armé d'un Uzi. L'autre était le professeur Gupta.

Simon avait toujours cru en sa chance. Quand Gupta avait reçu le coup de téléphone de sa fille la nuit précédente, le professeur et lui avaient immédiatement fait route vers les Great Smokies et récupéré Elizabeth. En échange d'une petite dose de méthamphétamine, elle leur avait montré où Swift et Reynolds s'étaient arrêtés pour la nuit. Malheureusement, les fugitifs avaient déjà abandonné leur camp, ayant très justement prévu qu'Elizabeth allait les vendre. Mais Simon était persuadé qu'ils étaient toujours dans les parages. Le matin, il avait fixé rendez-vous à l'agent Brock et lui avait ordonné de surveiller la fréquence d'urgence sur sa radio du FBI. Quand l'agent leur avait signalé les transmissions concernant l'assaut prévu sur Haw Knob, ils s'étaient dirigés droit sur la montagne.

Ils avaient garé leur véhicule sur le chemin en terre et se lançaient vers le sommet lorsque Gupta entendit les cris de son petit-fils. Le professeur déclara que le destin était de leur côté, mais Simon le savait déjà. Il avait toujours su forcer le destin à chaque étape du chemin et sa récompense était imminente.

Après avoir assommé Monique, il traîna son corps vers le chemin en terre. Gupta boitait à côté de lui, dissertant encore sur le destin. Brock était à plusieurs centaines de mètres au nord, poursuivant Swift et l'adolescent qui hurlait. Quand Simon arriva près du pick-up, il lia à la hâte les poignets et les chevilles de Monique avec du fil électrique. Elizabeth était déjà allongée sur le siège arrière, ligotée et bâillonnée. Elle semblait dans un état second. Elle commença à se débattre quand Simon balança Monique à côté d'elle et ses gesticulations réveillèrent la physicienne. Elle ouvrit les yeux et commença à se débattre à son tour.

— Putain ! s'écria-t-elle. Sortez-moi de là !

Simon fronça les sourcils. Il n'avait pas le temps de la bâillonner ; il lui fallait rouler vers le nord aussi vite que possible afin de pouvoir aider Brock à intercepter les autres. Il se précipita sur le siège conducteur et mit le contact.

Gupta était sur le siège passager. Quand Simon démarra, le professeur regarda par-dessus son épaule les deux femmes qui se débattaient.

— Je suis désolé pour l'étroitesse de l'habitacle, Dr Reynolds, mais jusqu'à ce que nous puissions vous transférer dans la camionnette, vous devrez partager le siège arrière avec ma fille.

Monique s'immobilisa et resta bouche bée.

— Nom de Dieu, mais que faites-vous là ? Je croyais que les agents vous avaient capturé.

— Non, ils ont été trop lents. Mon associé m'a rejoint le premier, dit-il en désignant Simon.

— Mais c'est un terroriste ! C'est ce putain de mec au crâne rasé qui conduisait la Ferrari jaune !

Gupta hocha la tête.

— C'est un malentendu. Simon n'est pas un terroriste, il est mon employé. Il est chargé de faire la même chose que vous, Dr Reynolds — m'aider à trouver la *Einheitliche Feldtheorie.*

Tout d'abord, Monique ne répondit pas. Le silence régna un moment dans le pick-up tandis que Simon roulait le long du chemin en terre, qui était si tortueux et accidenté qu'il ne pouvait guère aller à plus de 20 km/h. Quand elle parla à nouveau, sa voix tremblait.

— Pourquoi faites-vous cela, professeur ? Savez-vous ce qui peut arriver si…

— Oui, oui, je le sais depuis des années. Mais je ne connaissais pas les termes exacts des équations, ce qui est crucial pour le processus. Maintenant que nous avons la théorie, nous pouvons faire le pas suivant. Nous pouvons enfin développer le cadeau de *Herr Doktor* et le laisser transformer le monde.

— Mais nous n'avons plus la théorie ! Nous avons détruit la clé USB et c'était la seule copie.

— Non, nous l'avons. Nous l'avons toujours eue, mais j'ai été trop stupide pour le comprendre. Michael a mémorisé les équations, n'est-ce pas ?

Monique garda le silence, mais son visage la trahit. Gupta sourit.

— Il y a plusieurs années, j'ai demandé à Hans ce que deviendrait la théorie quand il mourrait. Il n'avait pas voulu me le révéler, bien sûr, mais après l'avoir harcelé un peu, il avait dit : « Ne t'inquiète pas, Amil, elle restera dans la famille. » J'ai cru alors qu'il voulait parler de la famille des physiciens, la communauté scientifique. Je n'ai découvert la vérité qu'hier, quand j'ai vu qu'une copie de la théorie se trouvait dans le Warfighter. (Il s'allongea sur son siège et appuya sa jambe sur le tableau de bord.) Je savais que Hans ne pouvait pas l'avoir mise là. C'était un pacifiste. Mettre la théorie de *Herr Doktor* dans un jeu de guerre aurait été un sacrilège pour lui. Mais Michael aime Warfighter, et il aime faire des copies de tout ce qu'il mémorise. C'est pourquoi il a transcrit tous ces annuaires téléphoniques sur l'ordinateur, vous vous souvenez ? Et en plus, c'est un membre de la famille. Non seulement de la mienne, mais aussi de celle de *Herr Doktor*.

Monique était trop abattue pour pouvoir réagir. Simon quitta le chemin des yeux un moment et regarda le professeur.

— Qu'est-ce que vous dites ? Le vieux juif était votre père ?

Gupta rit tout bas.

— Je vous en prie, ne soyez pas ridicule. Est-ce que je ressemble à *Herr Doktor* ? Non, la relation était du côté de ma femme.

Simon n'avait pas le temps de demander plus de précisions. L'instant d'après, il prit un virage et aperçut le véhicule de Brock, le vieux Dodge du Dr Milo Jenkins. Simon s'arrêta sur le côté et vit que le siège conducteur était vide ; Brock était sûrement sorti de la camionnette ici pour poursuivre Swift et l'adolescent à pied. Quand Simon baissa sa vitre, il entendit très clairement les cris perçants de Michael ; ils venaient d'un ravin juste à l'est du chemin.

David ne parvenait pas à le faire cesser de crier. Il avait commencé quand les agents du FBI avaient ouvert le feu, et avait continué à pousser de longs cris de terreur quand lui et David avaient couru à travers la forêt. Le garçon prenait une grande bouffée d'air après chaque cri et fonçait droit dans le sous-bois, telle une balle de fusil. David luttait pour le rattraper, les poumons en feu. Lorsque, quelques minutes plus tard, le bruit de la fusillade cessa, Michael ralentit, mais les hurlements continuèrent à sortir de la gorge de l'adolescent, tous aussi longs et puissants que les précédents.

En observant la position du soleil, David découvrit qu'ils se dirigeaient vers le nord-ouest. Il avait perdu Monique de vue, mais ne pouvait s'empêcher de la chercher. Ce qui le tourmentait, c'est que les cris de Michael allaient aider le FBI à les trouver ; les agents avaient apparemment dû faire halte au bord du bois, mais il était sûr qu'ils finiraient par avancer de nouveau. David fit un violent effort pour courir plus vite et rattraper le garçon. Il lui agrippa alors l'épaule.

— Michael, haleta-t-il. Il faut... que tu arrêtes... de crier. Tout le monde... t'entend.

L'adolescent secoua son bras libre et poussa un nouveau cri. David lui plaqua sa main sur la bouche mais il le repoussa et parvint à franchir une crête. Il descendit alors dans un étroit ravin bordé de falaises rocheuses entre lesquelles coulait un ruisseau. Les parois répercutaient les cris du garçon et les amplifiaient. Bien que David fût à bout de forces, il se jeta dans la pente et attrapa Michael par-derrière. Il essaya de le museler, mais le gamin lui envoya un coup de coude dans les côtes. David trébucha, atterrissant dans la boue au bord du ruisseau. « Mon Dieu, pensa-t-il, qu'est-ce que je vais faire ? » Et alors que, désespéré, il secouait la tête, il aperçut, en aval, un homme vêtu d'un costume gris.

Une sueur froide lui couvrit le visage. Ce n'était pas un des agents de l'équipe d'intervention. Bien que l'homme se trouvât à une trentaine de mètres, David le reconnut tout de suite, car son visage était encore marbré de gros bleus violacés. C'était l'agent double du FBI, l'homme qui avait essayé de les enlever il y a deux jours en Virginie-Occidentale. Sauf que maintenant il était armé d'un Uzi à la place de son Glock.

David saisit la main de Michael et commença à courir dans la direction opposée. Michael résista, mais dès qu'il entendit le bruit de la rafale du Uzi, il se rua en avant. Ils se jetèrent alors dans un bosquet pour se mettre à l'abri ; au bout d'un moment, David comprit qu'il avait commis une erreur. En avançant vers le nord, les falaises de l'autre rive étaient plus hautes et une centaine de mètres plus loin le ravin prenait fin. Ils étaient dans une dépression, un canyon fermé sur trois côtés. Devant eux se dressait une autre falaise, trop abrupte pour qu'ils puissent l'escalader.

Terrifié, David scruta la paroi rocheuse. Juste au-dessus de la base, il aperçut une faille horizontale, qui ressemblait à une bouche géante. L'ouverture était à peu près de la taille d'un pare-brise de voiture. La cavité était obscure et semblait s'enfoncer profondément dans la falaise. Une grotte en calcaire, pensa-t-il. Graddick leur avait dit qu'il y en avait beaucoup dans le coin. David grimpa aussi vite que possible jusqu'à la crevasse, puis tira Michael vers lui. Tandis que le garçon courait vers le fond, David se coucha à plat ventre et regarda par l'ouverture. Il sortit alors de la poche arrière de son pantalon le pistolet qu'il avait pris à l'agent qui les pourchassait à présent.

Michael continuait à pousser des cris et, bien que la caverne les assourdît, on les entendait toujours de l'extérieur. Au bout d'une ou deux minutes, David vit l'agent approcher de la falaise, essayant de repérer d'où venaient les cris. Il était à environ six mètres et ne pouvait donc pas encore voir la faille, mais il s'en approchait. David posa le canon du Glock sur le bord rocheux et visa le sol devant l'agent. Puis il fit feu.

L'homme se retourna brusquement et courut vers le fourré. Quelques instants plus tard, il commença à tirer avec son Uzi, mais les balles ne firent que percuter la falaise. David était à l'intérieur d'un bunker naturel, une position défensive idéale. Il pouvait tenir l'ennemi à distance pendant des heures. Les vrais agents du FBI finiraient par investir l'endroit, avec plusieurs régiments de soldats ; quand ils approcheraient, David ferait feu pour attirer leur attention. Ensuite, Michael et lui se livreraient aux hommes du gouvernement. C'était une sinistre perspective, mais cent fois moins terrible que de se rendre aux terroristes.

Au bout d'un moment, les cris de Michael commencèrent à diminuer. David jeta un coup d'œil par-dessus le bord de la crevasse et vit l'agent toujours accroupi dans le fourré. C'est alors qu'il aperçut un autre homme, au crâne rasé, qui se tenait près du ruisseau au milieu du ravin. Il portait un pantalon de camouflage et un T-shirt noir. De la main droite, il brandissait un couteau et de la gauche il tenait par le cou un petit garçon qui se débattait. Le tableau était si surréaliste qu'il fallut plusieurs secondes à David pour reconnaître le gamin. Quand il l'eut reconnu, la douleur dans sa poitrine fut si violente qu'il laissa tomber son arme et porta la main à son cœur.

— Dr Swift ? cria l'homme au crâne rasé. Votre fils veut vous voir.

CHAPITRE 12

Le plus drôle avec le vice-président, pensa Lucille, c'est qu'il ressemble à un communiste russe. La même poitrine bombée, le même crâne chauve et le même costume bleu mal coupé que portaient les Soviétiques. Elle n'avait pas remarqué cette ressemblance quand elle l'avait vu à la télévision, mais maintenant qu'elle était assise face à lui dans son bureau de la Maison Blanche, c'était une évidence. Il examinait des papiers posés sur son bureau avec un petit sourire en coin.

— Alors, agent Parker, j'ai entendu dire que vous aviez eu un petit problème, ce matin.

Lucille acquiesça. Elle n'en avait plus rien à faire. Sa lettre de démission était déjà écrite.

— J'en prends toute la responsabilité, monsieur. Dans notre hâte d'appréhender les suspects, nous n'avons pas réussi à coordonner nos opérations avec celles du ministère de la Défense.

— Qu'est-ce qui s'est passé exactement ? Comment se sont-ils échappés ?

— Ils sont sans doute partis par l'une des routes en terre allant vers l'ouest. L'armée était censée sécuriser le périmètre, mais ils ne se sont pas déployés assez rapidement.

— Et où en sommes-nous maintenant ?

— Retour à la case départ, malheureusement. Nous avons besoin de plus de moyens, monsieur, plus d'hommes sur le terrain. Il nous faut attraper ces fils de pute avant qu'ils partagent leurs informations avec quelqu'un d'autre.

Le vice-président fronça les sourcils et pinça ses lèvres pâles.

— La Delta Force va s'occuper de ça. Le secrétaire à la Défense et moi-même avons décidé que cette mission n'avait plus besoin de l'assistance du FBI. À partir de maintenant, l'opération sera strictement militaire.

Elle s'y attendait. Néanmoins, elle se sentit profondément blessée.

— Et c'est pour ça que je suis là ? Pour me faire virer.

Il essaya de sourire, mais n'y parvint pas. Seul un rictus étira légèrement le côté droit de son visage.

— Non, pas du tout. J'ai une nouvelle affectation pour vous.

Il prit un exemplaire du *New York Times* et pointa le doigt sur un gros titre en première page : UNE JOURNALISTE TUÉE PAR BALLE À BROOKLYN.

— Nous avons un problème d'information à démentir. Le *Times* accuse le FBI d'avoir tué une de leurs journalistes, celle qui avait hébergé la femme de Swift. Apparemment, ils ont trouvé des témoins qui prétendent que le tireur ressemblait à un agent du FBI. C'est une déclaration absurde, mais qui a évidemment retenu l'attention.

— Je crains qu'il y ait du vrai dans cette histoire. Un de nos agents a disparu, et nous avons des preuves qu'il travaille pour l'ennemi. Il peut très bien avoir tué la journaliste afin de s'emparer de la femme de Swift.

Lucille imaginait que le vice-président allait avoir une attaque en entendant ces nouvelles, mais il les écarta d'un geste de la main.

— Ce que vous dites est insensé. J'ai déjà organisé une conférence de presse. Je veux que vous démentiez formellement cette histoire. Rattachez ça avec l'affaire de drogue. Dites que votre équipe étudie la possibilité que des trafiquants associés à Swift aient kidnappé sa femme et tué la journaliste.

Lucille secoua la tête. Cette nouvelle connerie la rendait malade.

— Je suis désolée, monsieur, mais je ne peux pas faire ça.

Le vice-président se pencha en avant, avec son rictus caractéristique.

— C'est tout aussi important que de retrouver les suspects, Parker. Nous avons besoin de moyens pour combattre les terroristes. Et le Congrès essaye déjà de nous les retirer. Il faut à tout prix éviter une révélation de cette importance.

Elle soupira et se leva. Le moment était venu de retourner au Texas.

— Il vaut mieux que je m'en aille. Je vais débarrasser mon bureau.

Le vice-président se leva aussi.

— Eh bien, je dois l'admettre, je suis très déçu. Le directeur du Bureau m'avait assuré que vous étiez une femme qui avait des couilles.

Lucille le regarda.

— Croyez-moi, la déception est mutuelle.

La camionnette s'arrêta. Karen, les mains attachées derrière le dos, ne pouvait regarder sa montre, mais elle pensait que cela faisait environ six heures qu'ils avaient quitté la forêt de pins. Tremblante, elle rampa pour se rapprocher de Jonah. « Mon Dieu, s'il vous plaît, murmura-t-elle, ne laissez pas cette ordure me le prendre à nouveau. » La dernière fois qu'ils lui avaient pris son fils, Karen avait failli perdre la raison. Et bien que Brock l'ait ramené à la camionnette seulement vingt minutes plus tard, Jonah avait ensuite pleuré pendant des heures.

Brock descendit de la camionnette. Quand il ouvrit les portes arrière, Karen reçut une bouffée d'air humide et froid, puis elle aperçut un grand garage sombre aux vitres cassées et aux murs effrités. Ils étaient dans une espèce d'entrepôt délabré, un vieux bâtiment abandonné apparemment depuis des années. Trois camions de livraison blancs étaient garés à proximité, et une dizaine de jeunes hommes se tenaient près des véhicules. Ils avaient des allures d'étudiants : maigres, pâles et pauvrement vêtus. Leurs yeux s'écarquillèrent lorsqu'ils virent Jonah et Karen ainsi que les deux autres femmes prisonnières, tous ligotés, bâillonnés et couchés sur le sol de la camionnette. Puis Brock beugla : « Qu'est-ce que vous attendez ? », et les étudiants s'approchèrent.

Jonah se débattit de toutes ses forces quand deux types l'empoignèrent. Karen hurla derrière son bâillon et deux autres étudiants se dirigèrent vers elle. Elle résista, se cabra, mais ils la tenaient fermement et parvinrent à la faire sortir et traverser le garage.

Ils approchèrent d'un des camions de livraison. Sur la paroi latérale était inscrit FERMI NATIONAL ACCELERATOR LABORATORY. Un étudiant grand, maigre et échevelé, qui portait un T-shirt sur lequel figurait le tableau de Mendeleïev, ouvrit la porte arrière. Les étudiants qui tenaient Jonah déposèrent l'enfant dans le camion, et ceux qui tenaient Karen firent de même. Elle sanglota de soulagement quand elle se retrouva près de son fils. Pour le moment, au moins, ils étaient encore ensemble.

Karen put voir que les deux autres prisonnières, l'une calme et l'autre très nerveuse, étaient transférées dans un second camion. « Cet endroit doit être un lieu de rendez-vous où les salauds peuvent changer de véhicules et s'approvisionner », pensa-t-elle. Elle chercha dans la pièce des indices susceptibles de révéler où ils se trouvaient, mais elle n'en vit aucun. Deux étudiants étaient près d'un pick-up et transportaient avec difficulté un autre prisonnier ligoté. La gorge de Karen se serra : c'était David. Il se cabrait et se tordait si violemment que les porteurs lâchèrent prise et qu'il tomba sur le sol. Karen hurla une nouvelle fois derrière son bâillon. Un troisième étudiant se joignit alors aux deux autres et, ensemble, ils soulevèrent David et l'emportèrent vers le dernier camion.

Il était tard, minuit largement passé. Les camions roulaient lentement sur une route sinueuse. Bien que Monique ne pût voir dehors, elle entendait le grondement des roues et sentait les virages dans son estomac. Ils empruntaient sans doute des axes secondaires pour éviter les contrôles sur l'autoroute.

À sa gauche, le professeur Gupta et ses étudiants entouraient un ordinateur, qui avait été installé à l'avant du camion. À quelques mètres d'eux, Michael, assis par terre, jouait de nouveau à Warfighter sur sa Game Boy. (Quelqu'un avait visiblement changé les piles.) Gupta avait parlé avec son petit-fils pendant plusieurs heures, lui posant à voix basse des questions sur la *Einheitliche Feldtheorie*, tandis que ses étudiants entraient les réponses de Michael dans l'ordinateur. Mais le professeur avait apparemment obtenu tout ce dont il avait besoin. Il se tenait à présent devant l'ordinateur avec un sourire triomphant. Puis il quitta le groupe et se dirigea vers Monique. Elle aurait voulu l'étrangler, mais elle était ligotée et bâillonnée.

— Vous devriez voir ça, Dr Reynolds. Pour un physicien, c'est un rêve devenu réalité. (Il se tourna vers deux étudiants pâles et dégingandés portant des lunettes à verres épais.) Scott, Richard, voulez-vous bien amener le Dr Reynolds devant l'ordinateur ?

L'attrapant par les épaules et les chevilles, les étudiants l'emportèrent à l'avant du camion et la déposèrent sur une chaise devant l'écran. Gupta se pencha au-dessus d'elle.

— Nous avons déjà développé un programme qui simule la création d'un faisceau de neutrinos multidimensionnel. Et cela grâce aux informations obtenues auprès de Jacques Bouchet et Alastair MacDonald, qui savaient que nous pouvions utiliser le Tevatron pour générer le faisceau. Maintenant que Michael nous a révélé les équations du champ, nous sommes capables de calculer les ajustements nécessaires au collisionneur. Nous pouvons désormais faire des essais sur l'ordinateur afin de savoir comment procéder une fois au Fermilab. (Il tapa le code d'accès sur le clavier, puis montra l'écran.) Regardez bien ! La première chose que vous allez voir est une collision de particules dans le Tevatron.

Elle n'avait pas d'autre choix que de regarder. Sur l'écran s'afficha un quadrillage tridimensionnel, une grille rectiligne tracée avec de fines lignes blanches qui vacillaient très légèrement. C'était à l'évidence la représentation d'une région d'espace-temps vide avec des petites fluctuations de quantum. Il ne resta pas vide longtemps. Au bout de quelques secondes, Monique vit des nuées de particules ruisseler de chaque côté de l'écran.

— Ce sont des simulations de faisceaux de protons et d'antiprotons voyageant à travers le Tevatron, déclara Gupta. Nous allons les faire osciller en vagues convexes pour que les particules se heurtent selon une forme parfaitement sphérique. Regardez !

Les yeux fixés sur l'écran, Monique vit qu'il s'agissait en réalité de minuscules amas de particules enroulées, qui glissaient à travers le quadrillage de l'espace-temps comme un nœud coulant sur une corde. Au moment de l'impact, les collisions éclairèrent le centre de l'écran et tous les nœuds se défirent simultanément, tordant violemment le quadrillage. Puis la grille de lignes blanches se brisa et un torrent de nouvelles particules jaillit par la brèche : il s'agissait de neutrinos stériles.

Avec excitation, Gupta montra du doigt les particules.

— Vous voyez comment elles s'échappent ? Les collisions déformeront suffisamment l'espace-temps pour propulser un faisceau de neutrinos stériles en dehors de notre brane et dans les autres dimensions. Je vais agrandir l'image.

Il tapota à nouveau sur le clavier et l'écran afficha une feuille d'espace-temps froissée qui ondulait sur un fond noir. C'était la brane de notre univers intégrée dans le bulk à dix dimensions. La nuée de neutrinos jaillit d'une distorsion prononcée de la feuille.

— Nous devrons configurer le programme très précisément. Le faisceau doit être dirigé de telle façon qu'il revienne à notre brane, de préférence en un point situé à environ cinq mille kilomètres au-dessus de l'Amérique du Nord. Ainsi, toute la population du continent pourra voir l'explosion.

Les particules traversèrent le bulk en ligne droite, brillant et accélérant pendant qu'elles traçaient un sillon à travers les multiples dimensions. Le faisceau traversait l'espace vide entre deux plis d'une brane, puis rentrait dans la feuille espace-temps qui se déformait, vibrait et rayonnait intensément au point d'impact. C'était sans doute l'explosion dont avait parlé Gupta. Il tapota avec ses ongles sur l'écran de l'ordinateur.

— Si tout se passe comme prévu, la rentrée du faisceau devrait libérer plusieurs milliers de térajoules d'énergie dans notre brane. Ce qui est à peu près l'équivalent d'une explosion nucléaire d'une mégatonne. Comme le faisceau sera ciblé très loin au-dessus de l'atmosphère, il ne causera aucun dommage au sol. Mais il produira une lumière spectaculaire. Pendant quelques minutes, il flamboiera comme un nouveau soleil !

Monique regarda fixement la partie rayonnante de la brane, qui diminuait d'intensité quand l'énergie se dissipait dans l'espace-temps. « Mon Dieu, pourquoi Gupta fait-il cela ? » Ne pouvant poser la question à voix haute, elle se tourna vers le professeur et plissa les yeux.

Il lut dans son regard et hocha la tête.

— Il est nécessaire de faire une démonstration publique, Dr Reynolds. Si nous essayions simplement de publier la théorie unifiée, les autorités s'empareraient de l'information. Le gouvernement veut l'exclusivité de la théorie, afin de pouvoir construire ses propres armes en secret. Mais la *Einheitliche Feldtheorie* n'appartient à aucun gouvernement. Et c'est beaucoup plus qu'un mode d'emploi pour créer de nouvelles armes.

Gupta se pencha sur le clavier et fit apparaître sur l'écran de l'ordinateur le plan d'une centrale électrique.

— En exploitant les phénomènes multidimensionnels, nous pourrions produire des quantités illimitées d'électricité. Plus besoin de centrales thermiques ou de réacteurs nucléaires. Et ce n'est pas tout. Nous pourrions appliquer la technologie à la médecine, en dirigeant avec précision les faisceaux de neutrinos pour détruire les cellules cancéreuses. Nous pourrions également utiliser les faisceaux pour lancer des fusées et les propulser à travers le système solaire. Nous pourrions peut-être faire aller un vaisseau spatial à une vitesse proche de celle de la lumière ! (Il se détourna de l'écran et fixa Monique. Il avait les larmes aux yeux.) Est-ce que vous comprenez, Dr Reynolds ? Quand l'humanité se réveillera demain matin, elle découvrira l'incroyable splendeur de la théorie unifiée. Plus personne ne pourra la cacher !

Monique en avait assez entendu. Elle ne doutait pas de la véracité des propos de Gupta. La théorie unifiée englobait tellement tout qu'elle permettrait sans doute de nombreuses inventions merveilleuses. Mais il y avait un revers à la médaille, un terrible revers. Elle ne pouvait s'empêcher de penser à l'explosion incandescente au centre de l'écran de l'ordinateur. Le professeur avait dit que ce serait une démonstration, une grande annonce à ciel ouvert, mais elle se demandait ce que les gens qui la verraient en retireraient. Hiroshima aussi avait aussi été une démonstration.

Bien sûr, elle ne pouvait exprimer tout cela avec un bâillon sur la bouche. Alors elle regarda fixement Gupta et secoua la tête.

Le professeur leva un sourcil.

— Qu'est-ce qu'il y a ? Vous avez peur ?

Elle hocha vigoureusement la tête.

Gupta avança d'un pas et posa la main sur son épaule.

— La peur peut être une émotion très affaiblissante, ma chère. *Herr Doktor* a eu peur aussi et voyez ce qui est arrivé : Kleinman et les autres ont gardé la *Einheitliche Feldtheorie* cachée pendant un demi-siècle. Est-ce que leur appréhension a aidé quelqu'un ? Non, cela a été du gaspillage, un scandaleux gaspillage. Il nous faut surpasser nos peurs pour avancer dans le nouvel âge. Et c'est ce que j'ai fait, Dr Reynolds. Je n'ai plus peur de rien.

Le vieil homme lui pressa l'épaule et elle éprouva soudain une profonde répulsion. Elle hurla dans son bâillon et essaya de se ruer sur l'ordinateur de Gupta. Mais le professeur l'arrêta avant qu'elle ne tombe de la chaise. Il sourit à nouveau, visiblement amusé.

— Je vous sens dubitative, mais bientôt, vous verrez que j'ai raison. Le monde nous saluera comme des sauveurs quand nous aurons dévoilé la théorie. Ils nous pardonneront tout une fois qu'ils auront vu…

Gupta fut interrompu par un crépitement de parasites. Il décrocha une radio de sa ceinture, présenta ses excuses à Monique et s'éloigna. Vingt secondes plus tard, il rejoignit ses étudiants et leva les mains dans un geste de bénédiction.

— Messieurs, nous allons faire un autre arrêt avant d'arriver au Fermilab. Nous devons récupérer du matériel pour modifier le Tevatron.

David s'assit, le dos contre la paroi du camion. Le véhicule s'était arrêté quinze minutes auparavant et les étudiants avaient chargé une douzaine de caisses en bois. Comme elles occupaient presque toute la place, ils étaient montés dans un autre camion du convoi, et maintenant David était seul avec le fou au crâne rasé, qui partageait son temps entre astiquer son Uzi et porter à sa bouche la bouteille de Stolichnaya.

Pour la énième fois, David essaya de dénouer la corde qui lui liait les mains derrière le dos. Ses doigts étaient engourdis, mais il persévérait, tordant ses bras le plus possible. La sueur coulait sur son visage et trempait son bâillon. Tout en poursuivant ses efforts, il avait les yeux fixés sur le mercenaire au crâne rasé, ce fils de pute qui avait tenu un couteau sur la gorge de Jonah. La fureur lui donna un regain d'énergie, mais au bout d'une minute, il ferma les yeux. Tout cela était de sa faute. Il aurait dû se rendre aux agents du FBI quand il en avait eu l'occasion.

Lorsqu'il rouvrit les yeux, il vit l'homme debout devant lui, tendant la bouteille de vodka.

— Relax, camarade ! Arrête un peu de t'agiter inutilement.

Pris de dégoût, il essaya de reculer, mais l'homme au crâne rasé s'accroupit à ses côtés et lui mit la bouteille sous le nez.

— Allez, bois un coup ! Tu as l'air d'en avoir besoin.

David fit non de la tête. L'odeur de la vodka l'écœurait.

— Va te faire foutre, cria-t-il à travers son bâillon, mais il n'en sortit qu'un minable grognement.

Le mercenaire haussa les épaules.

— Bon, d'accord. Mais c'est dommage. On en a une pleine caisse et il ne reste que peu de temps pour la boire. (En souriant, il leva la bouteille et but une grande lampée. Puis il s'essuya la bouche avec le dos de la main.) Mon nom est Simon, si ça vous intéresse. Je vous fais tous mes compliments, Dr Swift. Le livre que vous avez écrit sur les assistants d'Einstein m'a été très utile. Je l'ai souvent consulté depuis que cette affaire m'a été confiée.

David lutta pour contenir sa rage. Il respira profondément à travers son infâme bâillon, puis concentra toute son attention sur la voix de l'homme. Bien qu'il eût un fort accent russe, sa maîtrise de l'anglais était excellente. Contrairement aux apparences, ce n'était pas un tueur à gages dénué de cervelle.

Simon avala une autre lampée de vodka et mit la main dans sa poche.

— Durant ces dernières heures, je me suis pas mal ennuyé. Avant le dernier arrêt, j'étais dans le camion du professeur, celui qui est devant nous, mais il était occupé à interroger son petit-fils et à donner des ordres à ses étudiants. Alors, pour passer le temps, j'ai un peu bavardé avec la fille de Gupta et j'ai appris quelque chose qui peut vous intéresser.

Il sortit un objet circulaire de la poche de son pantalon et le présenta dans sa paume. David le reconnut tout de suite : c'était le médaillon en or qu'Elizabeth portait autour du cou. Simon l'ouvrit et regarda les photos qui étaient à l'intérieur.

— Je pense que l'historien que vous êtes va trouver là une information importante, qui complétera vos recherches… Cela va sans doute aussi permettre d'expliquer certaines choses.

Il retourna le médaillon afin que David puisse voir la photo. C'était un portrait sépia d'une mère et de sa fille. La mère était une belle femme aux longs cheveux noirs et la fille avait environ six ans. Toutes deux regardaient l'appareil d'un air grave.

— Cette photo a été prise à Belgrade avant la guerre, déclara Simon. Sans doute à la fin des années 1930. Elizabeth n'était pas sûre de la date. (Il montra d'abord du doigt la fille.) C'est Hannah, la mère d'Elizabeth. Elle est venue en Amérique après la guerre et a épousé Gupta. Un mauvais choix. (Son doigt glissa sur la mère aux cheveux noirs.) Et voici la grand-mère d'Elizabeth. Elle est morte dans un camp de concentration. Il faut dire qu'elle était à moitié juive. Je vais vous montrer quelque chose.

Il sortit la photo du médaillon et la retourna. Sur l'envers, il était écrit : *Hannah et Lieserl.*

Simon sourit de nouveau.

— Vous reconnaissez ce prénom, n'est-ce pas ? Je peux vous assurer que ce n'est pas une coïncidence. Elizabeth m'a raconté toute l'histoire. Sa grand-mère était la fille naturelle de *Herr Doktor*.

Dans n'importe quelle autre circonstance, David aurait exulté. Pour un historien d'Einstein, c'était comme découvrir une nouvelle planète. À l'instar de la plupart des chercheurs, David pensait que Lieserl était morte en bas âge. À présent, il savait que non seulement elle avait survécu, mais qu'en plus elle avait eu une descendance. Mais dans l'état où il se trouvait, cette révélation ne lui procura aucune joie. Elle ne faisait que lui rappeler son aveuglement.

Simon remit la photo dans le médaillon.

— Après la guerre, *Herr Doktor* a appris ce qui était arrivé à sa fille. Il envoya alors chercher sa petite-fille, Hannah, qui avait été cachée par une famille serbe. Il ne révéla jamais leur lien familial. (Il referma le médaillon et le fit glisser dans la poche de son pantalon.) Mais Hannah a tout raconté à Gupta et Kleinman. C'est pourquoi ils se la disputèrent. Les deux hommes voulaient épouser la petite-fille de *Herr Doktor*.

Il prit une nouvelle gorgée de vodka. Il avait bu plus de la moitié de la bouteille.

— Vous vous demandez probablement pourquoi je vous raconte tout ça. C'est parce que vous êtes historien. Vous êtes en droit de connaître l'histoire qui se cache derrière cette opération. Quand Gupta a épousé Hannah, il est devenu le protégé de *Herr Doktor*, son plus proche assistant. Et quand *Herr Doktor* lui a confié qu'il avait trouvé la *Einheitliche Feldtheorie*, Gupta était persuadé qu'il partagerait son secret avec lui. Mais *Herr Doktor* devait avoir senti qu'il y avait quelque chose de pas clair chez Gupta, peut-être même depuis longtemps. C'est pourquoi il a choisi de confier la théorie à Kleinman et aux autres. C'est ce qui a rendu Gupta complètement fou. Il estimait que la théorie lui appartenait.

Simon commençait à avoir du mal à articuler. David se pencha en avant et l'examina soigneusement, cherchant d'autres signes de faiblesse. Peut-être une occasion allait-elle se présenter ? Peut-être ce fils de pute ferait-il quelque chose de stupide ?

Le mercenaire se tourna vers l'avant du camion. Il resta silencieux durant quelques instants, le regard fixé sur la paroi du fourgon. Puis il se tourna vers David.

— Gupta a planifié cette explosion depuis des années. Il a dépensé des millions de dollars pour construire cette petite armée d'étudiants. Il les a convaincus qu'ils allaient sauver le monde, que les gens allaient se mettre à danser dans les rues une fois qu'ils auraient vu dans le ciel l'éclair lumineux provenant du faisceau de neutrinos. (Il eut un air de dégoût et cracha sur le sol.) Peut-on imaginer que des gens puissent croire à de pareilles absurdités ? Mais Gupta y croit, et ses étudiants aussi.

Il est fou, vous savez. Un fou peut être très persuasif. Et eux lui obéissent sans moufter. De vrais petits soldats !

Simon prit une autre gorgée de Stoli, puis tendit de nouveau la bouteille à David.

— Allez, faut boire maintenant. Je n'accepterai pas de refus. On va porter un toast. À la démonstration de demain. Au nouvel âge des lumières de Gupta.

Il commença à tâtonner pour dénouer le bâillon de David. La vodka avait engourdi ses doigts, mais il y parvint finalement. David eut une poussée d'adrénaline. C'était l'occasion qu'il attendait. Une fois le bâillon retiré, il pourrait crier au secours. Mais qu'est-ce que ça apporterait ? Ils voyageaient probablement dans la campagne, les bois et les champs déserts du Kentucky et de l'Indiana. Ses cris seraient inutiles. Il fallait qu'il parle à Simon. Il devait le convaincre de le libérer, que c'était leur seule chance.

David ressentit une douleur à la mâchoire quand Simon retira le bâillon. Il prit une grande bouffée d'air frais et regarda le mercenaire dans les yeux.

— Et combien Gupta vous paye pour vos services ?

Simon fronça les sourcils. Pendant une seconde, David craignit qu'il change d'avis et le bâillonne à nouveau.

— C'est une question impolie, Dr Swift. Je ne vous ai pas demandé combien votre livre vous a rapporté.

— C'est différent. Vous savez ce qui va arriver quand tout le monde aura vu l'explosion ? Le Pentagone va commencer ses propres recherches et...

— Oui, oui, je sais. Toutes les armées du monde vont essayer de mettre cette arme au point. Mais personne ne va faire de recherche au Pentagone, ni dans les environs de Washington.

David le regarda sans comprendre.

— Que voulez-vous dire ?

Simon avait toujours le front plissé, mais dans ses yeux brillait une lueur de satisfaction.

— La démonstration du professeur Gupta va être beaucoup plus impressionnante qu'il ne l'imagine. Je vais changer la direction du faisceau de neutrinos afin qu'il frappe le Jefferson

Memorial. (Il montra du doigt la bouteille vide et ferma un œil comme s'il la visait.) Je n'ai rien à reprocher à Thomas Jefferson. J'ai juste choisi son monument pour cible parce qu'il est situé à un point central, à mi-chemin entre le Pentagone, la Maison Blanche et le Congrès. Ces trois bâtiments seront complètement réduits en cendres par l'explosion. Ainsi que tout ce qui se trouve dans un rayon de dix kilomètres.

Au début, David pensa qu'il plaisantait. Il avait vraiment un curieux sens de l'humour ! Simon avait toujours les yeux fixés sur la bouteille, mais son visage s'était durci, sa lèvre supérieure s'était relevée et découvrait ses dents. En voyant son air haineux, David frémit.

— Qui vous paye pour faire ça ? Al-Qaida ?

Simon secoua la tête.

— Non, c'est pour moi. Pour ma famille, en fait.

— Votre famille ?

Très lentement, Simon posa la bouteille de vodka et mit de nouveau la main dans sa poche. Cette fois, il en sortit un téléphone portable.

— Oui, j'avais une famille. Pas très différente de la vôtre, Dr Swift. (Il alluma le téléphone et le tourna vers David pour qu'il puisse voir l'écran. Deux secondes plus tard, une photo apparut : un jeune garçon et une petite fille souriants.) Ce sont mes enfants. Sergei et Larissa. Ils sont morts il y a cinq ans dans les gorges d'Argun, dans la partie sud de la Tchétchénie. Je suppose que vous avez déjà entendu parler de cet endroit ?

— Oui, mais…

— Taisez-vous ! Taisez-vous et regardez ! (Il approcha le téléphone du visage de David.) Mon fils Sergei avait six ans. Il ressemblait un peu à votre fils, vous ne trouvez pas ? Et Larissa en avait tout juste quatre. Ils ont été tués avec leur mère par un missile Hellfire lâché d'un hélicoptère de la Delta Force qui opérait près de la frontière tchétchène.

— Un hélicoptère américain ? Qu'est-ce qu'il faisait là ?

— Rien d'utile, je peux vous l'assurer. C'était une de ces opérations antiterroristes ratées qui tuent surtout des femmes et des enfants. (Il cracha à nouveau par terre.) Mais peu m'importe leurs raisons. Je vais éliminer tous ceux qui étaient impliqués dans le commandement et le déploiement de cette unité. C'est pourquoi j'ai ciblé le Pentagone ainsi que les politiques. Le président, le vice-président, le secrétaire à la Défense. (Il referma le téléphone d'un claquement.) Je n'aurai qu'une seule occasion de frapper, il me faut donc une large zone d'explosion.

David fut pris de vertige. C'était exactement ce qu'Einstein avait redouté. Et cela allait se produire dans quelques heures.

— Mais il semble que ce qui est arrivé à votre famille soit un accident. Comment pouvez-vous…

— Je vous l'ai dit, je m'en fous ! (Il saisit la bouteille de Stoli par le goulot et la brandit comme une arme.) C'est intolérable ! C'est impardonnable !

— Mais vous allez tuer des millions de…

Quelque chose de dur heurta la joue de David. Simon l'avait frappé au visage avec la bouteille. Il tomba sur le côté et son front alla cogner contre le sol du camion. Il était à deux doigts de s'évanouir, mais Simon le saisit par le col et le redressa.

— Oui, ils vont mourir ! hurla-t-il. Pourquoi vivraient-ils alors que mes enfants sont morts ? Ils vont tous mourir ! Je vais tous les tuer !

Les oreilles de David bourdonnaient. Le sang coulait d'une coupure sur sa pommette et une nuée de points verdâtres troublaient sa vue. Tout ce qu'il voyait était le visage plein de fureur du mercenaire et cette image même se brouillait dans son esprit, se fondant en un mélange de petits vaisseaux rouges, roses et noirs. Simon tenait David d'une main, et de l'autre la bouteille, qui avait résisté au choc et contenait encore quelques centilitres de Stoli. Il la leva jusqu'aux lèvres de David et fit couler l'alcool dans sa bouche.

— Voilà la fin de tout ! cria-t-il. Le reste est silence !

La vodka piqua la gorge de David, puis lui brûla l'estomac. Quand la bouteille fut vide, Simon la laissa tomber. David s'affaissa alors sur le sol et laissa les ténèbres l'envahir.

Lucille se rendit au quartier général du FBI très tôt le lundi matin afin de n'y rencontrer aucun de ses collègues. Quand elle arriva à son bureau, elle découvrit que les employés de la Defense Intelligence Agency avait déjà vidé son bureau. Ses dossiers sur Kleinman, Swift, Reynolds et Gupta avaient disparu, ainsi que son exemplaire de *On the Shoulders of Giants.* Les seules choses qui restaient étaient ses effets personnels : ses carnets de notes de frais, ses certificats de recommandation, un presse-papiers en verre de la forme d'un revolver à six coups du Texas et une photo encadrée d'elle avec Ronald Regan lui serrant la main.

« Bien, pensa-t-elle, merci du cadeau. J'en aurai pour moins longtemps à faire mes paquets. »

Elle trouva une boîte en carton et en moins d'une minute, tout était rangé. Elle constata avec surprise que l'ensemble ne pesait guère plus de deux kilos. Pendant trente-quatre ans, elle s'était donnée corps et âme pour le Bureau, et il ne restait à présent presque plus rien pour en témoigner. Elle regarda avec amertume son vieil ordinateur, la corbeille en plastique bon marché destinée à son courrier interne. Tout cela était terriblement déprimant.

C'est alors qu'elle remarqua un dossier dans la boîte à correspondance. Un des agents de l'équipe de nuit avait dû le déposer après le passage des employés de la DIA. Durant plusieurs secondes, Lucille le regarda en se disant que cela ne la concernait plus. Finalement, la curiosité l'emporta. Elle l'ouvrit.

C'était la liste des récents appels téléphoniques de Gupta. Lucille avait demandé cette information à l'opérateur du portable du professeur trois jours auparavant, mais ces imbéciles avaient pris tout leur temps. Les appels étaient peu nombreux, seulement deux ou trois par jour. Cependant, en poursuivant son examen, elle remarqua quelque chose de curieux. Durant les deux dernières semaines, il avait chaque jour passé un appel au même numéro. Ce n'était celui ni de Swift, ni de Reynolds, ni de Kleinman. Ce qui l'intrigua, c'est que Gupta avait toujours passé cet appel à 9 h 30 précises. Jamais une minute plus tôt ou plus tard.

Lucille se rappela qu'elle n'était plus chargée de l'affaire. Elle avait même déjà rempli les formulaires pour prendre sa retraite.

Mais elle ne les avait pas encore envoyés.

Simon conduisait le camion qui se trouvait en tête du convoi et se dirigeait vers l'entrée est du laboratoire. Il était 5 heures du matin, le soleil venait à peine de se lever et la plupart des maisons bordant la Batavia Road étaient encore dans l'obscurité. Une femme en short rouge et T-shirt blanc faisait son footing au bord de la route. Il la regarda un moment, admirant ses longs cheveux auburn. Puis il pinça l'arête de son nez et bâilla. Il n'était pas encore vraiment remis de sa cuite de la nuit dernière. Pour se réveiller, il passa la main sous son coupe-vent et saisit son Uzi. Le jour du châtiment était arrivé. Tout serait bientôt fini.

Juste après l'intersection avec la route nationale, le camion franchit en cahotant un passage à niveau, puis le paysage se dégagea. À la place des maisons et des jardinets de banlieue, Simon ne vit plus que des champs verdoyants et une vaste étendue de prairie vierge. Ils se trouvaient maintenant à l'angle est du terrain sur lequel était situé le laboratoire. Devant lui se dressait une petite cabane de gardien. Une grosse femme en uniforme bleu était assise à l'intérieur. Simon la regarda d'un air étonné. Comment le laboratoire avait-il pu embaucher cette personne comme agent de sécurité ? Manifestement, personne ne s'attendait à ce que des problèmes se présentent.

Il ralentit, puis s'arrêta. La femme se leva alors et sortit de la cabane. Il lui tendit en souriant les papiers que le professeur Gupta avait préparés : une épaisse liasse de fausses factures et de faux bons de commande.

— Alors, ça va, ma petite dame ? dit-il essayant de parler comme un conducteur de camion américain. On livre tôt ce matin.

Elle ne répondit pas à son sourire et examina soigneusement les papiers, les comparant à une liste.

— Cette livraison n'était pas prévue.

— Non, mais nous avons toutes les autorisations.

Elle continua à vérifier la paperasse. Ou bien elle lisait très lentement, ou bien elle prenait un malin plaisir à le faire attendre. Elle leva finalement sa tête massive.

— Bon, très bien, alors sortez du véhicule et ouvrez les portes arrière ! Et dites aux chauffeurs qui sont derrière vous de faire la même chose !

Simon fronça les sourcils.

— Je vous ai dit que nous avions toutes les autorisations. Vous n'avez pas vu les lettres ?

— Si, mais je dois inspecter tout ce qui entre. Arrêtez le moteur et…

Il lui coupa la parole en lui envoyant deux balles dans le crâne. Puis il se rendit à l'arrière du camion et frappa trois fois sur la porte.

— Ouvrez, professeur ! cria-t-il. Il y a un autre chargement à prendre.

Un des étudiants ouvrit la porte et aida Gupta à sortir du camion. Le professeur prit un air effrayé quand il vit la gardienne étendue sur le sol.

— Qu'est-ce qui s'est passé ? Je vous avais pourtant demandé d'éviter qu'il y ait d'autres victimes.

Simon l'ignora et se tourna vers les étudiants.

— Allez-y, chargez le corps dans le camion !

En moins d'une minute, ils avaient mis le cadavre dans le camion et nettoyé le sang sur l'asphalte. Si quelqu'un passait, il penserait simplement que la femme avait quitté son poste. Simon se remit au volant. Gupta monta dans la cabine du camion et s'assit sur le siège passager. Le professeur lui lança un regard sévère.

— Plus de morts, c'est compris ? dit-il. J'ai travaillé avec certains des physiciens qui sont ici dans les années 1980, quand ils construisaient le Tevatron.

Simon redémarra le camion. Il n'était pas d'humeur à parler, alors il ne dit rien. Et le convoi reprit sa route.

— En fait, c'est moi qui ai suggéré le nom du collisionneur de particules, poursuivit Gupta. *Teva* était un mot trop court pour un billion d'électronvolts, l'énergie maximum que les protons peuvent atteindre dans l'accélérateur. À cette intensité, ils se déplacent à 99,9999 % de la vitesse de la lumière. (Le professeur fit tourner un de ses poings en cercle, puis le frappa dans son autre poing pour simuler une collision de particules. Il était si excité qu'il ne pouvait garder ses mains tranquilles.) Bien sûr, le Grand collisionneur de hadrons du CERN, en Suisse, est encore plus puissant. Mais le Tevatron fait un excellent travail de compression des protons dans un faisceau étroit. C'est pourquoi il convient bien à notre projet.

Simon grinça des dents. Il avait du mal à supporter ce bavard excité.

— Je m'en fous de tout ça, grogna-t-il. Parlez-moi juste de la salle de contrôle. Combien de personnes s'y trouveront ?

— Ne vous inquiétez pas, il n'y aura qu'une équipe réduite. Cinq ou six opérateurs au plus. (Il remua la main comme pour écarter le problème.) C'est à cause de toutes les restrictions budgétaires. Le gouvernement ne veut plus financer la physique. Les laboratoires nationaux ont besoin de donations privées pour continuer à faire fonctionner leurs accélérateurs. (Le vieil homme secoua de nouveau la tête.) L'année dernière, mon Robotics Institute a fait un don de vingt-cinq millions de dollars au Fermilab. Je voulais être sûr qu'ils ne fermeraient pas le Tevatron. J'avais le sentiment qu'il pourrait se révéler utile.

La route tournait vers la gauche et Simon aperçut un drôle de bâtiment à l'horizon. Il ressemblait à deux matelas géants penchés l'un contre l'autre. Puis il repéra une espèce de talus circulaire qui s'étendait sur la prairie.

Gupta montra d'abord du doigt l'étrange bâtiment.

— C'est le Wilson Hall, le siège social du laboratoire. De mon bureau, au seizième étage, la vue était imprenable. (Il baissa légèrement le bras et montra le talus.) Là-dessous, il y a le tunnel du Tevatron. Nous l'appelons « le canal des particules ». C'est un anneau de six kilomètres et demi, équipé d'un millier d'aimants supraconducteurs pour guider les faisceaux. Les protons se déplacent dans le sens des aiguilles d'une montre, les antiprotons dans le sens inverse. Chaque faisceau est assez puissant pour percer un trou dans un mur en briques. (Il désigna un autre bâtiment situé plus près de la route. C'était une banale structure sans fenêtres, ressemblant beaucoup à un entrepôt, construite juste au-dessus du tunnel.) Et ça, c'est le Collision Hall, où les protons et les antiprotons s'entrechoquent. C'est ici que nous lancerons les neutrinos dans les autres dimensions.

Le professeur se tut et regarda fixement le bâtiment par le pare-brise. Simon apprécia ce soudain silence. Ils passèrent devant des réservoirs cylindriques, sur lesquels était écrit DANGER — HÉLIUM COMPRIMÉ. Puis ils arrivèrent près d'un long plan d'eau qui s'étendait devant le Wilson Hall et reflétait son étrange silhouette.

— Tournez là et allez derrière le bâtiment, lui ordonna Gupta. La salle de contrôle se trouve près du Proton Booster.

Le convoi emprunta une allée qui contournait le Wilson Hall et débouchait sur un parking faisant face à une structure basse, en forme de U. L'estimation faite par Gupta du nombre de personnes travaillant à la salle de contrôle paraissait correcte : il y avait un peu moins d'une demi-douzaine de voitures sur le parking. Ce nombre allait certainement augmenter dans les trois heures à venir, quand la journée normale de travail commencerait, mais avec un peu de chance, ils auraient déjà fini.

Simon gara le camion et commença à donner des ordres. Une équipe d'étudiants déchargea les caisses d'équipement électronique, pendant qu'une autre transférait les otages dans le camion que conduisait l'agent Brock. Simon avait décidé qu'il vaudrait mieux maintenir Brock à l'écart de la salle de commande, afin qu'il ne voie pas ce qui allait s'y passer. Ils avaient raconté à l'ex-agent du FBI que leur mission était de voler des matériaux radioactifs pour le laboratoire de Gupta. Simon se dirigea donc vers le camion de Brock et attira son attention.

— Emmène les otages en lieu sûr ! ordonna-t-il. Je ne veux pas les avoir dans les pattes. Il y a des bâtiments inoccupés à environ un kilomètre à l'ouest. Trouves-en un et restes-y pendant deux heures.

Brock lui jeta un regard furieux.

— Il faudra qu'on parle quand ce sera fini. Vous ne m'avez pas payé assez cher pour tout ce travail de merde.

— Ne t'inquiète pas, tu seras largement récompensé.

— Pourquoi est-ce qu'on garde les otages vivants, d'abord ? Il faudra bien les tuer tôt ou tard. À part, bien sûr, la fille du professeur.

Simon se pencha vers lui et baissa la voix.

— Ça amuse le professeur de les garder vivants, mais moi, je m'en fous. Dès que tu seras seul, tu pourras faire ce que tu veux.

Les étudiants avaient déposé David dans le camion près de Monique et Elizabeth, mais aussitôt que le véhicule s'était remis à rouler, il avait rampé vers Karen et Jonah. Quand il s'approcha d'eux, les yeux de son fils s'écarquillèrent et son ex-femme commença à pleurer. Quelqu'un ayant remis le bâillon sur la bouche de David, il ne pouvait pas leur parler ; il se blottit donc simplement contre eux. Bien qu'il se sentît encore mal après la vodka et le coup que lui avait donné Simon, sa poitrine débordait de soulagement.

Deux minutes plus tard, le camion s'arrêta à nouveau. David écouta attentivement et entendit un horrible grincement, comparable au son du métal qu'on tord. Puis Brock ouvrit la porte arrière et David aperçut un monticule couvert d'herbe d'environ six mètres de haut et trente de large situé au-dessus d'une structure souterraine, une sorte de grande cave ou de bunker. Le camion était garé devant une entrée creusée dans le flanc du monticule. Au-dessus d'une immense porte que Brock avait déjà ouverte, un panneau indiquait FERMI NATIONAL ACCELERATOR LABORATORY, BOOSTER NEUTRINO EXPERIMENT.

Dès que Brock fut monté dans le camion, il sortit de sa veste un couteau Bowie, le même que Simon avait tenu sur la gorge de Jonah. L'agent s'approcha de la famille Swift en souriant. « Non », s'écria David à travers son bâillon. Il essaya de protéger son fils de son corps, mais avec les bras et les jambes ligotés, il pouvait à peine s'asseoir et encore moins parer une attaque. Brock resta planté là pendant quelques secondes, tenant le couteau de façon à ce que la lumière s'y reflète. Ensuite, il se pencha et coupa la corde qui liait les chevilles de David.

— Vous allez faire exactement ce que je vous dis, murmura-t-il. Sinon, j'égorge votre fils. Compris ?

Brock coupa la corde liant les chevilles de Jonah, puis il fit de même pour Karen et Monique. Il ignora Elizabeth, qui dormait profondément dans un coin. Gardant la main sur son Uzi suspendu à son épaule par une bretelle, il fit lever ses prisonniers.

— Sortez du camion ! ordonna-t-il. Nous allons dans ce hangar.

Les mains toujours attachées derrière le dos, ils commencèrent à marcher en file vers la porte. Le cœur de David cogna dans sa poitrine quand ils approchèrent de l'entrée ; l'agent les avait manifestement conduits dans un endroit à l'écart, où il pourrait les tuer tous les quatre. « Merde, pensa David, nous devons vite faire quelque chose ! » Mais Brock était juste derrière Jonah, son Uzi pointé sur la tête de l'enfant, et David n'osa même pas faire un pas de côté.

Ils entrèrent dans une pièce sombre uniquement éclairée par des diodes clignotantes. Brock ferma la porte et leur ordonna d'avancer. Au fond de la pièce, il y avait un escalier en colimaçon menant à un niveau inférieur. David compta trente marches quand ils descendirent dans le noir. Puis Brock appuya sur un interrupteur. Ils se retrouvèrent sur une plate-forme dominant un énorme réservoir sphérique qui était posé sur une fosse en ciment, un peu comme une balle de golf dans une tasse, sauf qu'ici, la balle faisait environ douze mètres de large. La plate-forme se trouvait au même niveau que le dessus de la sphère d'acier, qui était couronnée par un panneau circulaire ressemblant à une plaque d'égout géante. En examinant le réservoir, David se rappela avoir lu un article sur cette installation dans *Scientific American*. Elle faisait partie du programme d'étude des neutrinos, qui étaient si insaisissables que les chercheurs avaient besoin d'un énorme appareil pour les détecter. Le réservoir était rempli de 945 000 litres d'huile minérale.

— Asseyez-vous contre le mur ! beugla Brock.

« Ça y est, pensa David en s'accroupissant sur le sol. Notre heure a sonné. » Brock s'approcha, mitraillette en avant. Monique se tourna vers David. Karen fermait les yeux et se penchait vers Jonah, qui enfouit son visage dans le ventre de sa mère. Mais au lieu de tirer, Brock arracha le bâillon de David et le jeta par terre.

— Bon, maintenant, on peut commencer. Le boulot n'est pas fini.

Brock sourit de nouveau, savourant manifestement la situation. Il n'allait pas les tuer tout de suite. Il voulait faire durer le plaisir le plus longtemps possible.

— Allez, Swift, tu peux crier. Vas-y, aussi fort que tu veux. Personne ne t'entendra.

David ouvrit et ferma la bouche pour désengourdir les muscles de ses mâchoires. Brock ne le laisserait sans doute pas parler longtemps, aussi devait-il faire vite. Il respira une ou deux fois profondément, puis regarda l'agent dans les yeux.

— Savez-vous ce qui se passe au Tevatron ? Avez-vous la moindre idée de ce qu'ils font là-bas ?

— Pour être honnête, j'en ai absolument rien à foutre.

— Vous avez tort, surtout si vous avez des amis ou de la famille à Washington. Votre copain russe s'apprête à faire sauter la ville.

Brock éclata de rire.

— Vraiment ? Comme dans les films ? Avec un gros nuage en forme de champignon ?

— Non, grâce à des théories physiques révolutionnaires. Il va changer la direction du faisceau de neutrinos de Gupta. Mais l'effet sera le même. Plus de Maison Blanche, plus de Pentagone, plus de quartier général du FBI.

Monique jeta un regard interloqué à David, mais Brock continuait à rire.

— Attendez, laissez-moi deviner. Il faut que je vous libère, c'est ça ? Parce que vous êtes le seul qui peut l'arrêter. C'est bien ce que vous essayez de m'expliquer ?

— Je suis en train de vous dire que vous ne vivrez pas très longtemps si votre pote russe réalise son projet. Une fois le gouvernement anéanti, l'armée prendra la direction du pays, et leur première mission sera de trouver les assassins qui ont fait sauter Washington. Si votre plan est de traverser la frontière et de disparaître dans la nature, oubliez ça. Ils vous pourchasseront et vous serez pendu haut et court.

David parlait sincèrement, mais l'agent ne le croyait pas. Cela semblait même l'amuser.

— Et tout va commencer avec… comment vous appelez ça ? Un faisceau neutre ?

— Un faisceau de neutrinos. Écoutez, si vous ne me croyez pas, allez voir le professeur Gupta. Demandez-lui ce que…

— Mais bien sûr ! C'est ce que je vais faire.

Brock se tourna en ricanant vers le réservoir sphérique géant. Il avança tranquillement près du couvercle et frappa du pied sur le panneau d'acier. Le bruit se répercuta contre les murs.

— Qu'est-ce qu'il y a là-dedans ? Des neutrinos ?

David secoua la tête. C'était inutile. Brock était trop stupide pour comprendre.

— C'est de l'huile minérale. Pour la détection des particules.

— De l'huile minérale ? Pourquoi ils utilisent ce truc ?

— Parce que le détecteur requiert un liquide transparent contenant du carbone. Quand les neutrinos heurtent les atomes de carbone, ils émettent des flashes de lumière. Mais, comme vous dites, qu'est-ce qu'on en a à foutre ?

— L'huile minérale peut aussi servir à d'autres choses… Il paraît que c'est un bon lubrifiant !

Brock commença à tripoter les fixations autour du panneau. Au bout de quelques minutes, il comprit comment l'ouvrir. Il appuya alors avec son pied sur un bouton rouge et un moteur électrique commença à ronfler. Le panneau s'ouvrit comme une coquille de palourde, révélant un bassin rempli d'un liquide clair.

— Regardez-moi ça. Il y a de quoi faire !

Agenouillé près du bassin, Brock plongea une de ses mains dans l'huile minérale. Puis il se leva, sa main luisante en l'air. Il regarda David en se frottant les doigts.

— Nous avons un compte à régler, Swift. Tu as eu le dessus sur moi dans la cabane en Virginie-Occidentale. Tu m'as bien cassé la gueule. Maintenant, c'est à mon tour.

La gorge de David se serra. Pendant un moment, il eut le souffle coupé et peina à déglutir.

— O.K., parvint-il à dire. Mais ne faites pas de mal aux autres.

Brock regarda Karen puis Monique. L'huile minérale gouttait de ses doigts.

— Rassurez-vous, j'ai plutôt l'intention de leur faire du bien !

L'occupation de la salle de contrôle du Tevatron fut facile. Dès que Simon passa la porte avec son Uzi, les frêles techniciens assis devant leurs ordinateurs se retournèrent et levèrent les mains au-dessus de leurs têtes. Tandis que les élèves du professeur Gupta prenaient leur place, Simon conduisit les employés du Fermilab dans une pièce attenante et ferma la porte à clé. Il assigna à quatre étudiants le rôle de sentinelle et distribua à chacun une radio et un Uzi. Deux d'entre eux prirent position dans le parking, et les deux autres partirent patrouiller aux entrées du tunnel du collisionneur. Si d'autres employés se présentaient, Simon avait prévu de les attirer dans une embuscade et de les enfermer avec les autres. Les autorités ne pourraient être alertées avant au moins deux ou trois heures, ce qui donnait largement le temps à Gupta et à ses étudiants de préparer leur expérience.

Le professeur se tenait au centre de la pièce et dirigeait ses étudiants comme un chef d'orchestre. Ses yeux survolaient la profusion d'interrupteurs, câbles et écrans, analysant toutes les informations fournies. Cependant, quelque chose attira son attention. Il s'approcha de l'étudiant affecté à cette console et demanda des précisions. La tension de Gupta était si extrême qu'elle tirait la peau autour de ses yeux et de son front, effaçant tous les signes d'âge et de fatigue. Simon dut admettre que c'était un sacré personnage. Jusqu'ici, tout se déroulait selon le plan établi.

Au bout d'un moment, un des étudiants annonça : « Mise en route de l'injection de protons. » Le professeur répondit : « Parfait ! » et sembla se détendre un peu. Il regarda par-dessus son épaule et sourit à son petit-fils, qui était en train de jouer à sa Game Boy dans un coin. Puis, toujours souriant, Gupta leva la tête et regarda le plafond.

Simon se dirigea vers lui.

— Est-ce qu'on s'approche du but ?

Gupta hocha la tête.

— Oui, très près. Notre timing était bon. Les opérateurs préparaient déjà une nouvelle provision de particules quand nous sommes arrivés. (Il se retourna pour étudier les écrans d'ordinateurs.) Maintenant que nous avons fait les ajustements nécessaires, nous commençons à transférer les protons de l'injecteur principal à l'anneau du Tevatron. Nous devons en déplacer trente-six paquets, chacun contenant deux cents milliards de protons.

— Combien de temps ça va prendre ?

— Environ dix minutes. En temps normal, les techniciens injectent les paquets progressivement autour de l'anneau, mais nous, nous sommes obligés de modifier les paramètres pour produire un type de collision sphérique. Nous avons aussi modifié certains aimants sur l'anneau pour créer la géométrie appropriée aux groupes de protons. C'est ce à quoi a servi l'équipement que nous avons apporté ici dans les caisses.

— Donc dans dix minutes, nous pourrons commencer les collisions ?

— Non, après avoir terminé le transfert des protons, il va falloir injecter les antiprotons. C'est la partie la plus délicate du processus. Cela peut donc prendre un peu plus de temps, peut-être vingt minutes. Nous devons faire attention de ne pas provoquer une fuite.

— Une fuite ? Qu'est-ce que c'est que ça ?

— Une chose à éviter à tout prix. Les aimants qui dirigent les particules sont supraconducteurs, ce qui signifie qu'ils ne fonctionnent que s'ils sont refroidis à environ -273 °C. Le système cryogénique du Tevatron maintient les aimants froids grâce à l'injection d'hélium liquide sur les bobines.

Simon commença à s'inquiéter. Il avait vu les réservoirs d'hélium liquide en passant devant le tunnel.

— Et qu'est-ce qui peut se produire ?

— Chaque faisceau de particules transporte dix millions de joules d'énergie. Si nous le dirigions dans la mauvaise direction, cela provoquerait une fissure dans le conduit. À la moindre erreur, les particules pourraient pulvériser un des aimants et chauffer l'hélium liquide qu'ils contiennent. S'il chauffe trop, l'hélium devient un gaz et explose. L'aimant cesse alors d'être supraconducteur et la résistance électrique fait fondre les bobines.

Simon fronça les sourcils.

— Ce serait réparable ?

— C'est possible. Mais ça prendrait plusieurs heures. Et il faudrait ensuite entièrement recalibrer la ligne de faisceau.

Putain de merde, pensa Simon. Il aurait dû se douter qu'il y avait plus de risques dans cette opération que le professeur l'avait laissé entendre.

— Vous auriez dû me dire ça plus tôt. Si le gouvernement découvre que nous sommes ici, ils vont envoyer une équipe d'intervention. Je pourrai les tenir éloignés pendant un moment, mais pas plusieurs heures !

Quelques étudiants se retournèrent et le regardèrent d'un air inquiet. Gupta posa sa main sur l'épaule de Simon pour le rassurer.

— Je vous l'ai dit, nous allons faire attention. Mes étudiants ont de l'expérience, ils savent travailler sur les accélérateurs de particules, et nous avons fait une dizaine de simulations sur ordinateur.

— Et en ce qui concerne le ciblage des neutrinos ? Quand allez-vous entrer les coordonnées de l'explosion ?

— Nous ferons cela quand nous injecterons les paquets d'antiprotons. La trajectoire des neutrinos dépendra de l'exact réglage des…

Il s'arrêta au milieu de sa phrase et s'immobilisa. Il resta bouche bée un moment et Simon craignit que le vieil homme eût une attaque. Mais bientôt, il sourit de nouveau.

— Vous entendez ça ?

Simon écouta. Il entendit un sourd et rapide bip bip.

— Ça signifie que les protons circulent dans le conduit, déclara Gupta. (Le signal devint de plus en plus fort à mesure que le faisceau s'intensifiait. Des larmes apparurent dans les yeux du professeur.) Quel son magnifique ! N'est-ce pas merveilleux ?

Simon acquiesça. Cela ressemblait aux battements très rapides que fait le cœur juste avant de s'arrêter.

Le fil électrique sciait les poignets de David. Il tentait désespérément de libérer ses mains, tordant rageusement ses bras, tandis que Brock se dirigeait vers Karen et Jonah. Tous les efforts qu'il avait faits dans le camion la nuit précédente avaient fini par détendre le fil de quelques millimètres, mais ce n'était pas suffisant. Il hurla de frustration quand l'agent approcha de Karen, qui enserrait Jonah de tout son corps. Courbé en avant, Brock attrapa l'arrière du cou de Karen. Il allait l'arracher à son enfant quand David se leva et s'élança vers eux.

Son seul espoir était la force de l'élan. Il abaissa son épaule droite et chargea vers l'agent comme un bélier, le torse parallèle au sol. Mais Brock le vit venir. Au dernier moment, il fit un pas de côté et tendit son pied sur le passage de David pour le faire tomber. L'espace d'une seconde, David fut suspendu dans l'air, en apesanteur. Ne pouvant amortir sa chute avec les mains, il atterrit directement sur le visage. Son front craqua contre le ciment et le sang coula de ses narines jusque dans sa bouche.

Brock se mit à rire.

— Beau vol plané !

La pièce s'assombrit et se mit à tournoyer autour de David. Il perdit connaissance pendant quelques secondes. Quand il rouvrit les yeux, il vit Monique courir vers l'agent. Sa tentative se révéla tout aussi infructueuse. Dès qu'elle arriva près de Brock, il lui envoya un coup de poing dans la poitrine. Elle tomba en arrière et l'agent éclata de rire. Le sang lui était monté au visage et sa peau avait pris une teinte rose vif autour de ses bleus. Son regard était triomphant. S'approchant de Monique, il fit passer son Uzi dans la main gauche et de la droite fouilla dans la poche de son pantalon. On aurait pu penser qu'il allait sortir une autre arme — un couteau à cran d'arrêt, un lacet étrangleur ou un poing américain — mais il garda la main dans sa poche et la bougea lentement de haut en bas. Le bâtard s'astiquait.

Brock se retourna soudain et alla près du réservoir d'huile minérale. Il laissa pendre le Uzi à sa bretelle et plongea les deux mains dans le bassin.

— Alors Swift, hurla-t-il. T'as perdu tes couilles ou tu te contentes de regarder ?

David serra les dents. « Lève-toi ! se dit-il. Allez, debout ! » Il se hissa sur ses pieds et s'élança en avant, mais il avait maintenant l'impression de se déplacer au ralenti. Brock fit de nouveau un pas sur le côté et attrapa la corde qui liait les poignets de David. Puis il le fit pivoter et le força à s'agenouiller. Les mains de l'agent étaient huileuses et froides.

— La négresse me plaît bien, murmura-t-il. Mais pas autant que ta femme. Je vais lui ôter son bâillon comme ça tu pourras l'entendre crier.

Brock le jeta par terre. La tête de David heurta le sol en ciment et la douleur fut terrible. Mais il ne perdit pas conscience. Il enfonça ses ongles dans ses paumes et mordit sa lèvre inférieure jusqu'au sang, luttant de toutes ses forces pour rester conscient.

Épuisé, nauséeux et terrifié, il vit Brock séparer Karen de Jonah, la tirer vers le réservoir en acier et arracher le bâillon de sa bouche. Puis il entendit un gémissement qui le rendit fou. Alors qu'il se débattait sur le sol pour tenter de se remettre debout, sa main droite glissa soudainement du fil électrique que Brock avait malencontreusement graissé avec l'huile minérale.

David fut si surpris qu'il resta cloué au sol pendant quelques secondes, gardant les deux mains derrière son dos. Tout à coup, son malaise se dissipa et ses pensées se clarifièrent. Il savait qu'il était trop faible pour se battre. S'il essayait de s'emparer du Uzi, l'agent le repousserait et se mettrait à tirer. Il fallait trouver autre chose. Une soudaine lueur d'esprit lui apporta la solution. Il glissa la main dans la poche arrière de son pantalon et attrapa le briquet qu'il avait pris à l'agent Parker, le Zippo où était gravée l'Étoile Solitaire du Texas.

Tout en faisant semblant d'avoir toujours les mains attachées, David se remit sur ses pieds. Brock sourit et lâcha Karen.

— J'aime mieux ça ! railla-t-il. (Il avança et se mit en position de combat.) Allez, vas-y ! Montre-moi ce que tu as dans le ventre !

Cette fois-ci, David ne se précipita pas. Il avança en titubant. Brock secoua la tête, l'air déçu. Si tu crois que tu m'impressionnes. Tu ressembles à...

David tourna alors la mollette du Zippo et d'un geste rapide amena le briquet devant le visage de Brock. Par réflexe, l'agent leva les bras pour se protéger et ses deux mains huileuses s'enflammèrent.

Rassemblant les forces qui lui restaient, David attrapa Brock par la taille et commença à le faire reculer. L'agent battait des mains comme un fou, mais cela ne faisait qu'attiser les flammes. David le poussa dans le réservoir d'huile minérale.

Les flammes se propagèrent dans la cuve dès que les mains de Brock atteignirent la surface. Il coula dans le liquide comme une pierre et disparut immédiatement. Même s'il n'était pas mort par le feu, l'agent n'aurait pu en réchapper, car non seulement l'huile minérale est hautement inflammable, mais elle est aussi moins dense que l'eau. Et comme le corps humain est composé en majorité d'eau, il est impossible de nager dans un liquide qui est beaucoup plus léger. David avait oublié beaucoup de choses depuis qu'il avait quitté l'école, mais par chance, pas ces propriétés.

Le signal dans la salle de contrôle ne résonna bientôt plus comme un battement de cœur. Le son avait régulièrement augmenté jusqu'à ce que chaque bip ressemble à un cri strident, inhumain. Cela faisait plutôt penser au bruit d'une alarme, mais le professeur Gupta ne paraissait pas inquiet. Il leva de nouveau les yeux au plafond, et quand il se retourna vers Simon, un sourire béat d'extase éclairait son visage.

— Le faisceau est fort, déclara-t-il. Je peux le dire juste en écoutant le signal. Tous les protons sont dans l'anneau.

« Merveilleux, pensa Simon. Maintenant, achevons le boulot. »

— Alors, êtes-vous prêt à entrer les coordonnées de la cible ?

— Oui, c'est la prochaine étape. Ensuite, nous chargerons les antiprotons dans le collisionneur.

Le professeur se déplaça vers la console dont s'occupait Richard Chan et Scott Krinsky, les pâles physiciens à lunettes du Laboratoire National d'Oak Ridge. Mais avant qu'il puisse donner ses instructions aux hommes, Simon lui attrapa le bras et pointa le Uzi vers son front.

— Attendez un peu ! Il faut faire un petit ajustement. J'ai de nouvelles coordonnées pour l'explosion.

Gupta le regarda bouche bée, ne comprenant pas.

— Qu'est-ce que vous faites ? Lâchez-moi !

Richard, Scott et tous les autres étudiants tournèrent la tête. Plusieurs se levèrent en voyant ce qui se passait, mais Simon ne s'en inquiéta pas. À part lui, personne n'était armé.

— Si vous tenez à la vie de votre professeur, je vous conseille de vous asseoir, dit-il calmement.

Pour donner du poids à ses paroles, il pointa le canon du Uzi dans la tempe de Gupta.

Les étudiants obéirent et reprirent aussitôt leurs places.

— Pourquoi m'appelez-vous ? Vous ne travaillez plus pour moi, que je sache.

Lucille reconnut à peine la voix du directeur du Bureau.

— Monsieur, reprit-t-elle. J'ai de nouvelles…

— Je ne veux pas le savoir ! Vous êtes à la retraite maintenant. Rendez votre arme et votre badge et rentrez chez vous !

— Je vous en prie, monsieur. J'ai identifié un numéro de téléphone portable qui pourrait appartenir à un des…

— Vous ne comprenez pas ! Je viens de perdre mon boulot à cause de vous, Parker ! Le vice-président a déjà choisi mon remplaçant et divulgué son nom à Fox News !

Elle respira profondément. Le seul moyen pour qu'il l'écoute était de faire vite.

— Ce suspect pourrait bien travailler avec Amil Gupta. Son numéro de téléphone est enregistré sous un faux nom, un certain M. George Osmond. Fausse identité, fausse adresse. Selon la liste d'appels de son opérateur, durant les deux dernières semaines, il a allumé son téléphone une fois par jour pour recevoir un appel de Gupta et l'a immédiatement éteint. Mais je pense que M. Osmond a commis une erreur. À une heure ce matin, il a allumé son téléphone et ne l'a pas éteint. On peut donc désormais connaître sa position.

— Vous savez quoi, Lucy ? Ce n'est plus mon problème. Cet après-midi, je serai de retour dans le privé.

— Il semble que le suspect ait voyagé sur des routes secondaires jusqu'à Batavia, dans l'Illinois. C'est là que se trouve le Fermi National…

— Mais pourquoi vous me racontez tout ça ? Vous devriez en parler à la Défense. Ce sont eux qui sont en charge de l'affaire maintenant.

— J'ai essayé, monsieur, mais ils ne m'ont pas écoutée. Ces idiots de la DIA ont continué à dire qu'ils n'avaient besoin de l'aide de personne !

— Alors laissez tomber ! Qu'ils se démerdent !

— Monsieur, si vous pouviez juste…

— Non, c'est terminé. J'en ai plus rien à foutre du Pentagone, de la Maison Blanche et de toute l'administration !

— Mais tout ce que vous avez à faire, c'est…

Elle entendit un claquement. Le directeur du FBI venait de raccrocher.

David fit sortir Karen, Jonah et Monique du laboratoire souterrain. Bien que le système anti-incendie du laboratoire eût déjà éteint le feu dans le réservoir d'huile minérale, ils avaient hâte de sortir de là. Une fois dehors, David dénoua les cordes de leurs poignets. Tandis que Karen et Jonah tombaient en larmes dans les bras de David, Monique retourna en courant dans le laboratoire.

— Attends une seconde ! cria David. Où vas-tu ?

— Il faut trouver un téléphone ! Ils ont pris nos portables.

David se dégagea délicatement de l'étreinte de son ex-femme et de son fils et retourna vers l'entrée du laboratoire. Monique cherchait un téléphone parmi les longues rangées d'ordinateurs.

— Nom de Dieu ! s'écria-t-elle. Ils ont un équipement qui coûte un million de dollars, mais pas un seul putain de téléphone !

David était resté près de la porte, hésitant à entrer.

— Allez, viens, dit-il. Ce cinglé de Russe pourrait envoyer des renforts d'un moment à l'autre.

Monique secoua la tête.

— Nous devons d'abord appeler les secours. Gupta a fait toutes les préparations pour la rupture d'espace-temps. S'ils visent Washington maintenant, ils vont… Et ça, qu'est-ce que c'est ? (Elle pointa le doigt vers un panneau en métal sur le mur, non loin de la porte d'entrée.) Ce serait pas un interphone ?

Malgré sa réticence, David entra dans la pièce pour regarder de plus près. Cela ressemblait effectivement à un interphone, avec une rangée de boutons colorés sous la grille d'un haut-parleur. Ils étaient étiquetés CONTROL ROOM, BOOSTER, MAIN INJECTOR, TEVATRON et COLLISION HALL[1].

— N'appuie pas sur CONTROL ROOM, conseilla David. C'est probablement où se trouve Gupta.

— Il faut appeler dans un bureau qu'ils n'ont pas encore occupé. Si on arrive à joindre un des ingénieurs du Tevatron, on pourra peut-être le convaincre de couper le courant dans le collisionneur.

Elle étudia pendant un moment la rangée de boutons, puis appuya sur celui étiqueté TEVATRON.

— Allô ? Allô ?

Personne ne répondit. Mais quand David tendit l'oreille vers le panneau, il entendit un rapide bip-bip aigu.

— Merde, murmura Monique. Je connais ce bruit. (Elle s'agrippa au bras de David pour garder l'équilibre.) Les faisceaux sont quasiment prêts.

— Quoi ? Qu'est-ce qui…

— Pas le temps, pas le temps ! (Elle entraîna David vers l'entrée.) Nous disposons de dix minutes, quinze au plus.

1. Salle de Contrôle, Injecteur principal, Tevatron, Hall du Collisionneur. *(N.d.T.)*

Elle se précipita vers le camion et saisit la poignée de la porte du conducteur. Malheureusement, elle était fermée. Les clés étaient probablement dans la poche du pantalon de Brock au fond du réservoir d'huile minérale.

— Putain ! s'écria-t-elle. Il va falloir courir !

— Où ça ?

— Au tunnel ! C'est par là !

Alors que Monique se mettait à courir vers l'anneau du Tevatron, David se précipita auprès de Karen et de Jonah. Les laisser seuls l'angoissait terriblement, mais ce qui se passait dans le collisionneur était encore bien plus effrayant.

— Vous devez absolument partir. Jonah et toi devez quitter cet endroit le plus vite possible. (Il leur montra un ruban d'asphalte à environ deux cents mètres au nord.) Allez sur cette route et arrêtez les voitures. Si vous voyez des agents de sécurité ou la police, dites-leur qu'il y a le feu dans le tunnel et qu'ils doivent couper le courant au plus vite. D'accord ?

Karen acquiesça d'un signe de tête. David fut impressionné par son calme. Elle lui prit la main et la serra, puis elle le poussa dans la direction du tunnel.

— Dépêche-toi avant qu'il soit trop tard !

Simon se trouvait dans une situation délicate. Il avait essayé plusieurs fois d'appeler Brock par radio, mais n'avait entendu que des parasites. Il était difficile d'imaginer qu'un homme armé d'un Uzi puisse avoir été dominé par une poignée d'otages ligotés et bâillonnés. Mais le fait était là.

Simon tenant toujours Gupta sous la menace de son arme, les étudiants configuraient désormais le Tevatron selon les nouvelles coordonnées de la cible. D'ici une dizaine de minutes, les faisceaux de particules seraient prêts, l'accélération commencerait et les premières collisions auraient lieu. Mais si Swift et Reynolds avaient échappé à la surveillance de Brock, il y avait de grandes chances pour qu'ils se soient rendus au tunnel et tentent d'interrompre l'expérience. Simon devait donc faire un choix : les pourchasser ou rester dans la salle de contrôle.

Après plusieurs secondes de réflexion, il appuya son fusil sur le crâne de Gupta et le força à avancer. Le vieil homme était si terrifié, qu'il pouvait à peine marcher. Tout en le tenant par le cou, Simon s'adressa aux étudiants.

— Le professeur Gupta et moi allons observer l'expérimentation d'un autre endroit, pas loin d'ici. Continuez à suivre les ordres que je vous ai donnés. Si la démonstration échoue, le professeur mourra dans d'atroces souffrances. Puis je reviendrai ici pour m'occuper de vous.

Les étudiants acquiescèrent en hochant la tête et retournèrent à leurs écrans. Ils étaient faibles et impressionnables ; Simon était persuadé qu'ils allaient lui obéir. Il se rendit au fond de la salle de contrôle et ouvrit le placard qui contenait les clés des points d'accès au tunnel. Michael les regarda un moment, sans comprendre. Puis il baissa la tête et reporta son attention sur sa Game Boy, tandis que Simon traînait le professeur vers la sortie.

David et Monique étaient à environ huit cents mètres du Tevatron. Ils avaient couru le long d'un chemin durant un moment et traversaient maintenant un champ boueux. Bientôt, ils aperçurent le talus herbeux qui recouvrait le tunnel et une structure basse en parpaing fermée par une grille métallique. Il n'y avait aucun véhicule garé dans les parages, ni personne en vue.

Monique montra du doigt la structure.

— C'est une des entrées du tunnel. Le point d'accès F-2.

— Merde, haleta David. La grille est probablement fermée. Comment on va faire pour entrer ?

— Les haches de secours, répondit-elle. Il y en a à chaque point d'accès, au cas où il y aurait besoin d'intervenir en urgence. Je les ai vues la dernière fois que j'ai participé ici à une expérimentation.

— Et les tableaux électriques pour couper les faisceaux ? Tu te souviens de leur emplacement ?

— Il y a des interrupteurs dans le tunnel, mais Gupta les a certainement déconnectés. Je parie que c'est une des premières choses qu'il a faite.

Après un dernier sprint, ils arrivèrent au bâtiment en parpaing et trouvèrent rapidement le coffret anti-incendie, fixé sur un mur extérieur. Monique prit la hache et se précipita vers l'entrée du bâtiment. À travers la grille, David découvrit un escalier descendant au tunnel. Il saisit le bras de Monique.

— Attends une seconde ! Comment on va arrêter l'accélérateur si les interrupteurs sont hors service ?

Monique leva la hache.

— Avec ça. Une coupure bien nette en travers du conduit devrait faire l'affaire.

— Mais si le conduit est rompu, les protons vont se disséminer partout ! Tu seras exposée aux radiations !

Elle hocha la tête en souriant.

— C'est pour ça que toi tu vas rester ici et garder l'entrée. Ce serait stupide d'être irradiés tous les deux.

David lui serra le bras.

— Laisse-moi faire ! C'est moi qui descends.

Le front de Monique se plissa et elle le regarda comme s'il avait dit quelque chose d'absurde.

— C'est ridicule. Tu as un enfant, une famille. Je n'ai personne. Le calcul est simple.

Elle libéra son bras d'une secousse et se posta devant la grille.

— Non, attends ! On peut peut-être…

Elle leva la hache au-dessus de sa tête et était juste en train de la redescendre sur la fermeture quand la balle la transperça. David entendit le coup de feu et vit le sang jaillir sur le côté, juste au-dessus de la ceinture du short de Monique. Elle laissa échapper un petit cri de surprise et laissa tomber la hache. Alors qu'elle s'effondrait, il l'attrapa par les épaules et la tira rapidement dans un coin du bâtiment.

— Mon Dieu ! cria-t-il. Monique !

Le visage de Monique se tordit de douleur. Elle s'agrippa au bras de David quand il l'étendit sur le sol et souleva son T-shirt. La balle était entrée par le côté gauche de son abdomen et ressortie par le droit. Le sang s'écoulait abondamment de part et d'autre.

— Putain, gémit-elle. Qu'est-ce qui s'est passé ?

David jeta un coup d'œil à l'extérieur. À environ cinquante mètres, il y avait deux étudiants de Gupta plaqués contre le mur d'un autre bâtiment en parpaing. Bien que tous deux soient armés de Uzi, ils se tenaient là, pétrifiés, manifestement en état de choc après leur première fusillade. L'un d'eux parlait dans une radio.

David se tourna vers Monique.

— J'ai vu deux types, mais d'autres vont venir, dit-il. (Agenouillé à côté d'elle, il glissa un bras sous son dos et un autre sous ses genoux.) Je vais t'emmener plus loin. (Mais elle hurla quand il essaya de la lever, et le sang jaillit de la blessure.)

— Pose-moi, pose-moi ! gémit-elle. Tu vas devoir le faire toi-même. Il y a un autre point d'accès à huit cents mètres au sud d'ici.

— Je ne peux pas…

— On n'a pas le temps de discuter ! Prends la hache et vas-y !

Simon enferma le professeur Gupta dans un placard du Collision Hall. Il aurait très bien pu le tuer discrètement sans que personne ne le sache, mais il avait décidé que c'était mieux que le professeur vive et voie le résultat de son expérimentation.

Juste au moment où il quittait le Collision Hall, il reçut un appel radio de deux étudiants qui avaient pour tâche de surveiller le tunnel. Quelques minutes plus tard, il arrivait à l'entrée du point d'accès F-2. Les étudiants se trouvaient à environ dix mètres de Monique et, bien qu'elle ne fût pas en état de riposter, ils braquaient encore leurs mitraillettes sur elle. Elle était étendue sur le dos dans une flaque de sang, apparemment vivante.

— Elle était seule ? leur demanda Simon. Vous avez vu quelqu'un d'autre ?

Le gros étudiant secoua la tête, mais le maigre parut incertain. Il essuya la sueur qui coulait sur son front et remonta ses lunettes sur l'arête de son nez.

— Je crois que quelqu'un l'a tirée dans le coin. Mais je ne l'ai pas bien vu.

Simon s'approcha du type myope.

— De quel côté il est parti ?

— Je ne sais pas, je ne l'ai pas revu. J'étais occupé à vous appeler, et après ça, nous…

D'une pression sur la gâchette, Simon réduisit au silence le pauvre garçon. Puis il se retourna et exécuta aussi le gros. Ces étudiants étaient inutiles. Swift avait réussi à s'échapper et était probablement en train de courir vers une autre entrée du tunnel. Mais Simon ne savait pas vers quel point de l'anneau de six kilomètres il se dirigeait. Furieux, il frappa du pied le visage du premier étudiant qu'il avait tué, brisant ses lunettes.

Juste à ce moment-là, Monique laissa échapper un gémissement, un « Daaaaavid » désespéré et guttural. Malgré ses yeux fermés, elle était donc encore consciente. Peut-être, pensa Simon, sait-elle où est Swift.

Simon sortit son couteau de combat. Pour infliger le maximum de douleur, le mieux était de commencer par les doigts.

Karen ne pouvait croire à sa bonne fortune. Alors qu'elle courait avec Jonah sur la route que David lui avait indiquée, elle vit trois camions de pompiers et une jeep rouge et blanche se diriger vers eux. Elle agita les bras pour leur faire signe de s'arrêter. Les camions continuèrent leur route, toutes sirènes hurlantes, mais la jeep, où était inscrit FERMILAB FIRE CHIEF sur la porte du conducteur, s'arrêta. Un homme chauve au visage rond et jovial se pencha par la fenêtre.

— Est-ce que je peux vous aider, madame ?

Elle s'arrêta une seconde pour reprendre sa respiration.

— Il y a le feu ! Dans le tunnel ! Vous devez couper le courant !

Le chef des pompiers lui sourit, l'air incrédule.

— Allons, allons, calmez-vous ! Nous avons eu un rapport disant que le système anti-incendie s'est activé dans le Neutrino Detector. C'est là où se rendent les camions.

— Non, non, ce feu est déjà éteint. C'est au tunnel que vous devez aller. Il faut couper le courant avant qu'ils fassent tout exploser !

Le sourire du chef s'assombrit un peu. Il jeta un coup d'œil inquisiteur sur Karen, puis regarda Jonah qui pleurait toujours.

— Excusez-moi, madame. Mais avez-vous un laissez-passer pour accéder au Fermilab ?

— Non, ils nous ont amenés ici dans un camion.

— Vous ne pouvez pas entrer sur le terrain du laboratoire sans un laissez-passer. Vous devez…

— Nom de Dieu ! Il y a un paquet de terroristes qui ont envahi l'endroit et vous vous préoccupez d'un foutu laissez-passer ?

Le sourire du chef disparut complètement. Il gara sa voiture sur le côté et ouvrit sa porte.

— Vous enfreignez la loi, madame. Je pense que vous feriez mieux de venir avec…

Karen attrapa la main de Jonah et repartit en courant sur la route.

En suivant la courbe du tunnel, David traversa un bois qui l'abrita quelque temps. Jusque-là, il avait toujours refusé de se retourner. De toute façon, il était déjà trop loin pour voir Monique. Il devait se focaliser sur le tunnel.

La hache à la main, David courait vers l'entrée E-0, une structure en parpaing identique à celle qu'il venait de quitter. Un grand chariot électrique jaune était garé près du bâtiment. Il était probablement utilisé pour transporter les ouvriers ou du matériel d'un point d'accès à un autre. Mais personne n'avait encore commencé sa journée de travail. Tout ce qu'il entendait était le gazouillement des oiseaux et un bourdonnement sourd qui provenait de l'escalier descendant vers le tunnel.

Il examina rapidement la grille qui se trouvait en haut des escaliers. Elle était sécurisée par une chaîne qui n'avait pas l'air très solide et un gros cadenas. David serra le manche de la hache comme si c'était une batte de baseball et prit son élan par deux fois. Puis il abattit la lame sur les maillons. L'impact ébranla ses mains et il faillit faire tomber la hache, mais quand il regarda à nouveau la chaîne, il constata qu'elle était coupée en deux.

David ouvrit la grille et dévala les escaliers. Au bas des marches, il dut s'arrêter — une autre barrière bloquait l'entrée du tunnel. À travers les barreaux, il apercevait le conduit de faisceaux, long, circulaire et argenté, fixé à environ une trentaine de centimètres au-dessus du sol. Il avait lu dans *Scientific American* que le conduit était régulièrement pris en sandwich entre des aimants supraconducteurs ; ces derniers étaient enfilés comme les perles d'un collier géant, sauf que chaque aimant faisait environ six mètres de long et avait la forme d'un cercueil. Les aimants maintenaient en ligne les protons et les antiprotons, les faisant circuler en étroits faisceaux à l'intérieur du tuyau d'acier. En appuyant simplement sur un interrupteur, ces mêmes aimants feraient se percuter les faisceaux et déclencheraient l'apocalypse.

David leva de nouveau la hache, mais la seconde grille était plus solide que la première. Elle était fermée par deux serrures fixées sur le montant. Quand il abattit sa hache, la lame ne fit pas même une entaille dans le métal. Il essaya de frapper au centre de la grille, mais les barres furent tout juste ébranlées. Une partie du problème tenait au fait que le passage était trop étroit, il n'avait donc pas assez de recul pour prendre pleinement son élan. Frustré, il cogna à nouveau sur les serrures et cette fois, c'est la hache qui se brisa. « Putain de merde ! » hurla David en frappant la barrière avec le manche cassé. Il était à deux pas du conduit et ne pouvait s'en approcher davantage.

À court d'idée, David remonta l'escalier. Il avait peu de chances de trouver une autre hache dans le coin. De toute façon, cela n'aurait pas changé grand-chose. En cognant sur la barrière pendant au moins une demi-heure, il aurait peut-être fini par la casser, mais il ne disposait que de quelques minutes. Arrivé en haut des marches, il regarda frénétiquement autour de lui dans l'espoir de trouver un autre outil — une clé, une scie à métaux, un bâton de dynamite. C'est alors que ses yeux se fixèrent sur le chariot électrique.

Par chance, le moteur démarra dès qu'il appuya sur le bouton. David s'assit au volant et se dirigea vers l'entrée du tunnel, qui semblait suffisamment large. Il appuya à fond sur la pédale d'accélérateur et le véhicule atteint environ 30 km/h. Puis il sauta et le regarda descendre les marches.

Le choc fut encore plus terrible que David ne l'avait imaginé. Il dévala l'escalier et vit le chariot jaune en équilibre sur un amas de barres de métal. L'avant du véhicule était entré dans le tunnel et l'arrière était resté suspendu sur la grille. Les roues arrière tournaient follement dans l'air — le moteur du chariot fonctionnait encore et la pédale d'accélérateur était restée enfoncée — mais David parvint à passer derrière le châssis et à entrer par la brèche.

Il avança sur le sol en ciment du tunnel jonché de débris de verre. Le conduit, cependant, n'avait pas l'air endommagé. Quelques mètres plus loin, David trouva un tableau électrique sur le mur ; il l'ouvrit et appuya sur l'interrupteur d'arrêt en priant pour que ça marche. Il ne se passa rien. La longue ligne d'aimants supraconducteurs continua à bourdonner. Gupta avait désactivé les interrupteurs, comme Monique l'avait prévu.

David se saisit d'une lourde barre d'acier détachée de la grille. Il ne voyait pas d'autre possibilité. Il serait impossible de mettre hors service un des aimants supraconducteurs — les bobines étaient encastrés dans d'épaisses colonnes d'acier — et tous les câbles électriques du collisionneur étaient hors de portée car ils couraient le long du plafond voûté du tunnel. Non, la seule manière de couper le Tevatron était de faire un trou dans le conduit en frappant assez fort pour interrompre le faisceau de particules. Celles-ci irradieraient ensuite tout son corps comme des millions de minuscules dards. David commença à ressentir des picotements dans les yeux. « Bon, pensa-t-il, au moins ce sera rapide. »

Il se frotta les yeux et murmura « Adieu, Jonah ». Puis il leva la barre d'acier au-dessus de sa tête. Mais alors qu'il avançait vers une section du conduit située entre deux aimants, il remarqua un autre tuyau juste au-dessus sur lequel étaient inscrites deux lettres noires : HE. C'était le tuyau qui transportait l'hélium liquide ultra-froid vers les aimants. L'hélium est ce qui rendait les aimants hyperconducteurs, car il abaissait tellement la température de leurs bobines en titane qu'ils pouvaient conduire l'électricité sans aucune résistance. David comprit soudain qu'il y avait un autre moyen d'arrêter les faisceaux de particules.

Il resserra sa prise sur la barre d'acier et visa le tuyau d'hélium. Il lui suffisait de faire un trou. Une fois exposé à l'air, l'hélium liquide se transformerait en gaz et s'échapperait ; ensuite les aimants chaufferaient et le Tevatron s'arrêterait automatiquement. Il frappa avec la barre de toutes ses forces sur le tuyau. Un bruit métallique aigu résonna et se propagea dans le tunnel. Le coup avait fait un trou de deux centimètres et demi ; c'était bien, mais pas suffisant. Il frappa de nouveau le tuyau au même endroit et parvint à agrandir le trou. Encore un coup et ce sera bon, pensa-t-il en levant une nouvelle fois les bras. Mais quelqu'un lui arracha soudain la barre des mains et le projeta loin du conduit.

Sa tête alla frapper le mur en ciment du tunnel. Il n'avait pas vu son assaillant, mais en s'écroulant sur le sol il entendit une voix qui lui était familière.

— Re-bonjour, Dr Swift. Votre collègue, le Dr Reynolds, a eu la gentillesse de me dire où vous étiez. J'ai juste eu besoin de lui couper deux doigts.

Non, madame, tout est calme au laboratoire. C'est une nouvelle belle journée qui commence ici. Vingt-quatre degrés et pas un nuage.

Adam Ronca, le chef de la sécurité du Fermilab, parlait avec un fort accent de Chicago. Rien qu'en entendant sa voix au téléphone, Lucille pouvait deviner à quoi il ressemblait : trapu, rougeaud, d'âge mûr. Un type facile à vivre, qui avait trouvé un job pas trop fatigant.

— Et qu'en est-il de vos rapports d'incidents ? demanda-t-elle. Aucun signe d'activité inhabituelle dans les dernières heures ?

— Attendez, je regarde. (Il se tut et remua des papiers.) À 4 h 12 du matin, le garde de la barrière ouest a aperçu des mouvements dans les bois. C'était un renard. Et à 6 h 28 le service des pompiers a répondu à une alarme au détecteur de neutrinos.

— Une alarme ?

— Ce n'est probablement rien. Sans doute une défaillance du système anti-incendie. Ce putain de... (Une rafale de parasites l'interrompit.) Oh ! excusez-moi, agent Parker. Le chef des pompiers m'appelle sur la radio.

Lucille cria : « Attendez ! » mais il avait déjà reposé le téléphone. Pendant près d'une minute, elle tambourina avec ses ongles sur son bureau, regardant les listes d'appels du téléphone portable de George Osmond. Le Fermilab n'était pas une cible susceptible d'intéresser les terroristes — il n'y avait pas de projets d'arme au laboratoire et très peu de matière radioactive. Mais peut-être que M. Osmond était intéressé par autre chose.

Ronca reprit enfin le téléphone.

— Excusez-moi, madame. Le chef des pompiers avait besoin de moi. Alors, où en étions-nous…

— Pourquoi avait-il besoin de vous ?

— Oh ! il a croisé des intrus. Une femme à moitié folle et son enfant. Cela arrive plus souvent qu'on ne le croie.

La main de Lucille se crispa sur le combiné du téléphone. Elle pensait à l'ex-femme de Swift et leur fils, qui avaient disparu depuis deux jours.

— Est-ce une femme dans les trente-cinq ans, blonde, d'environ un mètre soixante-quinze ? Avec un gamin de sept ans ?

— Hé, comment vous savez…

— Écoutez-moi bien, Ronca. Une attaque terroriste est peut-être en cours. Vous devez fermer le laboratoire.

— Oh, attendez ! Je ne peux pas…

— Écoutez-moi, je connais le directeur du FBI de Chicago. Je vais lui dire de vous envoyer des agents. Assurez-vous juste que personne ne quitte les lieux !

Le professeur Gupta savait exactement où il se trouvait. Le placard dans lequel il était enfermé n'était pas très loin du Collider Detector, le joyau du Fermilab. Comme il était assis le dos contre le mur, il pouvait entendre le sourd bourdonnement du dispositif et sentir les vibrations dans le sol.

Le détecteur avait la forme d'une roue géante de plus de dix mètres de haut, avec un conduit qui passait à l'endroit où se situerait l'essieu. Les protons et les antiprotons allaient entrer en collision exactement au centre de la roue, un point entouré d'anneaux concentriques bourrés d'instruments de mesure — chambres à dérive, calorimètres, compteur de particules. En temps normal, ces instruments suivaient les trajectoires des différents quarks, mesons et protons éjectés par les collisions à haute-énergie. Mais aujourd'hui, aucune particule ne sortirait du centre de la roue. Cette fois-ci, les collisions feraient un trou dans notre univers, permettant aux neutrinos stériles de s'échapper dans les autres dimensions, et aucun instrument sur terre ne détecterait leur présence jusqu'à ce qu'ils reviennent dans notre espace-temps. Gupta avait entendu Simon donner les coordonnées de la nouvelle cible aux étudiants et il avait pu déterminer approximativement le point de rentrée. C'était à environ mille kilomètres à l'est. Quelque part sur la Côte Est.

Le professeur baissa la tête et regarda le sol. Après tout, ce n'était pas sa faute. Il n'avait jamais eu l'intention de blesser qui que ce soit. Bien sûr, il savait depuis le début que l'essai nécessiterait quelques sacrifices, que Simon devrait exercer une certaine pression sur Kleinman, Bouchet et MacDonald pour qu'ils révèlent la *Einheitliche Feldtheorie*. C'était inévitable. Après avoir obtenu les équations, il avait tout fait pour empêcher les actes violents qui auraient pu entacher sa démonstration de la théorie unifiée. On ne pouvait le blâmer si ses ordres n'étaient pas correctement exécutés. Le problème résidait dans la perversité naturelle de l'homme. Le mercenaire russe n'avait cessé de le décevoir.

Assis dans le noir, Gupta entendit un nouveau bruit, un lointain tambourinement. C'était le son du système RF, qui générait maintenant une onde radio oscillante pour accélérer les protons et antiprotons. Chaque fois que les particules viendraient autour de l'anneau, environ cinquante mille fois à la seconde, le champ RF leur donnerait une autre impulsion. En moins de deux minutes, les groupes de protons et d'antiprotons atteindraient leurs énergies maximum et les aimants supraconducteurs dirigeraient les faisceaux les uns contre les autres. Le professeur leva la tête et écouta attentivement. Il ne pourrait entendre la rupture dans l'espace-temps, mais saurait rapidement si l'expérimentation avait marché.

David était tombé à la renverse sur le sol du tunnel. Simon apparut au-dessus de lui et mit un pied sur sa poitrine, lui rendant la respiration difficile et l'empêchant de se relever. Bien qu'étourdi et le souffle coupé, il attrapa la botte en cuir et essaya de la lever pour libérer sa cage thoracique ; le mercenaire appuya plus fort et y enfonça son talon. Simon pointait aussi son Uzi sur le front de David, mais il ne semblait pas avoir vraiment l'intention de tirer. Peut-être craignait-il que la balle frappe le conduit en ricochant. Ou peut-être voulait-il simplement jouir de la situation. Alors qu'il broyait le sternum de David, le bourdonnement des aimants supraconducteurs s'amplifia et le sol du tunnel commença à vibrer.

— T'entends ça ? demanda Simon. (Un sourire s'épanouit sur son visage en sueur.) C'est l'accélération finale. Il ne reste plus que deux minutes.

David se contorsionna, donna des coups de pied et de poing dans la jambe de Simon, qui restait inébranlable. Au bout d'un moment, ses forces commencèrent à décliner. Ses tempes battaient et le sang coulait de ses blessures au visage. Il pleurait maintenant de douleur et de désespoir. Tout cela était de sa faute, du début jusqu'à la fin. Il avait cru qu'il pourrait avoir un aperçu de la Théorie du Tout sans en subir de conséquences, mais il était à présent puni pour son péché d'orgueil, cette téméraire tentative de lire dans l'esprit de Dieu.

Simon hocha la tête. Il avait l'air au comble de l'extase, regardant sa victime clouée au sol.

— Ça fait mal, hein ? Et tu ne ressens ça que depuis quelques secondes. Imagine ce que c'est de vivre avec cette douleur pendant des années.

En dépit de la pression sur sa poitrine, David parvint à faire entrer un peu d'air dans ses poumons. Même si la situation était désespérée, il allait continuer à se battre.

— Enculé ! hurla-t-il. Espèce de lâche !

Simon ricana.

— Rien ne peut gâcher mon bonheur, Dr Swift. Je suis heureux, pour la première fois en cinq ans. J'ai fait ce que mes enfants voulaient. Oui, j'ai accompli leur volonté.

David secoua la tête.

— Vous êtes complètement cinglé !

— Peut-être, peut-être. Mais je l'ai fait quand même. Comme Samson et les Philistins. Je vais ébranler les colonnes de leur maison et la faire tomber sur leurs têtes.

Simon serra le poing. Il se détourna de David pendant un moment et regarda fixement le mur du tunnel.

— Personne ne rira sur ma tombe, murmura-t-il. Pas de rire, pas de pitié. Rien que… (Sa voix devint sourde. Il cligna des paupières et se pinça l'arête du nez. Puis, retrouvant le fil de sa pensée, il lança un regard haineux à David et enfonça de nouveau son talon dans sa poitrine.) Rien que du silence ! Le reste est silence !

David ressentit un choc dans sa poitrine, mais il ne provenait pas de la botte de Simon. Il regarda attentivement le visage du mercenaire. Il avait l'air de tomber de sommeil. Sa mâchoire était relâchée et ses paupières clignaient. David regarda alors le tuyau d'hélium liquide qu'il avait essayé de briser. Bien qu'il ne fût pas vraiment troué, il était légèrement courbé au niveau d'un raccord. Il se pouvait donc qu'il y ait une petite fuite — pas assez pour surchauffer les aimants, mais peut-être suffisamment pour remplacer un peu d'oxygène dans le tunnel. Et comme l'hélium est le deuxième élément le plus léger, il allait se diffuser plus rapidement dans la partie supérieure que près du sol.

Simon battit plusieurs fois des paupières.

— Qu'est-ce que tu fais ? Qu'est-ce que tu regardes ? (Il étendit le bras droit, baissant le Uzi à environ trente centimètres du front de David.) Je devrais te descendre tout de suite ! T'envoyer immédiatement en enfer !

Le mercenaire respirait rapidement. C'était un des symptômes de la privation d'oxygène. Un autre était le manque de coordination des muscles. David leva les mains comme s'il se rendait. Il avait peut-être encore une chance.

— Non, ne tirez pas ! cria-t-il. Je vous en supplie, ne tirez pas !

Simon le regarda avec mépris.

— Pitoyable ver de terre ! Tu...

David attendit que Simon cligne une nouvelle fois des yeux. Alors, il tendit brusquement son bras droit et fit voler le Uzi de ses mains. Quand la mitraillette tomba sur le sol en ciment, le mercenaire fut légèrement déstabilisé et relâcha la pression de son pied. David attrapa alors la botte à deux mains, la tourna comme un tire-bouchon et Simon s'écrasa sur le sol.

L'arme, pensa David. Il faut que j'attrape l'arme. Il ne restait plus qu'une minute. Il se leva et resta courbé afin de ne pas trop respirer d'hélium. Il lui fallut deux secondes pour repérer le Uzi, qui avait glissé sous le conduit, cinq à six mètres plus loin. Il commença à courir, mais il avait attendu trop longtemps. Avant d'avoir pu faire trois pas, Simon le rattrapa et l'agrippa par la taille. Il le jeta ensuite contre le mur et se précipita vers le Uzi.

Durant quelques secondes, David le regarda, comme pétrifié. Puis il se retourna et se précipita vers l'entrée du tunnel. Il courait, mû par son instinct, ne pensant plus qu'à sauver sa peau. Il savait qu'il ne pourrait échapper à la mort qu'en arrêtant le collisionneur. Tandis que Simon s'agenouillait sur le sol pour attraper son Uzi, David cherchait dans les débris qui entouraient la grille quelque chose de lourd qu'il pourrait lancer sur le conduit. C'est alors qu'il leva les yeux et vit le chariot électrique. Il était toujours à demi engagé dans l'entrée du tunnel, son châssis en équilibre précaire sur la barrière tordue et son moteur faisant encore tourner les roues arrière dans l'air.

Quand il arriva près du chariot, il entendit des pas derrière lui. Simon fonçait dans le tunnel. Mais n'appuya pas sur la gâchette ; tirer de loin était trop risqué à cause de la possibilité de ricochet. Cela donnait à David quelques précieuses secondes pour agir. Il empoigna l'avant du chariot jaune et tira de toutes ses forces. L'engin ne bougea pas. Le chariot était lourd — pas loin de deux cents kilos — et son châssis reposait sur un tas de métal tordu. David tira de nouveau, mais sans résultat. Il était coincé.

Arrivé à trois cents mètres de David, Simon leva son Uzi et tira. David s'étant accroupi pour tenter une dernière fois de faire bouger le véhicule, les balles sifflèrent au-dessus de sa tête. Juste à ce moment-là, le chariot se libéra et glissa dans le tunnel.

Le véhicule se cabra comme un cheval dès que ses roues arrière touchèrent le sol. Simon baissa son arme et s'élança. Il plongea vers le chariot pour attraper le volant, mais au dernier moment, une de ses bottes glissa sur un morceau de verre. Il tomba sur le passage du véhicule qui fonçait droit vers le conduit.

David sauta par-dessus la barrière cassée et roula sur le côté, derrière un mur en ciment. Il y eut alors un violent éclair de lumière blanche accompagné d'une terrifiante détonation.

Le professeur Gupta entendit un lointain bruit sec. Puis le bourdonnement des aimants supraconducteurs se tut. En quelques secondes, le Collision Hall fut réduit au silence. Le Tevatron était arrêté.

Accroupi dans un coin du placard de rangement, Gupta entendit son cœur cogner dans sa poitrine. Il ferma les yeux et se représenta une feuille plissée et ondulante, comme dans la simulation qu'il avait faite sur ordinateur. Il vit un groupe de neutrinos stériles se libérer de la feuille et courir entre ses plis comme des millions de braises incandescentes. Et puis il s'effondra et ne vit plus que du noir.

Il fut réveillé par les cris perçants de ses étudiants. Ils étaient tout près et criaient « Professeur ! Professeur ! » avec des voix angoissées. Rassemblant ses forces, Gupta rampa vers l'avant du placard et frappa du poing sur la porte.

Les voix se rapprochèrent.

— Professeur ? C'est vous ?

Quelqu'un tourna la clé et ouvrit la porte. Gupta vit soudain Richard Chan et Scott Krinsky se précipiter dans le placard et s'agenouiller près de lui. Les autres suivaient juste derrière, s'entassant dans le petit espace. La bouche de Gupta était si sèche qu'il pouvait à peine parler.

— Richard, dit-il d'une voix rauque. Qu'est-ce qui s'est passé ?

Les joues de Richard étaient mouillées de larmes.

— Professeur, sanglota-t-il. Nous pensions que vous étiez mort !

Dans une attitude enfantine, il entoura Gupta de ses bras.

Le professeur l'écarta.

— Qu'est-ce qui s'est passé ? répéta-t-il, plus fort cette fois.

Scott avança, les lunettes de travers. Un Uzi pendait par une bretelle à son épaule.

— Nous suivions les instructions de Simon, mais quelques secondes avant l'impact, il y a eu une explosion dans le secteur E- 0 du tunnel.

— Les collisions n'ont jamais démarré ? Il n'y a pas eu de rupture de l'espace-temps ?

— Non, l'explosion a interrompu la ligne de faisceau et le Tevatron s'est arrêté.

Gupta sentit une chaude bouffée de soulagement et remercia le ciel.

— Après ça, nous avons commencé à vous chercher, ajouta Scott. Nous avions peur que Simon vous ait tué, comme il l'avait dit. (Il se mordit la lèvre inférieure.) Il a abattu Gary et Jeremy. Nous avons trouvé leurs corps devant l'entrée F-2 du tunnel. J'ai pris un de leurs Uzi.

Gupta posa les yeux sur l'horrible arme noire.

— Où est Michael ? (Il regarda derrière Scott et Richard, cherchant le visage de son petit-fils.) Il n'est pas venu avec vous ?

Ils se regardèrent avec nervosité.

— Euh… non, répondit Scott. Je ne l'ai pas vu depuis que nous avons quitté la salle de contrôle.

Le professeur secoua la tête. Ses étudiants se tenaient autour de lui comme une bande d'enfants désemparés. Ils avaient lamentablement obéi à d'autres ordres et imploraient maintenant son pardon en attendant ses instructions. La colère de Gupta redonna de nouvelles forces à ses membres. Il tendit la main vers Scott.

— Aidez-moi ! ordonna-t-il. Et donnez-moi cette arme !

Scott l'aida aussitôt à se lever et lui tendit le Uzi. Gupta le serra contre sa hanche et sortit du placard.

— Bon, retournons à la salle de contrôle. Nous devons trouver Michael et reprendre l'expérience.

Richard le regarda d'un air stupéfait.

— Mais le conduit a subi des dommages considérables. Les relevés ont montré qu'une demi-douzaine d'aimants sont hors service !

Gupta fit un mouvement de la main pour écarter le problème.

— Nous pouvons réparer les dégâts. Nous avons tout l'équipement nécessaire.

Il traversa le Collision Hall et se dirigea vers l'une des sorties. Ses étudiants le suivaient avec angoisse. Il n'était pas trop tard pour faire un autre essai. Réparer le conduit demanderait sans doute plusieurs heures, mais avec un peu de chance ils pourraient injecter d'autres groupes de particules d'ici la fin de la journée. Cette fois-ci, ils cibleraient les neutrinos selon les coordonnées originales, cinq mille kilomètres au-dessus de l'Amérique du Nord. L'explosion répandrait ses superbes rayons à travers le ciel juste à la tombée de la nuit.

Alors qu'ils sortaient, Scott s'approcha de Gupta et posa la main sur son bras.

— Il y a un autre problème, professeur, dit-il. Les agents de sécurité du laboratoire savent que nous sommes là. Nous en avons vu trois se diriger vers la salle de contrôle.

Gupta continua à avancer, traversant à grandes enjambées un parking et se dirigeant vers le talus herbeux qui recouvrait le tunnel.

— Peu importe. Nous allons accomplir notre mission. Nous allons changer le monde !

— Mais les gardes ont des armes ! Et d'autres vont arriver !

— Je vous ai dit que ça n'avait aucune importance. L'humanité a attendu pendant plus d'un demi-siècle. La *Einheitliche Feldtheorie* ne peut rester cachée plus longtemps.

Scott serra plus fort le bras de Gupta.

— Professeur, s'il vous plaît, écoutez-moi ! Il faut partir avant qu'ils nous arrêtent !

Le professeur repoussa la main de Scott puis leva le Uzi et dirigea le canon vers la poitrine de l'effronté. Les autres étudiants s'arrêtèrent, tétanisés. Ces imbéciles ne comprenaient vraiment rien.

— Je tuerai tous ceux qui me feront obstacle ! s'écria-t-il. Rien ne pourra m'arrêter maintenant !

Scott leva les mains, mais ne recula pas. Au contraire, l'insensé fit un pas en avant.

— Je vous en prie, soyez raisonnable, professeur ! Peut-être pourrons-nous essayer une autre fois, mais pour le moment nous devons...

Gupta le fit taire en lui tirant une balle dans le cœur. Puis il tua Richard, qui tomba à la renverse sur l'asphalte. Les autres restèrent cloués sur place, n'en croyant pas leurs yeux. Il ne leur venait même pas à l'esprit de s'enfuir. Exaspéré par leur stupidité, le professeur continua à tirer, balayant avec le Uzi leurs visages stupéfaits. Ils bondirent, par mouvements saccadés, comme des marionnettes, avant de mourir. Gupta tira encore plusieurs rafales pour s'assurer qu'ils étaient tous morts. De toute façon, ils ne valaient plus rien et ne représentaient plus qu'une perte de temps. Il accomplirait seul sa destinée.

Gupta se dirigea alors vers le Wilson Hall, marchant le long du talus. À cet instant une voiture noire s'arrêta sur la route et trois hommes en costume gris en sortirent. Ils se précipitèrent derrière le véhicule, pointant leurs pistolets vers lui et criant des paroles inaudibles. Encore des stupidités, pensa le professeur. Il en avait entendu une infinité aujourd'hui.

Furieux, Gupta pivota vers les hommes et leva son Uzi. Mais avant qu'il puisse appuyer sur la gâchette, il vit une lueur jaune jaillir d'un des pistolets. Une balle de 9 mm fila dans l'air, se déplaçant de façon aussi rectiligne qu'un proton de haute énergie, mais pas aussi vite. Elle perfora le crâne de Gupta, éjectant des particules de peau, de sang et d'os. L'esprit du professeur s'échappa de notre univers et se fondit dans le ciel sans nuages.

Une ambulance et un camion de pompiers tournaient au ralenti près de l'entrée du tunnel F-2. David accéléra le pas, boitillant aussi vite que possible vers le bâtiment en parpaing. Il s'était évanoui après l'explosion dans le tunnel ; il n'avait donc aucune idée du temps qui s'était écoulé depuis qu'il avait quitté Monique. Vingt minutes ? Trente ? Il se rappelait ses terribles blessures à l'abdomen, le sang jaillissant des deux côtés. Il espérait que les secours étaient arrivés à temps.

Quand il fut à environ vingt mètres, il vit un corps sur le sol, recouvert par une couverture. Deux pompiers se tenaient à côté. David se figea sur place. Ses jambes tremblaient tellement qu'il faillit s'effondrer. Sa poitrine se serra quand il aperçut un second corps recouvert d'un drap quelques mètres à gauche. Puis, un peu plus loin, il découvrit deux secouristes en survêtements bleus qui soulevaient une civière pour la faire glisser dans une ambulance. Il discerna un visage brun avec un masque à oxygène sur la bouche. « Monique ! » hurla-t-il en bondissant vers la civière. Elle était vivante !

Un troisième secouriste, un grand gars avec une moustache noire, l'intercepta avant qu'il atteigne l'ambulance.

— Hé, doucement, mon gars ! dit l'homme en lui attrapant le bras et le regardant de haut. Qu'est-ce qui vous est arrivé ?

David tendit le doigt vers la civière. Un bandage recouvrait la taille de Monique. Un autre entourait une de ses mains.

— Comment va-t-elle ? Est-ce qu'elle va s'en sortir ?

— Ne vous inquiétez pas, nous l'avons stabilisée. Elle a perdu beaucoup de sang, mais elle devrait s'en sortir. Et les chirurgiens pourront lui greffer les doigts sectionnés. (Il regarda avec inquiétude les entailles sur le front de David.) Il semble que vous ayez également besoin de soins.

David se raidit, recula et libéra son bras de la main du secouriste. Il s'était tellement inquiété pour Monique qu'il avait oublié ce qui lui était arrivé. Bien qu'il eût roulé derrière un mur en ciment avant que le conduit se brise, il savait que les protons de haute énergie pouvaient générer toutes sortes de particules secondaires nocives.

— Ne me touchez pas. J'étais dans le tunnel, il est donc possible que j'ai été irradié.

Le jeune secouriste se figea. Puis il recula et se tourna vers l'un des pompiers qui se tenaient près des corps.

— Alex, apporte le détecteur de radiations, vite !

Alex se précipita avec un compteur Geiger, un épais tube de métal relié à un moniteur. Si David avait été exposé à l'averse de particules, le compteur allait immédiatement détecter des éléments radioactifs sur ses vêtements et sa peau. Il retint sa respiration quand l'homme passa l'appareil le long de son corps.

L'homme leva enfin les yeux.

— C'est bon. Vous n'êtes pas contaminé.

David soupira de soulagement. Il se pouvait qu'il ait absorbé quelques radiations, mais pas assez pour le tuer. « Merci, mon Dieu, pour le bouclier en ciment », pensa-t-il.

— Vous devriez envoyer une unité à l'entrée E-0, dit-il au pompier. Ce secteur du tunnel a besoin d'être sécurisé. Il y a eu un autre accident mortel là-bas. Mais il ne doit pas rester grand-chose du cadavre.

Alex secoua la tête.

— Nom de Dieu ! C'est quoi ce bordel ? Nous avons des gens qui se tirent dessus avec des Uzi, un adolescent déchaîné qui saccage tout, et maintenant vous dites qu'il y a un autre mort dans le…

— Attendez ! Un adolescent ?

— Oui, un taré qui hurle dans le parking près de la salle de contrôle. Il a détruit tout l'équipement qui se trouvait à l'intérieur des camions et… Hé, où vous allez comme ça ?

David partit en courant, malgré les cris des pompiers. Il ne lui restait plus que cinq cents mètres à parcourir. À présent, il était seul, épuisé et sur le point de s'effondrer, mais il trouva les ressources nécessaires pour courir le long du talus circulaire, passer devant le Main Injector, l'Antiproton Source, le Booster, l'Accumulator et atteindre le vaste bâtiment qui abritait la salle de contrôle du Tevatron.

Il se précipita vers le parking où les camions de Gupta étaient garés. Il remarqua d'abord les Suburban noires positionnées devant les deux sorties pour empêcher quiconque de quitter les lieux. Ensuite, à son grand soulagement, il vit Karen et Jonah, assis sur le capot de l'une des voitures. Deux agents du FBI se tenaient près d'eux, offrant à Jonah une barre de céréales et tendant à Karen un verre d'eau. Ces agents ne semblaient pas agressifs ; ni l'un ni l'autre ne dégaina d'ailleurs son arme quand David courut dans leur direction.

L'un d'eux sourit même quand Jonah glissa du capot et se jeta dans les bras de son père.

Après avoir attendu que père et fils aient fini de s'étreindre, les agents prirent David à part et lui tapotèrent le dos. Puis leur chef, un homme jovial aux cheveux gris avec un petit badge de Notre-Dame sur le revers de sa veste, s'approcha et lui serra la main.

— Je suis l'agent Cowley, annonça-t-il. Comment allez-vous, Dr Swift ?

David le regarda avec circonspection. Pourquoi était-il si aimable ?

— Je vais bien, merci.

— Votre ex-femme nous a déjà expliqué les épreuves par lesquelles vous êtes passé. Vous avez vraiment eu de la chance. (Prenant un air grave, l'agent baissa la voix.) Je crains que presque toutes les autres personnes qui étaient ici soient mortes. Le professeur Gupta et tous ses étudiants ont péri. Ce fut un véritable bain de sang.

— Ainsi vous êtes au courant pour Gupta ? Vous savez ce qu'il essayait de faire ?

— Eh bien, oui, dans les grandes lignes. L'agent Parker m'a fait un résumé pendant que je me rendais ici. Mais nous avons encore quelques questions à vous poser. Nous apprécierions beaucoup si vous pouviez venir à notre bureau et nous aider à éclaircir les zones d'ombre. Après avoir été soigné, bien sûr.

L'agent souriait à la manière d'un grand-père et lui serrait l'épaule. Mais David n'était pas dupe ; le FBI était toujours en quête de la même chose. Cette politesse de façade correspondait juste à un changement de tactique. Leurs précédentes tentatives avaient échoué, aussi essayaient-ils maintenant quelque chose de nouveau.

David lui rendit son sourire.

— D'accord. Mais je voudrais d'abord voir Michael.

— Michael ? Le petit-fils du professeur Gupta ?

— Oui, je veux voir s'il va bien. Il est autiste, vous savez.

L'agent Cowley réfléchit une seconde.

— Entendu, vous pouvez aller le voir. Mais le garçon n'est pas très bavard. Il s'est mis à crier comme un fou quand nous l'avons trouvé, et maintenant il ne dit plus un mot.

L'agent accompagna David vers l'un des camions de livraison de Gupta. Un tas de matériel informatique brisé qui semblait avoir été jeté de l'arrière du camion jonchait le sol. Les agents du FBI avaient délimité l'espace avec du ruban jaune comme dans les scènes de crime, mais il semblait improbable qu'ils aient pu récupérer quelque chose d'utile dans ces débris. Tous les ordinateurs que Gupta avait utilisés pour simuler la rupture de l'espace-temps avaient été détruits, et une multitude d'éclats brillants de disques durs étaient éparpillés sur le parking.

Michael se tenait de l'autre côté du ruban jaune, entre deux agents. Il avait les mains menottées derrière le dos, mais ne semblait pas du tout perturbé. Au contraire, il souriait devant le tas de matériel informatique brisé comme si c'était un cadeau d'anniversaire. David n'avait jamais vu le garçon aussi heureux.

Cowley fit un signe aux agents qui gardaient Michael et ils reculèrent de deux pas.

— Le voilà, Dr Swift. Il a fait de gros dégâts, mais maintenant il s'est calmé.

David regardait avec émerveillement les morceaux de circuits intégrés et de disques qui avaient contenu, au moins pendant un bref instant, la théorie du champ unifié. Il comprenait maintenant qu'il avait sous-estimé Michael. Bien que le garçon ait dû se soumettre à la volonté de son grand-père, David était persuadé qu'il ne révélerait jamais la théorie au FBI, quel que soit le temps pendant lequel ils l'interrogeraient. Il était, après tout, l'arrière-arrière-petit-fils d'Einstein. Et tout comme Hans Kleinman avait respecté le serment fait à *Herr Doktor*, Michael respecterait la promesse faite à Hans.

David sourit au garçon et montra du doigt le tas de débris.

— Michael, c'est toi qui as fait ça ?

L'adolescent se pencha en avant, approchant ses lèvres de l'oreille de David.

— Il le fallait, murmura-t-il. Elle n'était pas en sécurité.

ÉPILOGUE

En ce samedi après-midi ensoleillé d'octobre, il aurait été difficile de trouver un endroit plus sympathique que la cour d'école de la 27e rue ouest. Sur un rectangle d'asphalte de cinquante mètres de long, une vingtaine d'enfants jouaient au foot, au basket, au hockey et au base-ball. Leurs parents, assis çà et là, lisaient des journaux ou mangeaient du poulet grillé. David se trouvait au milieu de la cour, au centre de toute cette activité et jouait au baseball avec Jonah et Michael.

David se cabra en arrière comme un joueur professionnel et lança la balle haut dans les airs, à au moins quinze mètres. Jonah la rattrapa dans son gant, puis la fit rouler au sol jusqu'à Michael, qui ramassa et renvoya à David. La balle claqua avec un joli bruit dans son gant. « Pas mal », pensa-t-il. Les garçons avaient joué au baseball tous les week-ends depuis août et leur entraînement commençait à porter ses fruits. Quand on joue à un sport suffisamment longtemps, on devient forcément bon. C'était également vrai pour les échecs, le piano et la physique.

Karen était assise sur un banc avec Ricardo, son nouveau compagnon, bassiste dans un groupe de jazz qui jouait dans plusieurs petits clubs de Manhattan. Il avait les cheveux longs, ne portait jamais de chaussettes et gagnait très modestement sa vie, mais Karen était folle de lui. Et, pour être honnête, David préférait largement Ricardo à son ancien amant, le vieux juriste, Amory Duchmol. David ne se souvenait même plus de son nom.

Monique, sur un banc voisin, lisait le *New York Times*. Elle et Michael venaient souvent à New York depuis qu'elle avait obtenu la garde de l'adolescent. Monique s'était liée avec le garçon durant les deux semaines qu'elle avait passées au centre médical de l'université de Chicago, se remettant de sa blessure à l'abdomen et de sa main mutilée. Le FBI avait laissé David et Michael lui rendre visite tous les jours ; sur ce coup, les agents avaient encore joué la carte de la gentillesse, espérant toujours tirer de lui quelques informations. Quand le Bureau cessa finalement son enquête, les agents essayèrent de redonner Michael à sa mère, mais Beth Gupta ne voulut pas le prendre. Après deux semaines de détention, elle avait hâte de retrouver la Victory Drive. Le chef de l'unité spéciale du FBI — Lucille Parker, la femme qui avait interrogé David — avait alors surpris tout le monde en recommandant que le garçon vive avec Monique à Princeton.

David lança une autre balle haute à Jonah. Plus il pensait à cette affaire, plus il se disait qu'ils avaient eu de la chance. L'agent Parker aurait pu les garder en détention pendant des mois, les épuisant avec des interrogatoires quotidiens ; mais au lieu de cela, elle s'était montrée plutôt conciliante. David eut même l'impression qu'elle regrettait toute cette histoire et qu'elle avait hâte d'en finir. Il se pouvait aussi qu'elle ait imaginé les risques que pouvait faire naître une enquête trop approfondie. En voyant ce qui s'était passé au Fermilab, elle avait probablement deviné que la théorie d'Einstein était tombée dans les mains d'un fou qui avait failli provoquer une terrible catastrophe. Le fait que ni David ni Monique n'aient voulu dire un mot concernant la théorie indiquait clairement à quel point elle était dangereuse. Et peut-être que l'agent Parker en était finalement venue à la même conclusion que celle d'Einstein un demi-siècle plus tôt : la Théorie du Tout devait rester secrète, y compris pour le gouvernement.

Après avoir renvoyé la balle, David jeta un coup d'œil vers les bancs et vit que Karen et Ricardo se préparaient à partir. Ils se rendaient dans un club du centre-ville où Ricardo jouait avec son groupe. Jonah passerait la nuit dans l'appartement de David. Karen lui fit au revoir d'un mouvement du bras, lui envoya des baisers et lui recommanda de se brosser les dents. Puis elle se pencha pour embrasser Monique. David n'en revenait toujours pas que son ex-femme et sa nouvelle compagne soient devenues des amies intimes. L'horrible épisode du Fermilab avait lié les deux femmes, et Karen donnait maintenant des conseils à Monique sur la façon de s'y prendre avec le caractère de David. « L'univers est vraiment un lieu étrange et merveilleux », pensa-t-il.

— Eh, papa ! cria Jonah. La balle !

David était resté quelques instants à passer son doigt distraitement sur les coutures de la balle. Il la renvoya à Jonah et retira son gant.

— Joue avec Michael un moment, tu veux bien ? J'ai besoin d'un peu de repos.

Il se dirigea vers le banc où se trouvait Monique. Elle lisait un article dans les pages internationales du journal, les sourcils froncés, très concentrée. David s'assit à côté d'elle et jeta un œil sur la première page. Le gros titre disait : DÉMISSION DU SECRÉTAIRE À LA DÉFENSE. Et juste en dessous, en plus petits caractères : LE VICE PRÉSIDENT FAIT L'ÉLOGE DE SON TRAVAIL.

— Tu as lu l'article sur le secrétaire à la Défense ? demanda David. Nous avions entendu la fin de son discours à Fort Benning, tu te souviens ?

Monique secoua la tête. Puis elle étala le journal et montra du doigt un article en bas de la page 14. Le titre était : DES PHYSICIENS ONT DÉCOUVERT DE NOUVELLES PARTICULES.

— Je connais ces chercheurs, expliqua-t-elle. Ils travaillent au LHC, à Genève. Ils ont trouvé un boson avec une masse invariante de cent trente-six milliards d'électronvolts.

— Et qu'est-ce que ça signifie exactement ?

— Selon les théories classiques, ces nouvelles particules ne devraient pas exister. Mais la théorie du champ unifié en prédit l'existence. Einstein les avait déjà identifiées.

— Je ne…

— C'est un indice, David. Et quand les physiciens voient des indices, ils commencent à théoriser. (Elle replia le journal et le lança sur le banc, l'air inquiète.) Encore quelques découvertes comme celle-là et ils vont commencer à les assembler. Ce n'est plus qu'une question de temps avant qu'elle soit trouvée.

— Tu veux parler de la théorie unifiée ? Quelqu'un est en train de la découvrir à son tour ?

Elle acquiesça d'un mouvement de tête.

— Ils sont tout près. On ne sait pas, peut-être un étudiant de Princeton ou Harvard travaille-t-il en ce moment même sur ces équations.

David lui prit la main. Il ne pouvait plus rien y faire. Pour le moment, le secret de *Herr Doktor* était en sécurité dans la tête de Michael, mais toutes les précautions qu'ils avaient prises pouvaient se révéler inutiles si un autre physicien découvrait la théorie et la publiait. À ce jour, il ne leur restait plus que l'espoir. David se mit à trembler. Il était assis près de Monique et regardait la cour d'école pleine d'enfants débordant de vie. « Tout est terriblement fragile. Tout peut disparaître en un instant », pensa-t-il.

Puis il déplaça sa main sur le ventre de Monique, étendant ses doigts sur son chemisier en coton. Elle se tourna vers lui et sourit.

— Il est encore trop tôt pour sentir quelque chose. Elle ne commencera à donner des coups de pied que vers le quatrième ou cinquième mois.

David sourit à son tour.

— Pourquoi tu dis toujours « elle » ? Tu es sûre que ce sera une fille ?

Monique haussa les épaules.

— J'en ai le sentiment. La nuit dernière, j'ai rêvé que nous quittions la maternité pour la ramener à la maison. Je la mettais dans la voiture et alors que je l'attachais dans son siège auto, elle se mit soudain à parler. Elle m'a dit qu'elle s'appelait Lieserl.

— Oh ! Comme c'est étrange ! (Il caressa son ventre juste au-dessus du nombril.) Et c'est comme ça que tu veux l'appeler ? Lieserl ? Ou bien… Albert si c'est un garçon ?

Elle le regarda d'un air malicieux.

— Tu es fou ? La dernière chose dont le monde a besoin est d'un autre Einstein.

David éclata de rire. Même s'il savait que c'était totalement impossible, il aurait pu jurer avoir senti un léger mouvement sous ses doigts.

Notes de l'auteur

J'avais déjà bien entamé l'écriture de *Code Einstein* quand je me rendis compte à quel point ce roman était lié à ma propre expérience. Mon travail au *Scientific American* est de rendre plus accessibles des connaissances déconcertantes comme la théorie des cordes, les dimensions enroulées et les univers parallèles. En 2004, alors que je rédigeais un article pour une publication sur Albert Einstein, je me suis intéressé à sa longue recherche d'une théorie unifiée — un simple jeu d'équations qui engloberait la relativité et la mécanique quantique, combinant la physique des étoiles et des galaxies avec les lois de l'univers subatomique. Einstein s'y consacra de 1920 jusqu'à sa mort, en 1955, mais tous ses efforts pour formuler une théorie unifiée restèrent vains. Tout en lisant ce qui concernait cette partie de sa vie, j'ai commencé à me demander ce qui se serait passé s'il avait réussi. L'élaboration d'une théorie unifiée figurerait comme la plus belle découverte de l'histoire des sciences, mais elle pourrait aussi avoir des conséquences inattendues. Einstein ne savait que trop bien que sa théorie de la relativité avait rendu possible la bombe atomique. Aurait-il publié la théorie unifiée s'il avait su que cela pouvait conduire à la conception d'armes encore plus terribles ? Ou l'aurait-il gardée secrète ?

Ma fascination pour Einstein a commencé à la faculté. J'étudiais l'astrophysique à l'université de Princeton, et mon directeur de recherche était le renommé J. Richard Gott III (auteur de *Time Travel in Einstein's Universe*). Pour mon mémoire, le professeur Gott me suggéra de travailler sur un problème de relativité : comment l'équation du champ d'Einstein fonctionnerait dans Flatland, un modèle d'univers qui n'aurait que deux dimensions spatiales, comme une feuille de papier extrêmement grande. Après avoir rempli un cahier avec des équations plus ou moins griffonnées, j'ai montré le résultat au Dr Gott, qui m'a fait le plus beau compliment que l'on puisse obtenir de la part d'un grand physicien : « Cette solution n'est pas dénué d'intérêt ! » Nous avons cosigné un article intitulé « General Relativity in a (2+1) dimensional Spacetime » qui fut publié en 1984 dans un journal scientifique, *General Relativity and Gravitation*. Lorsque l'article parut, j'avais décidé de devenir poète plutôt que physicien et m'étais inscrit à un cours d'écriture à Columbia. Deux ans plus tard, quand je compris que la poésie ne paierait pas mes factures, je suis devenu journaliste ; j'ai travaillé pour divers journaux en Pennsylvanie, au New Hampshire et en Alabama avant de retourner à New York et d'écrire pour *Fortune, Popular Mechanics* et CNN. Puis j'ai bouclé la boucle, en 1988, quand j'ai commencé à travailler au *Scientific American*. Je fus étonné des progrès en astrophysique et en physique depuis que j'avais quitté l'université. Et je découvris bientôt, à ma grande surprise, que l'obscur article coécrit avec le professeur Gott était devenu un document important pour les physiciens qui poursuivaient les recherches d'Einstein sur la Théorie du Tout. Durant les vingt années précédentes, il avait été cité plus d'une centaine de fois dans divers journaux spécialisés. Cela est dû au fait que les chercheurs trouvent toujours intéressant de tester leurs hypothèses sur des modèles à deux dimensions, car la mathématique y est plus simple.

Cette expérience m'a alors incité à écrire *Code Einstein*. L'article que mon héros, David Swift, coécrit avec son directeur de recherche, le professeur Kleinman, porte sur la relativité dans un espace-temps à deux dimensions. Comme moi, David est un ancien étudiant en physique qui écrit des articles de vulgarisation scientifique. La différence, c'est qu'il est professeur et que moi, je suis rédacteur pour des magazines. Il est aussi beaucoup plus beau et courageux que moi.

J'ai veillé à ce que les principes scientifiques présentés dans ce roman, ainsi que les appareils de haute technologie, soient authentiques. Par exemple, la voiture robotisée Highlander est un véhicule réel construit par le Robotics Institute à l'université Carneggie Mellon. Le dispositif de surveillance Dragon Runner, également réalisé par le Robotics Institute, a été utilisé par les Marines en Irak. Le Virtual Combat Simulator qui apparaît au chapitre 10 est similaire au VirtuSphere, un système que j'ai moi-même testé au cours d'une visite au U.S. Naval Research Lab. Et l'idée que les neutrinos stériles peuvent prendre des raccourcis à travers les dimensions est une hypothèse qui a effectivement été proposée pour expliquer des résultats expérimentaux anormaux signalés par le Fermi National Accelerator Laboratory en 2007.

J'ai su assez rapidement que je voulais que le point culminant de l'intrigue se situe au Fermilab. J'ai donc demandé à visiter les installations et obtenu l'autorisation de voir le Tevatron, ce tunnel circulaire de six kilomètres de long où les protons et les antiprotons sont accélérés presque à la vitesse de la lumière pour ensuite entrer en collision. Les directives de sécurité nécessaires à la visite m'ont été particulièrement utiles. En effet, le personnel du laboratoire m'a expliqué les différents risques auxquels nous pourrions être exposés dans le tunnel, telles que la radioactivité libérée par la vaporisation de protons en collision ou la possibilité d'asphyxie par l'évaporation d'hélium se répandant sur les aimants supraconducteurs. En prenant en note toutes ces informations, je me suis dit : « Voilà du matériau fantastique ! Le livre va s'écrire tout seul ! »

Il me faut dire enfin, que j'ai bénéficié de beaucoup d'aide. Mes collègues du *Scientific American* ont été d'un grand soutien. Les membres de mon groupe d'écriture — Rick Eisenberg, Johanna Fiedler, Steve Goldstone, Dave King, Melissa Knox et Eva Mekler — m'ont fourni des critiques et des encouragements inestimables (tout particulièrement Rick, qui a lu tout le premier jet et rempli les marges d'excellents conseils). J'ai aussi la chance d'avoir un formidable agent, Dan Lazar de Writers House, et un merveilleux éditeur, Sulay Hernandez de Touchstone/Fireside. Mais je dois la plus grande reconnaissance à ma famille. Mes parents, qui ont soutenu mon amour des sciences, et ma femme, Lisa, qui m'a aidé à réaliser mon rêve de devenir romancier avec une patience infinie. Ce livre lui est dédié.

Impression réalisée par

La Flèche
en janvier 2009

Imprimé en France
N° d'impression : 51106
Dépôt légal : janvier 2009